Hans Hübner

Das Gesetz bei Paulus

Für Prof. D. Heinrich Greeven, D.D.

HANS HÜBNER

Das Gesetz bei Paulus

Ein Beitrag zum Werden der
paulinischen Theologie

GÖTTINGEN · VANDENHOECK & RUPRECHT · 1978

Forschungen zur Religion und Literatur
des Alten und Neuen Testaments

Herausgegeben von
Ernst Käsemann und Ernst Würthwein
119. Heft der ganzen Reihe

CIP-Kurztitelaufnahme der Deutschen Bibliothek

Hübner, Hans
Das Gesetz bei Paulus : e. Beitr. zum Werden d. paulin.
Theologie. - Göttingen : Vandenhoeck und Ruprecht, 1978.
  (Forschungen zur Religion und Literatur des Alten und
  Neuen Testaments ; H. 119)
ISBN 3-525-53281-4

© Vandenhoeck & Ruprecht, Göttingen 1978 — Printed in Germany.—
Ohne ausdrückliche Genehmigung des Verlages ist es nicht gestattet,
das Buch oder Teile daraus auf foto- oder akustomechanischem Wege
zu vervielfältigen. Gesamtherstellung: Hubert & Co., Göttingen

VORWORT

Die hier vorgelegte Studie wurde Anfang 1976 abgeschlossen. Somit ist die bis dahin erschienene Literatur berücksichtigt und, soweit zum Thema ergiebig, diskutiert. Doch war es noch möglich, am Rande auf einige wichtige Aufsätze der im Juli 1976 herausgekommenen Käsemann-Festschrift einzugehen.

Die in dieser Monographie vertretene These einer Entwicklung des paulinischen Gesetzesverständnisses und, im Gefolge davon, einer Entwicklung der paulinischen Theologie stützt sich vor allem - wie dürfte es bei einer exegetischen Arbeit anders sein! - auf die Interpretation der für das Thema relevanten Äußerungen des Apostels. Daß daher für den Verfasser dieser Arbeit die philologische und die darin eingebettete theologische Argumentation (z. B. für Gal 5,14) den höheren Stellenwert hat und nicht etwa die Bemühungen um die aus dieser Argumentation lediglich abgeleiteten historischen Rekonstruktionen, sollte sich eigentlich von selbst verstehen. Die historischen Rekonstruktionsversuche, vor allem in den Abschnitten 1.2. und 2.2., sind naturgemäß die hypothetischsten Teile der Studie. Sie beanspruchen keine Trägerfunktion für das Gerüst der Gesamtdarlegung. Und so bitte ich den kritischen Leser, das Buch im Wissen darum zu lesen, daß für seinen Autor nicht die historische Rekonstruktion der Vermutung, w a r - u m Paulus nun gerade diese und nicht eine andere theologische Entwicklung genommen hat, das Eigentliche der Darlegungen ist. Mir liegt daran, daß der Leser erkennt, wie vor allem in der Argumentation des Abschnitts 1.4. ein Angelpunkt der Beweisführung vorliegt.

Mein herzlicher Dank gilt den Herausgebern der "Forschungen zur Religion und Literatur des Alten und Neuen Testaments" für die Aufnahme des Buches in diese Reihe, des weiteren Fräulein stud. theol. Hannelore Hollstein und Herrn stud. theol. Reinhard Gorski für ihre Hilfe beim Lesen der Korrekturen, Fräulein Hollstein außerdem für die Anfertigung des Literaturverzeichnisses und der Register und schließlich - last not least! - meiner Frau für die Mühe beim Schreiben des Manuskripts.

Eigentlich sollte das Buch schon im Oktober 1976 ein Gruß zum 70. Geburtstag von Herrn Prof. D. Heinrich Greeven D. D. sein. Wie es aber meist bei der Geburt von geistigen Kindern der Fall ist, konnte auch hier der Termin nicht eingehalten werden. So sei Herrn Kollegen Greeven das Buch mit Verspätung gewidmet.

Weihnachten 1977   Hans Hübner

INHALT

Vorwort..5

Einleitung...9

1.   Nomos im Galaterbrief 16

1.1.   Erste Hinführung: Abraham 16
1.2.   Zweite Hinführung: Die Heidenmissionssynode -
        ein Mißverständnis des Paulus?............................21
1.3.   Die Funktion des Nomos 25
1.4.   Die Erfüllung des "ganzen" Gesetzes......................37

2.   Nomos im Römerbrief......................................44

2.1.   Abraham und die Beschneidung in Röm 4....................44
2.1.1. "Geschichte Israels" und Gesetz..........................50
2.2.   Die Heidenmissionssynode - ein korrigiertes Mißverständnis? .53
2.2.1. Exkurs: Die Frage nach der Integrität des Römerbriefes......58

2.3.   Die neue Funktion des Nomos..............................62

2.4.   Die Erfüllung der Torah 76

3.   Verdichtung 81

3.1.   Sich-Rühmen und Ruhmverzicht............................81
3.1.1. Sich-Rühmen in Gal 81
3.1.2. Sich-Rühmen in 1 und 2 Kor..............................91
3.1.3. Sich-Rühmen in Röm 93

3.2.   Gerechtigkeit Gottes und Gerechtigkeit 104

3.3.   Legem statuimus! (Röm 3,31).............................118

Anmerkungen..131

Literaturverzeichnis 177

Autorenregister..187

Stellenregister..190

0. EINLEITUNG

Die Frage, ob Paulus eine theologische Entwicklung hinsichtlich seines
Gesetzesverständnisses durchgemacht hat, ist nicht neu. Daß die beiden
Konzeptionen vom Gesetz in Gal und Röm nicht ganz miteinander verein-
bar, nicht ganz im Verhältnis zueinander stimmig sind, hat Albrecht
Ritschl bereits 1850 in der ersten[1] und dann etwas deutlicher 1857 in der
zweiten Auflage seiner Monographie "Die Entstehung der altkatholischen
Kirche" herausgestellt: In Gal habe Paulus Elemente des Gesetzes dem
Heidentum gleichgestellt, bedingt durch die vorherrschende Rücksicht auf
die zeremoniellen Satzungen. Andererseits überwiege aber in den Erklärungen in Röm die Rücksicht auf die sittliche Seite des Gesetzes so, daß
das Zeremonialgesetz außer acht gelassen zu sein scheint.[2] Dieselbe Sicht
hält Ritschl bis in die zweite Auflage (1882) seines dogmatischen Haupt-
werkes "Die christliche Lehre von der Rechtfertigung und Versöhnung"[3]
durch: Ein Exkurs über Gal 3, 13 "dient nebenbei zu der Erkenntniß, wie
verschiedenartig Paulus zu verschiedenen Zeiten über das mosaische Gesetz geurtheilt hat"; denn er hat "das mosaische Gesetz als Ganzes in den
Briefen an die Galater und an die Kolosser nach dem vorherrschenden Eindruck der Ceremonialgebote als des dem Christenthume incongruenten
Stoffes, im Römerbrief nach dem vorherrschenden Eindruck des sittlichen
Stoffes beurtheilt".[4] Dort erklärt Paulus das mosaische Gesetz für an sich
inkongruent mit dem Heilszweck des Lebens (Gal 3, 21), hier gesteht er
ein, daß es an sich mit dieser Bestimmung versehen ist (Röm 7, 10).[5] In
Röm, wo also überwiegend der sittliche Inhalt des Gesetzes berücksichtigt
wird, drängt sich keine Ahnung davon vor, "daß Paulus vorher und nach-
her das Gesetz von den Engeln abgeleitet und seine Solidarität mit Gott geleugnet hat".[6] So kann Ritschl von den "beiden unvereinbaren Vor-
stellungsreihen über das mosaische Gesetz"[7] sprechen. Beide haben ihren Halt an den persönlichen Erfahrungen des Paulus. Einmal
sind die aufreibenden Erfahrungen an dem Gesetz gemeint, die der Apostel
Röm 7 (von Ritschl als autobiographische Darstellung verstanden) schildert: Das moralische Ideal ist unerreichbar; dann aber hat er sich in dem
pharisäischen Gebrauch des Gesetzes tadellos gefunden.[8] "Die doppelte
Reihe von Urtheilen über das Gesetz, in welchen sich der christliche Apostel abwechselnd bewegt, beweist es, wie individuell, ja wie pathologisch
seine Ansichten auf diesem Gebiete sind."[9]

Daß Ritschl dennoch keine Entwicklung der paulinischen Gesetzestheologie annahm, hängt wohl nicht zuletzt damit zusammen, daß er Kol als
authentischen Paulusbrief betrachtete. So konnte er davon sprechen, daß
Paulus sich "abwechselnd" zwischen der doppelten Reihe von Urteilen bewegt habe; in Kol greift er also wieder auf, was er zuerst in Gal gesagt,

dann aber zwischendurch, nämlich in Röm, um einer anderen Perspektive willen nicht gebracht hat. Von "organische(r) Entfaltung und lebensreiche(r) Fortbewegung" des Paulinismus, von "Entfaltung der paulinischen Lehre" spricht allerdings dann Friedrich Sieffert in seiner Habilitationsvorlesung "Bemerkungen zum paulinischen Lehrbegriff, namentlich über das Verhältniß des Galaterbriefs zum Römerbrief".[10]

In Gal kommt jener Gedanke zum Ausdruck, der den Apostel nach seiner so unvorbereiteten Bekehrung mit voller Stärke ergreifen mußte: Unabhängigkeit vom mosaischen Gesetz. Dieser Gedanke ist "auch jetzt noch der Grund und Quell aller seiner Überzeugungen". Deshalb will Paulus auch seine Leser zu diesem Ziele führen; auch sie sollen "zu der Anerkennung der vollständigen (!) Beziehungslosigkeit des mosaischen Gesetzes zum christlichen Leben" gelangen.[11] So ist in Gal "die ἐλευθερία der Begriff, welcher die ganze Beweisführung beherrscht".[12] In Röm hingegen ist "die δικαιοσύνη θεοῦ, die durch Gott hergestellte Rechtsbeschaffenheit des Menschen, im Verhältniß zu ihm der Alles beherrschende Begriff".[13] Dann aber ergibt sich daraus folgender chronologischer Sachverhalt: "Beachten wir zunächst, daß die ἐλευθερία nach der paulinischen Lehre erst Folge der δικαιοσύνη θεοῦ ist, so werden wir es durchaus begreiflich finden, daß diejenige Lehrdarstellung, welche von der ἐλευθερία als ihrem Fundamentalbegriff ausgeht, die frühere ist."[14] Das heißt, daß die zeitliche Priorität Gal zukommt. Demnach liegt der Begriff der δικαιοσύνη θεοῦ "erst auf dem Wege zu der sittlichen Objectivität des Christenthums", er "steht also zur alttestamentlichen Religion in viel positiverem Verhältnisse als der der christlichen ἐλευθερία", insofern bezeichnet jener Begriff "ein objectives Verhältnis des Menschen zu Gott, und zwar ein solches, welches bereits innerhalb der alttestamentlichen Religion als höchstes Ziel des sittlichen und religiösen Lebens, nur freilich auf falschem Wege und daher vergebens erstrebt worden war".[15]

In diesem Zusammenhang beruft sich Sieffert auf Ritschl, der, wie wir bereits zur Kenntnis nahmen, in Gal das Gesetz vor allem im Blick auf seine zeremoniellen Satzungen und in Röm vor allem im Blick auf seine sittliche Seite behandelt sah. Daraus folgert Sieffert: "Dann liegt aber die Sache doch eigentlich so, daß Paulus das mosaische Gesetz in seiner Totalität verschieden beurtheilt, von verschiedenen Gesichtspunkten aus betrachtet hat..."[16] Gerade diese unterschiedliche Perspektive ist es, die den Apostel dann dazu bewegt hat, in Röm den Begriff der Gerechtigkeit nach der Seite des Positiven und zugleich des Sittlichen hin zu erweitern. In Röm gibt es also auch "eine reale, christliche δικαιοσύνη, die ein Verhalten, nicht ein Verhältniß ausdrückt und die sittliche Frucht der δικαιοσύνη θεοῦ ist".[17]

Eines freilich will Sieffert nicht, nämlich Inkongruenz zwischen den Aussagen der beiden Briefe behaupten. Es sei ihm nur darum gegangen, die Richtung anzudeuten, in welcher das theologische Interesse des Apostels fortgeschritten ist. Keineswegs wolle er alle diejenigen Begriffe, die sich nicht in Gal, wohl aber in Röm befinden, für solche erklären, die dem Apostel bei der Abfassung des Gal noch fremd gewesen seien.[18] Diese Konsequenz verwundert ein wenig. Immerhin lassen sich viele Formulierungen Siefferts besser verstehen, wenn sie nicht nur einen Prozeß reiner Explikation in der theologischen Entwicklung des Paulus voraussetzen, wenn sie also nicht nur die Entwicklung unter dem Gesichtspunkt der Kontinuität, sondern auch dem der Diskontinuität sehen. Man fragt sich am Ende des Aufsatzes, ob Sieffert nicht seinen Ausführungen die eigentliche Aussagespitze nimmt, indem er sich, aus welchen Gründen auch immer, zu einer solch harmonisierenden Feststellung genötigt sieht.

Die entgegengesetzte Position nimmt Carl Clemen ein. Er ordnet Röm zeitlich vor Gal ein. Aussagen wie 2 Kor 5, 16 oder Gal 5, 11 verweisen auf eine judaistische Periode des Paulus nach seiner Bekehrung, eine Periode mit einer mehr den Uraposteln verwandten Anschauungsweise. Aus ihr habe sich erst der uns bekannte Paulinismus entwickelt.[18a] Hat Sieffert eine Entwicklung des Paulus zu einer mehr positiveren Wertung der Torah angenommen, so rechnet Clemen mit einem Gefälle von einer milderen zu einer unversöhnlicheren Beurteilung des Gesetzes. Für ihn besteht das Fazit seiner Untersuchung darin, "daß in der Tat namentlich in der Gesetzesfrage die seinerzeit von Bruno Bauer (!) und dann von Steck behauptete anerkannte Abhängigkeit des Galater- vom Römerbrief unleugbar ist."[19] Sieffert hat sich mit dieser, später von Clemen selbst zurückgenommenen[20] Auffassung in einem weiteren Aufsatz kritisch auseinandergesetzt.[21] Auch er dürfte für unsere Thematik von so großer Wichtigkeit sein, daß es angebracht ist, bei ihm ein wenig zu verweilen.

Sieffert erklärt zwar, daß sein erster Aufsatz nicht ganz frei von der Übertreibung des Gedankens der Fortbewegung und Entfaltung der paulinischen Lehre in den vier Hauptbriefen gewesen sei; dennoch habe sich ihm diese Vorstellung immer sicherer bewährt. Er begrüßt es daher, wenn sich Clemen "mit großer Sicherheit und seltenem Scharfsinn" dieser Thematik angenommen habe, zumal die übrigen Fachkollegen "nur ganz zurückhaltend ... auf die Behauptung von Spuren solcher Entwicklung ... eingegangen" seien.[22] Aber vielleicht ist es nicht nur die Thematik, die Sieffert veranlaßt, sich mit Clemen auseinanderzusetzen, sondern auch die Affinität beider Männer in der Art ihres Denkens, eines Denkens, das sie sensibel für Gedanken p r o z e s s e machte. So ist es wohl bezeichnend, daß Sieffert, obwohl Clemen zum genau entgegengesetzten Ergebnis wie er gekommen ist, dessen Hypothese, sicherlich nicht im Sinne eines nur höflichen Verpackens der Kritik, so charakterisiert: Diese Auffassung habe "nicht wenig Bestechendes", es handle sich um eine "blendende Konstruktion, deren scharfsinnige Durchführung jedenfalls äußerst anregend wirkt".[23] Warum ist sie aber dennoch "nicht haltbar"[24]? Weil man aus Gal 5, 11 keine anfängliche judenchristliche Gesetzespredigt des Paulus schließen kann[25], lautet seine Antwort; denn - und damit spricht er einen Gedanken aus, der

in der heutigen Paulusforschung nahezu selbstverständlich ist - seine Bekehrung zum Christentum führte mehr als bei anderen zu einem Bruch mit
aller Gesetzlichkeit[26]. Gal liegt somit auf der Linie des Damaskuswider-
fahrnisses. Dann aber gilt für das Verhältnis Gal - Röm: "Vielmehr, da
der Galaterbrief jenen an die Gesetzesfreiheit sich anschließenden Gedan-
kenkreis noch mehr abgesondert für sich zur Darstellung bringt, während
im Römerbriefe jene Ineinanderarbeitung der beiden Kreise[27] vollzogen
ist, so wird dadurch wahrscheinlich, daß, nachdem zunächst der dem Apostel abgenöthigte Kampf gegen den innerchristlichen Judaismus die im Galaterbrief vorliegende dialektische scharfe Fixierung seiner Lehre von der
Gesetzesfreiheit herbeigeführt hatte, darauf im Römerbrief später eine
umfassendere und vertiefte, aber zugleich auch gemilderte,
Entwicklung derselben gefolgt ist."[28] Die Modifikationen, die Sieffert
in Röm gegenüber Gal zu erkennen glaubt, können hier nicht alle aufgezählt
werden. Hingewiesen werden soll aber auf folgende von ihm genannten Punkte: Von einem zum Teil untergöttlichen Ursprung des Gesetzes (Gal 3,19)
ist in Röm nicht mehr die Rede. Und der schroffe Ausdruck Gal 3,19, daß
das Gesetz die Übertretungen hervorzurufen bezwecke, wird in Röm nicht
mehr wiederholt. Andererseits finden sich in Röm die meisten Gedanken
des Gal über das Gesetz.[29] Die Verschiedenheit beider Briefe zeigt sich
auch darin, daß nach Röm 7,10 der Zweck des Gesetzes als Zweck an sich
die Begründung des Lebens ist, während Gal 3,21 ausdrücklich leugnet, daß
das Gesetz Leben zu schaffen bezwecke.[30]

Sieffert erklärt die Differenzen zwischen beiden Briefen damit, daß es sich
um einen "scheinbaren Widerspruch" handelt: In Gal waltet die eine Gedan-
kenreihe vor, nämlich das Gesetz nach seiner äußeren nationalen Ausprä-
gung, in Röm aber die andere, nämlich das Gesetz nach seinem inneren
sittlichen Gehalt.[31] "Indessen, da diese Unterscheidung und damit die Lösung der bezeichneten Widersprüche nicht durchgeführt ist, so tritt auch
der Unterschied des Galater- und Römerbriefs mit ihren verschiedenen vorherrschenden Auffassungsweisen scharf hervor."[32] Alles in allem: Die jeweiligen Verhältnisse, nicht der Wechsel momentaner Stimmungen bei Paulus haben "zu einer wirklichen begrifflichen Entwicklung der paulinischen Gesetzeslehre in einer bestimmten Linie Anlaß gegeben".[33] Konkret bedeutet das die Entstehung einer "auch mit ihrer (sc. der Heilsver-
kündigung) dem Gesetze und dem Judenthum sein Recht lassenden, nach dieser Seite entgegenkommenden, Haltung".[34]

Ein letztes Beispiel aus der Zeit vor dem Ersten Weltkrieg. Paul Wendland
schreibt in seiner Monographie über die hellenistisch-römische Kultur (2.
Aufl. 1912): "Im Römerbrief ist die natürliche Gotteserkenntnis das Korre-
lat des Gesetzesbesitzes der Juden, aber Gal 4,8-10 reißt der Eifer der
Polemik den Apostel fort, den Götzendienst, der doch erst aus der Verkeh-
rung jener Erkenntnis gefolgt ist, der mosaischen Gesetzesreligion paral-
lel zu stellen und mit ihr unter den gemeinsamen Begriff des Elementendien-
stes zu fassen."[35] Auch Wendland konstatiert also einen Unterschied zwi-

schen den beiden Briefen, er erklärt ihn aber nicht mit einer Entwicklung
im Denken des Paulus, sondern psychologisch.

In der heutigen Literatur spielen die Überlegungen von Ritschl und Sieffert
keine große Rolle mehr. Heute wird weithin Gal durch Röm und Röm durch
Gal ausgelegt. Doch ist in manchen Kommentaren und Monographien immer
noch in Randbemerkungen vom Unterschied zwischen Gal und Röm die Rede.[36] Aber nur wenige Autoren gehen näher auf diesen Tatbestand ein. Zu
diesen gehört Ulrich Luz. Als Ergebnis ausführlicher Exegesen formuliert
er: "Der Gegensatz zwischen Gl. 3f. und R. 9,1-5 und 11,16-32 scheint un-
überwindlich zu sein."[37] Wodurch ist aber dieser Gegensatz verursacht?
Muß man mit einer grundlegenden Veränderung des paulinischen Denkens
rechnen? Luz verneint diese Frage. Röm und Gal stehen nach seiner Auffassung zeitlich nicht so fern, daß man zu einer derart radikalen Lösung
greifen müßte. Er erklärt den Unterschied in der Argumentation beider
Briefe durch die Verschiedenheit der jeweiligen Situation, in die die beiden Briefe hinein sprechen.[38] Daraus folgt für ihn: "Wir sahen, wie sehr
die Aussagen des Paulus aus der Situation, in die sie sprechen, verstanden werden wollen, oder, wie sehr die paulinischen Briefe nicht als Darlegungen an sich richtiger Tatbestände, sondern als Wort in und aus Situation zu deuten sind."[39] Er fährt fort, indem er dialektisch sagt: "Oder noch
anders: Wir sahen, daß Paulus in seinen Briefen gerade Entgegengesetztes
sagen kann, um damit dennoch das Gleiche zu sagen."[40]

Blicken wir zurück auf die sporadisch[41] genannten Ausleger der beiden paulinischen Briefe, so fällt auf, daß sie e i n e Konsequenz nicht gezogen haben, nämlich die, daß Paulus in Röm nicht mehr das sagen will, was er einmal in Gal gesagt hat. Ritschl erklärt den auffälligen Sachverhalt der Differenz mit der psychischen Situation des Apostels, Sieffert mit der Kategorie
der Entwicklung, freilich Entwicklung als bloße Explikation verstanden, Luz
mit der unterschiedlichen Situation, in die hinein Paulus schrieb. Der Eindruck drängt sich auf, man scheue vor jenem doch immerhin von allen drei
Autoren erwogenen Lösungsversuch zurück, Röm von Gal inhaltlich abzusetzen.

In dem hier vorgelegten Versuch geht es um die Frage, ob nicht doch ein
so gravierender Unterschied zwischen Gal und Röm im Blick auf die Aussagen über das Gesetz besteht, daß die Annahme einer allein aus Kontinuität verstandenen Explikation oder einer je unterschiedlichen Adressatensi-
tuation nicht hinreicht - um einmal von der psychologisierenden Interpretation Ritschls u.a. ganz abzusehen. Deutlich ist auf jeden Fall eines: Die
Diskrepanz beider Briefe hinsichtlich der Gesetzesvorstellungen ist offensichtlich. Sie bedarf einer exegetischen Antwort. Und deutlich dürfte auch
ein zweites sein: Die im 19. Jahrhundert aufgebrochene Frage ist im 20.
Jahrhundert noch nicht in der Klarheit gehört, geschweige denn so ausführ-
lich behandelt worden, wie sie es verdient hätte. Die hier nun vorliegende
Untersuchung ist mit der Intention geschrieben worden, diese Frage auf-

zugreifen. Bewußt wurde gesagt, die Frage aufzugreifen. Angesichts des
Dornröschenschlafs der Frage über die Jahrzehnte - kaum, daß ein kurzes
Dämmern den Schlaf unterbrach - wäre es eine Anmaßung, wollte ein Exeget eine endgültige Antwort präsentieren (einmal ganz davon abgesehen,
daß j e d e in einer exegetischen Aussage implizierte historische Aussage
insofern Anmaßung bedeutet, als gesagt wird: So war es damals! Ein wenig sollte jeder über sich selbst erschrecken, wenn er - auch mit guten
Gründen! - über Vergangenes sagt: So war's!). So geht es hier auch in
erster Linie darum, die F r a g e wieder ins wache Bewußtsein der neutestamentlichen Wissenschaft zu rücken.

Liest man also Gal oder Röm unter der leitenden Fragestellung, was sie
als ihr je Eigenes zu sagen haben, dann ist es vielleicht gar nicht so unwahrscheinlich, daß sich ein zunächst vages, dann immer stärkeres Unbehagen einstellen könnte, wenn man sieht, wie weithin der eine Brief durch
den anderen und der andere durch den einen erklärt wird.[42] Nicht, als ob
dieses Verfahren nicht unter genau zu bestimmenden Voraussetzungen
auch seine Berechtigung hätte - aber methodisches a priori kann es doch
auf keinen Fall sein! Der Historiker muß damit rechnen, daß die von ihm
behandelte geschichtliche Gestalt nicht zu allen Zeiten dasselbe sagt. Jeden der beiden Briefe des Paulus aber das je Eigene sagen zu lassen bedeutet aber auch, eben dieses je Eigene herauszu h ö r e n. "Hören" ist dabei so wörtlich wie möglich gemeint. Paulus hat ja seine Briefe diktiert.
Er hat sie diktiert mit der Absicht, daß sie vorgelesen, und das heißt, gehört werden. Der Exeget hat also die Pflicht, die Texte des Neuen Testaments auch zu hören, will er sie nicht nur in stark verfremdeter Aussage-
weise zur Kenntnis nehmen. Wer also Gal hört und wer Röm hört, wird unabhängig vom jeweils anderen Brief Gesagtes vernehmen.[43] Die Frage ist
freilich, ob wir noch so hören können, da wir ja leider immer schon den
anderen Brief in irgendeiner Weise assoziieren. Und daß schließlich in einer wissenschaftlichen Untersuchung doch wieder nur Schriftliches über
mündlich Vorzulesendes und Vorgelesenes fixiert wird, zeigt nur die notwendig fundamentale Unzulänglichkeit eines solchen Unterfangens. Im übrigen sei bemerkt, daß das "Hören" der paulinischen Briefe in dieser Studie
natürlich nicht zum methodischen Prinzip gemacht werden konnte.

Die Studie trägt den Titel "Das Gesetz bei Paulus, Ein Beitrag zum Werden der paulinischen Theologie". Bei der Abfassung dieser Arbeit galt es,
zwei möglichen Gefahren aus dem Wege zu gehen. Die erste Gefahr war
die der Ausuferung. Wer eine Monographie schreibt, in der es um die Theologie des Paulus geht, muß die weitgespannten Diskussionen etwa über dessen Rechtfertigungslehre, über dessen Christologie oder über das Problem
von Geschichte und Heilsgeschichte bei Paulus vor Augen haben. Da es aber
hier nicht um die Darstellung der paulinischen Theologie als solcher geht,
sondern um einen bestimmten Gesichtspunkt, unter dem diese Theologie
anvisiert wird, bedurfte es der Beschränkung. Manche Frage, der sich
der Verfasser gern gestellt hätte, mußte ausgeklammert werden. Thema

war eben nur, d e n Beitrag, den die Variable "Gesetz" zu der hier anste-
henden Problematik liefert, herauszuarbeiten. Deshalb die Formulierung
"Ein B e i t r a g zum Werden der paulinischen Theologie". Daß dann im Titel doch von d e r paulinischen Theologie die Rede ist, geht auf die Überzeugung zurück, daß die in Röm zum Ausdruck kommende Rechtfertigungslehre in der Tat die Mitte der Theologie des Paulus ausmacht. Rechtfertigung ist ja im theologischen Denken des Apostels kein Einzeltopos unter
anderen. "Rechtfertigung aus Glauben" - gerade das ist es, was zu sagen dem Paulus unbedingt am Herzen liegt. Dann aber ist in den denkerischen Bemühungen darum, also in seiner Rechtfertigungstheologie, das Eigentliche seiner Theologie zu sehen! Sie ist sicherlich kein "Nebenkrater"!
Aber gerade dann gilt es zu sehen, wie sich uns diese seine denkerischen
Bemühungen als ein Prozeß darstellen, ein Prozeß, in dem er auch und gerade um Sinn und Bedeutung des mosaischen Gesetzes ringt. Die Ansicht,
daß die in Röm schließlich zum Ende gekommenen Bemühungen um das Gesetzesverständnis a parte fortiori zur endgültigen Gestalt der Rechtfertigungslehre beigetragen hat, bedingte das weithin befolgte methodische Vorgehen, Gal und Röm in jeweils bestimmten Punkten miteinander zu vergleichen. (So entsprechen sich jeweils die Abschnitte 1.1-2.1; 1.2-2.2; 1.3
-2.3 und 1.4-2.4 dieser Untersuchung. Nur zuweilen wurden 1 und 2 Kor
berücksichtigt, z.B. in Abschnitt 3.2.) Es genügte aber dann im Rahmen
d i e s e r Untersuchung, gezeigt zu haben, wie durch das endgültige Gesetzesverständnis die endgültige Rechtfertigungslehre des Apostels ihre Gestalt
gefunden hat, ohne daß die ganze theologische Problematik der Gerechtigkeit Gottes oder die Frage nach Geschichte und Heilsgeschichte bei Paulus
in extenso ausgebreitet wurden. Nochmals: Das W e r d e n der paulinischen
Theologie, nicht ihr endgültiges S e i n ist Thema dieser Studie.[44]

Die andere Gefahr bestand darin, durch Konzentration auf diejenige Perspektive, die sich dem Verfasser als die richtige erwies, Diskussionen mit der
Literatur dort ausgewichen zu sein, wo die genannte Perspektive den Blick
auf die jeweilige Notwendigkeit einer derartigen Diskussion verdeckt haben
könnte. Andererseits bedeutet freilich eine bewußt gewählte Perspektive
auch die bewußt gewollte Abblendung. Doch kann sich erst im methodischen
Vollzug der Darstellung konkret erweisen, ob diese intendierte Abblendung
berechtigt war, d.h. ob in der Tat nichts Wesentliches aus dem Blickfeld
verlorenging.

1. NOMOS IM GALATERBRIEF

1.1. Erste Hinführung: Abraham

In Gal wirft Paulus den galatischen Gemeinden vor, sie seien dabei, sich unter die Herrschaft und Knechtschaft des Gesetzes zu begeben, genauer: sich wieder unter eine solche Knechtschaft zu begeben. Er sieht die Galater in der Gefahr, aus Gesetzeswerken gerechtfertigt werden zu wollen. Weil er wohl annimmt oder vielleicht auch dahingehend informiert wurde, daß man in Galatien für den Gesetzesweg Verhalten und Einstellung auch des Petrus ins Feld führt, berichtet er u. a. von seiner Auseinandersetzung mit diesem in Antiochien, während der er in Gegenwart aller den Kontrahenten an die gemeinsame Basis erinnern mußte: Man wird nicht aus Gesetzeswerken, sondern allein aus dem Glauben an Christus Jesus gerecht. Am exklusiven Gegensatz liegt Paulus alles: Keinerlei Rechtfertigung aufgrund von Gesetzeswerken! Kein einziger Mensch wird durch Gesetzeswerke gerecht! (Gal 2,16: ἐξ ἔργων νόμου οὐ δικαιωθήσεται πᾶσα σάρξ (sc. ἐὰν μὴ διὰ πίστεως Χριστοῦ Ἰησοῦ).) Dies war - und darauf kommt Paulus alles an - die gemeinsame Voraussetzung für ihn wie für Petrus (für beide als J u d e n !), um zum Glauben an den Messias Jesuszu gelangen: "Wir sind es doch (betontes ἡμεῖς !), die zum Glauben an Christus Jesus kamen, u m (ἵνα !) aus dem Glauben an Christus gerechtfertigt zu werden, nicht aber - zu ergänzen wäre doch wohl: weil w i r den Irrweg der Rechtfertigung durch das Gesetz durchschaut hatten - aus Gesetzeswerken" (2,16). Die Unfähigkeit des Gesetzes zur Rechtfertigung ist hier zwar nicht direkt ausgesprochen, aber doch deutlich vorausgesetzt: Man wird durch Gesetzeswerke nicht gerecht, weil das Gesetz nicht zu rechtfertigen vermag.

In Gal 3 wird der Schriftbeweis geführt, warum niemand durch das Gesetz gerechtfertigt wird. Diese Argumentation steht aber nicht in unmittelbarer Fortsetzung der 2,16ff. vorgetragenen programmatischen These von der Rechtfertigung allein durch den Glauben und nicht durch Gesetzeswerke. Vielmehr ist sie eingebettet in die ü b e r g e o r d n e t e B e w e i s f ü h r u n g , daß die Glaubenden Söhne Abrahams sind. Man muß es noch präziser formulieren: Daß es nur die Glaubenden sind, die sich als Söhne Abrahams verstehen dürfen. Man achte auf das syntaktische Gefälle des Satzes: οἱ ἐκ πίστεως, οὗτοι υἱοί εἰσιν Ἀβραάμ (3,7). Wenn dann das 3. Kap. mit der Konklusion schließt: "Wenn ihr Christus angehört, dann (ἄρα) s e i d ihr doch Abrahams Nachkommen, dann s e i d ihr doch Erben gemäß der Verheißung!" (3,29), so dürfte sich hier zeigen, was das Anliegen der Galater gewesen ist. Ihnen ging es darum - so läßt die Argumentationsrichtung des Paulus vermuten -, sich die Sohnschaft Abrahams zu sichern. Dann aber ist anzunehmen, daß es die in den galatischen Gemeinden agitierenden

Gegner des Paulus waren, die anläßlich ihrer Polemik gegen den Apostel
und gegen seine Predigt bei den Galatern die Sorge hervorgerufen haben:
Wir werden der Sohnschaft Abrahams nicht teilhaft, wenn wir die Beschneidung nicht praktizieren. Wer aber an der Sohnschaft Abrahams keinen An-
teil hat, der geht des in Christus geschenkten Heils verlustig. Der Glaube
an Jesus Christus nützt also nur, wenn das Fundament dieses Glaubens die
Beschneidung ist.[1] Die Argumentationsrichtung des Paulus legt also nahe
zu vermuten, daß seine Gegner in Galatien erklärten: Sohn Abrahams kann
nur sein, wer wie Abraham Beschnittener ist, wer mit Abraham Beschnittener ist. Immerhin konnten sich diese auf Gen 17, 9ff. berufen: "Und
Gott sprach zu Abraham: So haltet nun meinen Bund, du und deine Nachkommen von Geschlecht zu Geschlecht. Das aber ist mein Bund, den ihr
halten sollt zwischen mir und euch und deinem Geschlecht nach dir: Alles,
was männlich ist, soll beschnitten werden ... Das soll das Zeichen des Bundes zwischen mir und euch sein." Damit ist doch eindeutig ausgesagt: Die
Beschneidung gehört konstitutiv zur Abrahamssohnschaft. Die Gegner des
Paulus hatten es also leicht, wenn sie sich auf diese Stelle beriefen. Ist
aber das Alte Testament die gemeinsame Basis von Paulus, seinen Gegnern
und den galatischen Gemeinden, so hatten die Gegner in der Tat ein leichtes
Spiel: Sie brauchten nur auf Gen 17 zu verweisen und zu sagen: "So steht's
geschrieben - in der Schrift, die auch Paulus zitiert!"

So spricht viel dafür, daß nicht Paulus die Abrahamsthematik von sich aus
gebracht, sondern daß er sie als akute Fragestellung aufgegriffen hat.[2] Es
bedarf wirklich keiner angestrengten Phantasie, um sich vorzustellen, wie
der Hinweis auf Gen 17[3] die Galater verwirren ($\tau\alpha\rho\acute{\alpha}\sigma\sigma\epsilon\iota\nu$, 1, 7) konnte.
Hier, wo es um ewiges Heil, um das endgültig Entscheidende geht, da konn-
te ein derartiger Hinweis als Anklage gegen Paulus verstanden werden: Er
hat uns um das Wesentliche betrogen. Jost Eckert verweist zu Recht mit
Carl Holsten auf das "Seligkeitsinteresse" der Galater.[4]

Paulus gesteht also zu, daß die Abrahamssohnschaft von maßgeblicher Bedeutung ist. Er leugnet gerade nicht, daß die von seinen Gegnern behauptete Kontinuität von Abraham her entscheidend ist. Kein Wort, mit dem irgendwie auch nur die Bedeutung Abrahams abgeschwächt würde. Allein, es hängt
alles daran, worin denn nun Abrahamssohnschaft besteht. Auch Paulus
verweist nun, wie es allem Anschein nach zuvor seine Gegner getan haben,
auf Gen; allerdings nicht auf Gen 17, sondern auf Gen 15: Abraham glaubte Gott, und dies wurde ihm zur Gerechtigkeit angerechnet (Gen
15, 6 = Gal 3, 6).[5] Daraus folgert er: Erkennt also ($\mathring{\alpha}\rho\alpha$): "Die aus
dem Glauben", die sind Söhne Abrahams! Die Schrift - auf die sich ja
gerade seine Gegner berufen -, sie ist es, die voraussah, daß Gott die Heiden aus Glauben rechtfertigt. Diese Schrift verkündete dem Abraham im
voraus: In dir werden alle Völker gesegnet werden. Und wieder folgert
Paulus: Deshalb ($\mathring{\omega}\sigma\tau\epsilon$) sind es "die aus dem Glauben" - wieder die stereo-
type Formel $o\mathring{\iota}\ \mathring{\epsilon}\varkappa\ \pi\acute{\iota}\sigma\tau\epsilon\omega\varsigma$ -, die mit dem gläubigen Abraham, die
"in Gemeinschaft mit" dem gläubigen Abraham[6] gesegnet werden.

Der Gedankengang des Paulus läßt sich also auf folgende Weise in Form einer Konklusion kurz zusammenfassen:

1. Prämisse: Abraham wurde aufgrund seines Glaubens gerechtfertigt.
2. Prämisse: In Abraham werden alle Völker gesegnet.
Konklusion: Wenn in Abraham alle Völker gesegnet (im Sinne von: gerechtfertigt) werden, dann nur - wie Abraham - aufgrund des Glaubens.

Daß die programmatische Stelle Gen 17 von Paulus nicht erwähnt wird, ist insofern besonders beachtenswert, als der Gal 3,17 gebrachte Begriff διαθήκη (von Paulus jedoch als Testament, nicht als Bund[7] verstanden) nicht nur Gen 15 (dort nur 1mal vorkommend), sondern auch, ja gerade Gen 17 (er kommt allein in vv. 1-14 15mal vor!) thematisiert wird. Vor allem aber: Gen 17 geschieht diese Thematisierung, wie schon gesagt wurde, im Zusammenhang mit der Beschneidung: Ist doch die Beschneidung das Zeichen der diatheke zwischen Gott und Abraham! Und zwischen Gott und Abrahams Nachkommenschaft (ἀνὰ μέσον τοῦ σπέρματός σου; Gen 17,10)! Paulus allerdings interpretiert den Singular "dein Same" in eigenwilliger Art: dein spezieller Nachkomme, nämlich Christus.[8] Ist also Paulus der Meinung, seine Beweisführung aufgrund von Gen 15,6 mit dem rechtfertigenden Glauben des Abraham sei so durchschlagend, daß er es sich leisten kann, auf die Gen 17 genannte Verbindung von immerwährender diatheke zwischen Gott und allen Nachkommen Abrahams mit dem Bundeszeichen der Beschneidung einfach nicht einzugehen?[9]

Es fällt noch ein weiteres auf: Die an Abraham ergangene Verheißung Gen 18,18 (= Gal 3,8) wird in dem Abschnitt Gal 3,15ff. mit der mosaischen Gesetzgebung in Relation gesetzt, nicht aber, wie man aufgrund der Situation hätte erwarten sollen, mit der Beschneidung. Daran wird deutlich, daß für Paulus die Beschneidungsforderung sofort unter der Perspektive des Gesetzes, der Gesetzesforderungen schlechthin, relevant wird. Die diatheke, d. h. das als Verheißungen (ἐπαγγελίαι) interpretierte Testament Gottes, wird sofort dem mosaischen nomos konfrontiert: Der nomos kann doch nicht das 430 Jahre zuvor von Gott erlassene Testament ungültig machen! Den Verheißungen an Abraham kommt also gegenüber dem nomos zeitliche und damit sachliche Priorität zu. Heilsrelevant ist also nicht Mose, sondern Abraham! Das ist es, was Paulus den am Heil brennend interessierten Galatern sagt.

Nachdem in einem weiteren Argumentationsschritt die Funktion des mosaischen Gesetzes herausgestellt wird, und zwar als in Funktionseinheit mit der versklavenden Sündenmacht befindlich (s. u.), und im Kontrast dazu die befreiende Gottessohnschaft "in Christus Jesus" betont ist, wird dann erklärt (ich paraphrasiere): In Christus Jesus, dem einen Nachkommen Abrahams, seid ihr alle einer. Ihr alle, die ihr nun Christi seid, seid folglich (ἄρα) (auch) dieser eine Nachkomme Abrahams, der ja Erbe nach der Verheißung ist (3,28f.).[10] M.a.W., was wollt ihr dann noch den Umweg

über die Beschneidung und s o m i t über das Gesetz nehmen, obwohl der
doch gar nicht nötig ist? Darüber hinaus: Obwohl der doch gar nicht möglich ist!

Im Rahmen d i e s e s Argumentationszusammenhanges[11] wird nun die Frage gestellt, w a r u m das Gesetz nicht rechtfertigen kann. (Die folgenden
Ausführungen sollen im Sinne der Überschrift als erste "Hinführung" dienen. Sie haben somit weithin den Charakter des Vorläufigen und Andeuten-
den. Entscheidendes wird später expliziert.) 3, 9f. werden "die aus Glauben"
und "die aus Gesetzeswerken" gegenübergestellt. "Die aus Glauben" sind
jene, die wie Schlier sagt, im Glauben "die Grundweise ihres Lebens haben, deren Lebensprinzip die Pistis ist".[12] Es sind also solche, die sich
in ihrer Existenz aus dem Glauben verstehen. Das Woher ihrer Existenz
ist für sie der Glaube. In ihrem Selbstverständnis verstehen sie als Glaubende ihre Existenz letztlich nicht im Bedingungsgefüge immanenter Fak-
toren. "Die aus Gesetzeswerken" sind demgegenüber jene, die ihre Existenz in der Erfüllung der geforderten Summe von zu addierenden Gesetzestaten verstehen. Nicht ihr Gegründetsein in Gott macht das Fundament ihrer Existenz aus; vielmehr konstituiert sich diese ihre Existenz nach ihrem Selbstverständnis aus der Quantität ihrer einzelnen Gesetzestaten. Ihre Existenz ist "aus" (ἐϰ) Quantität! Indem diese Gesetzesmenschen aber
die geforderten Gesetzeswerke als erfüllbar betrachten, sehen sie ihre aus
Quantität erstellte Existenz als machbar an. E x i s t e n z w i r d für den
Existenten v e r f ü g b a r. Ihre Bestandteile sind nur noch die im Bereich
der Immanenz lokalisierten facienda - als solche facibilia, weil der Bereich der Immanenz der verfügbare Bereich ist. Paradoxerweise sollen
aber diese immanenten facibilia das Bestehen im Gericht des transzenden-
ten Gottes garantieren!

Daß Paulus beim Gesetzesmenschen ein q u a n t i t a t i v e s Moment des
Selbstverständnisses annimmt, ja, daß in seinen Augen dieses quantitative Moment das wesentliche Moment ist, daß dieses quantitative Moment
das Selbstverständnis geradezu de-finiert, ergibt sich aus dem Schriftbeweis 3, 10ff. Die "aus Gesetzeswerken sind", deren Sein also ein aus einzelnen Taten zusammengesetztes Dasein ist, befinden sich unter dem Fluch.
D.h., sie stehen unter Gottes radikalem Nein. Nicht Segen, sondern Fluch
- das sind die alten alttestamentlichen Kategorien, nach denen schon in der
alten sichemitischen Liturgie Dt 27 Israel die durch Jahwäh Verstoßenen
von den von Jahwäh Angenommenen geschieden wurden. Warum aber sind
die, die sich, die somit ihr Sein aus ihren Taten verstehen, die ihr Sein
als aus einzelnen Werken konstituiert begreifen, unter dem Fluch? Paulus
antwortet, indem er in der Tat auf die alte sichemitische Liturgie zurück-
greift: "Es ist nämlich (γάρ) geschrieben: Verflucht ist jeder (ἐπιϰατά-
ρατος πᾶς), der nicht in allem (πᾶσιν) bleibt, was im Buche des Gesetzes geschrieben ist, um es zu tun" (Gal 3, 10 = Dt 27, 26 LXX). Wird aber
die Sentenz von 3, 10a (Die aus Gesetzeswerken sind, stehen unter dem
Fluch) mit Dt 27, 26 LXX begründet, so ist die s t i l l s c h w e i g e n d e Vor-

aussetzung, daß es keinen einzigen Menschen gibt, der das Gesetz in allen seinen Bestimmungen befolgt.[12a] Freilich sagt Paulus mit Dt 27,26 LXX[13] etwas völlig anderes aus, als der hebräische Text intendierte. Dieser heißt in der deutschen Übersetzung: "Verflucht ist, wer die Worte dieses Gesetzes nicht erfüllt, um danach zu tun" (Abschluß des sichemitischen Dodekalogs). Die Forderungen dieses Dodekalogs werden aber als durchaus erfüllbar angesehen. Darüber hinaus: Es wird von jedem in Israel erwartet, daß er danach handelt. Andernfalls trifft ihn Jahwähs Fluch! Da aber in dem LXX-Text πᾶς und πᾶσιν eingefügt sind, vermag Paulus aus dieser Version das ihm wichtige Theologumenon zu deduzieren, wonach jeder schuldig ist, weil es eben keinen einzigen gibt, der alles im Gesetz Gebotene getan hat. So verwundert es auch nicht, daß sich in rabbinischen Texten m.W. nirgends aufgrund von Dt 27,26 die Auffassung findet, daß derjenige, der auch nur in einem einzigen Punkte die Torah übertritt, verflucht sei.[14]

Gal 3,11 ist zu übersetzen: "Es ist offenbar, daß durch das Gesetz niemand vor Gott gerechtfertigt wird, denn (zu ergänzen wäre: es steht geschrieben:) der aus Glauben Gerechte wird leben."[15] An diesem Vers bewährt sich unsere an v.10 gewonnene Vermutung, daß der Apostel die stillschweigende Voraussetzung macht: Keiner verwirklicht das vom Gesetz geforderte extreme Quantitätsideal: Restlose Erfüllung aller Gesetzesbestimmungen – wer auch nur in einem Punkte versagt, gilt als völlig ungerecht.[16] Weil keiner dieser Forderung nachkommt[17], weil also keiner auf diese Weise gerecht wird, bedarf es notwendig einer anderen Möglichkeit der Gerechtmachung: Nicht Rechtfertigung durch eigenes Tun, sondern Rechtfertigung durch Gottes Tun, das im Glauben ergriffen wird. Wenn v.10 erklärt, es sei offenbar (δῆλον), daß niemand durch das Gesetz gerecht wird, dann ist mit diesem Offenbarsein nicht Einsicht in einen empirisch verifizierbaren Sachverhalt gemeint. Die allgemeine Sündhaftigkeit, von der kein einziger ausgeschlossen ist, kann nicht aufgrund einer Analyse des faktischen Verhaltens der Menschen erkannt werden.[18] Paulus begründet nämlich das δῆλον mit dem bekannten Habakukzitat, also einem Schriftzitat: Denn nur der aus dem Glauben Gerechte wird leben. Deshalb kann er später 3,22 das theologische Urteil abgeben: Die Schrift hat alle (τὰ πάντα = οἱ πάντες) unter die Macht der Sünde zusammengeschlossen.

3,12 stellt noch einmal die an sich doppelte, aber faktisch nicht doppelte Existenzmöglichkeit des Gerechten gegenüber: entweder Leben aus dem Tun oder Leben aus dem Glauben. Grundsätzlich wäre ein Leben aus dem Tun denkbar: Nach Lev 18,5 wird leben, wer das Gesetz tut (ζήσεται wie Hab 2,4; ζήσεται ist also tertium comparationis). Faktisch ist dies aber nicht so. Doch die faktische Unmöglichkeit wird aus der Schrift deduziert. Sie ist nur im Glauben erkennbar. In Abschnitt 1.4. wird dieser Gedanke, auf den hier im Rahmen einer ersten Hinführung erst einmal aufmerksam gemacht wird, von seiner grundsätzlichen Seite her behandelt.

3,13 geschieht der letzte Schritt in dieser Teilargumentation: D a m i t Glaubensgerechtigkeit statt Werkgerechtigkeit möglich wurde, hat Christus den Fluch, der die trifft, die keine Werkgerechtigkeit aufweisen können, auf sich genommen. Dies wird wieder aus der Schrift belegt: "Verflucht ($\dot{\epsilon}\pi\iota\varkappa\alpha\tau\dot{\alpha}\rho\alpha\tau\sigma\varsigma$ wie Dt 27,26!) ist jeder, der am Kreuze hängt." (Dt 21,23) So ist auch im Rahmen der Abrahamsargumentation zu Ende geschlossen: Christus übernahm den Fluch, damit auch die Heiden des A b r a h a m s s e g e n s in Christus Jesus teilhaft werden.[19]

1.2. Zweite Hinführung: Die Heidenmissionssynode - ein Mißverständnis des Paulus?

Wie kommt Paulus dazu, in der Auseinandersetzung mit den Galatern das Gesetz als den eigentlich strittigen Punkt zu thematisieren, obwohl doch aus Gal an keiner Stelle eindeutig hervorgeht, daß es den Gegnern des Paulus in ihrer Mission bzw. in ihrer Polemik gegen Paulus um das Gesetz als solches geht? Nach der These von Schmithals, die Gegner des Paulus seien nicht Judaisten, sondern Gnostiker gewesen, beweist Gal 6,13 sogar deren grundsätzlichen Verzicht auf das Gesetz.[20] Versuchen wir, um eine Antwort zu geben, wieder den Argumentationszusammenhang des Briefes zu erkennen.

Unmittelbar nach dem Präskript erhebt Paulus den Galatern gegenüber den Vorwurf des Abfalls: Ich wundere mich, daß ihr so schnell von (Gott), der euch in der Gnade Christi berief, abfallt, daß ihr euch zum falschen Evangelium, das aber kein Evangelium ist, hinwendet (1,6). Also: Fort von Gott, hinein in den gottlosen Bereich ($\dot{\alpha}\pi\dot{\sigma}$ - $\epsilon\dot{\iota}\varsigma$). Im Zusammenhang mit diesem Vorwurf bringt der Apostel die dann folgenden autobiographischen Angaben.[21] Er, ein Übereiferer für die väterlichen Überlieferungen (und somit für das Gesetz!), wurde von Gott berufen. Dieser offenbarte ihm seinen Sohn (im Argumentationsduktes ist zu interpretieren: den Sohn a n s t e l l e des Gesetzes!), d a m i t er ihn (wiederum: a n s t e l l e des Gesetzes!) den Heiden verkündige (1,12-16). Das gesetzesfreie Evangium, deutlicher noch: das Evangelium, dessen Inhalt die Freiheit vom Gesetz ist (das wird allerdings erst aus der Gesamtargumentation des Gal klar), stammt von Gott. Deshalb braucht er dazu keine menschliche Vermittlung, auch nicht durch die Jerusalemer Autoritäten. Im Gegenteil, e r ist es, der sie aufgrund seines Missionserfolgs (2,7-9; $\iota\delta\dot{\sigma}\nu\tau\epsilon\varsigma$, $\gamma\nu\dot{\sigma}\nu\tau\epsilon\varsigma$!)[22] überzeugt hat, daß das Evangelium wesenhaft Freiheit vom Gesetz impliziert.[22a]

Der Abfall der Galater zum Gesetz zeigt sich konkret an ihrer Absicht, sich beschneiden zu lassen (5,3; 6,13). Deshalb berichtet Paulus, daß auf dem sog. Apostelkonzil - man sollte es besser "Heidenmissionssynode" nennen, da einerseits das Thema der Heidenmission für diese Synode die zu verhandelnde Streitfrage war[23], andererseits man aber nicht im strengen Sinne von einem Konzil der Apostel sprechen kann - der Grieche Titus nicht zur Beschneidung gezwungen wurde (2,3). Wurde Titus aber nicht gezwungen, so blieb er frei, frei nämlich vom Gesetz. Aber es gab auf dieser Synode "Lügenbrüder", die sich auf unrechtmäßige Weise eingeschlichen hatten (παρεισάκτους ψευδαδέλφους, 2,4). Diese und nur diese waren es, die "unsere Freiheit, die wir in Christus Jesus haben", "auskundschaften" (κατασκοπῆσαι) wollten, "um uns zu unterjochen" (καταδουλώσουσιν).[24] Zu der Auseinandersetzung mit den Gegnern in Galatien liegt also Paulus daran zu betonen: Nicht offizielle Mitglieder der Synode, nicht die Jerusalemer Autoritäten (auf die sich doch anscheinend die Gegner berufen!), hatten die Absicht, die Freiheit zu unterdrücken. Die offizielle Kirche machte sich dessen nicht schuldig. Es waren Leute, die zu unrecht irgendwie ihre ganz unmaßgebliche Meinung zu Gehör bringen wollten, ganz außerhalb der Legalität der Synode. Es war die "außersynodale Opposition", die - nach der Meinung des Paulus - sich in reaktionärer Weise auf die Heilslehre eines vergangenen Äons berief. Was vor der Auferstehung Christi, was im alten Weltzeitalter einmal Geltung gehabt hatte, wollten sie, die die Zeichen der Zeit nicht erkannt hatten, künstlich am Leben erhalten, und zwar dadurch, daß sie es mit der Unterdrückung der Freiheit versuchten. Diesen Feinden der Freiheit, so betont Paulus, hat er auch nicht eine Stunde nachgegeben. Warum? "Damit die Wahrheit des Evangeliums bei e u c h (also den Galatern, die hier angeredet sind![25]) bleibt!" (2,5)[26] Paulus stellt also heraus: Auf der Heidenmissionssynode ging es um die Beschneidung a l s Gesetzesforderung. Und hierbei haben die M a ß g e b l i c h e n in Jerusalem Paulus und Barnabas n i c h t s (οὐδέν) auferlegt. Dieses οὐδέν bedeutet für Paulus: keine Gesetzesbestimmung.

Nun wird aber expressis verbis von der Synode gerade nicht berichtet, daß es um das Gesetz als solches ging. Nennt jedoch P a u l u s im Zusammenhang mit der Synode die Beschneidung, so faßt er sie freilich als pars pro toto legis. Denn die Absicht, die er hier verfolgt, ist zu zeigen: Daran, daß der Heidenchrist Titus n i c h t zur B e s c h n e i d u n g gezwungen wurde, ist ersichtlich, daß die Heidenchristen n i c h t zur G e s e t z e s o b ö - d i e n z, nicht zur Gesetzesobservanz gezwungen werden dürfen. Titus steht für alle Heidenchristen, die Beschneidung für das ganze Gesetz. Wir müssen uns dabei freilich deutlich machen: Die Gefahr, in der die Galater standen bzw. in der Paulus sie sah, war nicht, das Gesetz als Heilsfaktor zu sehen. Es ging in Galatien - zunächst - nur um die Beschneidung. In der Perspektive des Paulus bedeutet aber Beschneidung a parte fortiori Verpflichtung zur totalen Torahobödienz. Das ist es jedoch, was er den Galatern klarzumachen sich bemüht (5,3).[27] Gal ist der Versuch, die Galater von der Beschneidung abzuhalten. Theologisch geht dies so vor sich, daß er nicht von der Beschneidung, sondern von den K o n s e q u e n z e n der Beschneidung her argumentiert, nämlich von der Torah und ihrer Knechtschaft. Also: N e i n z u r B e s c h n e i d u n g u m d e s N e i n s z u r T o r a h willen.

Daß man in Jerusalem schlecht über die Freiheit von der Beschneidung dis-
kutieren konnte, ohne auch zugleich vom Gesetz zu sprechen, liegt auf der
Hand. Immerhin ist nicht nur Gen 17, also in einem dem Mose zugeschrie-
benen Buche, sondern auch Lev 12, 3, d. h. im eigentlichen mosaischen Gesetz, von der Beschneidung die Rede. Daß die Debatte auf der Synode um die
Beschneidung als Gesetzesverpflichtung ging, kann man wohl kaum bezwei-
feln. Und der Hinweis des Paulus auf die heidnische Lebensart des Petrus
in Antiochien vor der Ankunft einiger Jakobsleute (2, 12) läßt wohl darauf
schließen, daß auf der Synode auch die Speisegesetze Lev 11 zur Sprache
kamen - im Sinne des Paulus erfolgreich zur Sprache kamen. Für Paulus ist nun zweifellos mit dem Faktum, daß auf der Heidenmissionssynode
für die Heidenchristen die Freiheit von der Pflicht zur Beschneidung und
zum Halten der Speisegebote ausdrücklich zugestanden wurde, die Freiheit
vom Gesetz als solchem für die Heidenchristen von allen an der Synode Be-
teiligten feierlich besiegelt worden. Vielleicht darf man aber die Frage stellen, ob wirklich alle Synodalen die Befreiung der Heidenchristen von
Beschneidung und Speisegesetzgebung als grundsätzliche Freiheit von
der Torah verstanden haben.[28] Es ist sehr gut möglich anzunehmen, daß
Jakobus und seine Gesinnungsfreunde, vielleicht sogar auch Petrus, durchaus nicht der Meinung waren, daß mit der Frage nach Befreiung von gewissen, wenn auch sehr zentralen Torahbestimmungen zugleich die Torah als
solche zur Debatte stünde. Sie konnten etwa nach Analogie der Judenmission, in der nicht nur Proselyten im strengen Sinne des Wortes gewonnen
wurden, sondern auch sog. "Gottesfürchtige", σεβόμενοι oder φοβούμενοι
τὸν θεόν[29], die nicht beschnittenen Heidenchristen als christliche σεβόμενοι, als φοβούμενοι τὸν κύριον Ἰησοῦν Χριστόν betrachten.[30]
Was der Judenmission recht ist, das soll auch der Christenmission billig
sein!

Paulus aber, der jede Detailfrage in ihrer Grundsätzlichkeit sieht, der jede Detailentscheidung als Symptom einer Grundsatzentscheidung faßt[31], begreift dies anders (immer unter der Voraussetzung, daß die Jerusalemer
Autoritäten möglicherweise die Synode nicht wie Paulus verstanden): Gesteht man die Freiheit von der Beschneidung zu, so kann dies nur als grundsätzliche Freiheit von der Torah verstanden werden. (Lassen wir in diesem Stadium unserer Überlegungen noch die Frage beiseite, ob trotz der
Freiheit von der Torah bzw. der Erledigung der Torah als Heilsweg eben
diese Torah weiter verpflichtende Norm des sittlichen Handelns bleibt. Mag
für Röm zutreffen, was Schrage[32] allgemein für Paulus sagt - "Die Freiheit vom Gesetz als Heilsweg ist zugleich eine Freiheit zum Gesetz als
inhaltlichem Gebot" -, so ist doch gerade zu fragen, ob diese Differenzierung den Sinn der Argumentation in Gal trifft.) Immerhin gehört die Beschneidung mit zu ihren wichtigsten Forderungen. Gerade die Beschneidung ist es,
die die Verpflichtung zur vollen Torahhobödienz impliziert. Fällt aber die
Verpflichtung zu jener Bestimmung, so fällt gerade die Bestimmung zur
Verpflichtung zum Halten der Torah! Mit dem Erlaß der Beschneidung ist
es die Torah selbst, die nun ohne Fundament ist. Und umgekehrt: Wer trotz-

dem die Beschneidung immer noch als für sich bindend betrachtet, ist an
das ganze Gesetz gebunden. So kann Paulus den Galatern geradezu beschwörend sagen: "Ich bezeuge es wiederum jedem, der sich beschneiden läßt:
Er ist verpflichtet, das ganze Gesetz zu befolgen, ὅλον τὸν νόμον
ποιῆσαι." (5,3) Sollte Paulus in der Tat vor seiner Berufung zum Heiden-
missionar Angehöriger der strengen pharisäischen Schule des Schammaj
gewesen sein, so wäre ihm bestens das Urteil zuzutrauen: Wer Beschneidung sagt, sagt zugleich das ganze Gesetz.[33] Das Gesetz ist ja unteilbar.
Wer nur etwas von ihm hinwegnimmt, zerstört es ganz. Nun hat man aber
auf der Synode nicht nur ein klein wenig, sondern recht viel, sehr Entscheidendes vom Gesetz hinweggenommen. Also, so mußte der ehemalige Schammait Paulus folgern, i s t das Gesetz von seinen Gesprächspartnern ja fal-
lengelassen worden. Denn wer aus dem Gebäude der Torah gar den Eckstein
der Beschneidung herausbricht, der bringt das ganze Gebäude zum Einsturz.
Die Judenchristen auf der Synode müssen aber noch lange nicht von derartigen Denkvoraussetzungen ausgegangen sein. Selbst für Jakobus als strengen
Nomisten[34] braucht man nicht anzunehmen, daß er in der Welt der schammai-
tischen Denkbahnen und Konsequenzen lebte.[35]

Zum Stellenwert dieser Überlegungen: Es ging nicht darum zu beweisen,
daß Paulus und die Jerusalemer Autoritäten auf die genannte Weise aneinander vorbeigeredet haben. Es ging hier lediglich darum, die Frage zu stellen, ob nicht Paulus die Beschlüsse der Synode in einem anderen Verstehenshorizont aufgenommen haben k ö n n t e, ob nicht die Darstellung der Synode
in Gal 2 von daher einiger Korrekturen bedürfen k ö n n t e. Was allerdings
deutlich ist, das ist die Intention des Argumentationsganges in Gal 2, der
sich in geraffter Weise so darstellen läßt: D a m a l s , nämlich auf der Heidenmissionssynode, wurde mit den Jerusalemer Autoritäten vereinbart: Die
Beschneidung und damit eodem actu die Torahobödienz sind für Heidenchristen nicht erforderlich. Heute aber versuchen Judenchristen unter Berufung
auf Jerusalem, die Beschneidung - und notwendigerweise damit! - das Gesetz für Heidenchristen verpflichtend zu machen. Somit stehen sie - nicht
aber Paulus! - im Widerspruch zu den von den Jerusalemer Autoritäten ge-
troffenen Beschlüssen. Nicht Paulus steht gegen Jerusalem, sondern seine
Gegner, die die Galater vom Evangelium abwenden wollen. Der Tenor des
Briefes ist somit: Paulus ist sich mit den anerkannten judenchristlichen Autoritäten einig. Seine Gegner werfen ihm zwar vor, er stehe, obwohl er
sein Apostolat den Jerusalemer Autoritäten verdanke, im Dissens zu ihnen.
In Wirklichkeit aber ist er mit ihnen einig, obwohl er sein Apostolat ihnen
nicht verdankt.[36] Und diese Einigkeit besteht nicht etwa nur darin, daß man
gegenüber Heiden, die Christen werden wollen, Konzessionen zu machen bereit war. Nein, Petrus - und dann sicher auch Jakobus! - teilen mit Paulus
die Überzeugung, die G l a u b e n s ü b e r z e u g u n g nämlich, daß das Gesetz
zur Rechtfertigung kraftlos ist (Gal 2,16ff.!). Leider sind wir nicht darüber
unterrichtet, ob Petrus und Jakobus das theologische Urteil 2,16 wirklich
teilten oder ob sie nicht vielmehr die Freiheit der Heidenchristen von der
Beschneidung (und vom Gesetz??) nicht doch n u r als zugestandene Befreiung, eben als Konzession verstanden wissen wollten.

Eines gibt nämlich in der Tat zu denken: Wenn die judenchristlichen Synodalen in Jerusalem, einschließlich Jakobus, mit Paulus die Hinwendung zu Christus als prinzipielle Abwendung vom Gesetz verstanden hätten, warum
praktizierten sie dann weiter das Gesetz? Nur aus Opportunismus, damit es ihnen nicht wie zuvor den verfolgten "Hellenisten" in Jerusalem (Act
6ff.) geht? Sollten es lediglich soziologische und kirchenpolitische, aber
keineswegs theologische Gründe gewesen sein, nur um im - lebensnotwen-
digen! - Verband des judäischen Judentums verbleiben zu können? Aber
allem Anschein nach war es nicht purer Opportunismus (obwohl dieser vielleicht nicht ganz geleugnet werden sollte); denn sonst hätte Paulus seinen
Kampf auf der Synode gar nicht auszutragen brauchen. Die prinzipielle Konsequenz des doch prinzipiell formulierten theologischen Urteils οὐ δικαιοῦ-
ται ἄνθρωπος ἐξ ἔργων νόμου, 2,16, bzw. sogar ἐξ ἔργων νόμου
οὐ δικαιωθήσεται πᾶσα σάρξ (kein einziger!) wird im Umkreis des
Jakobus und des Petrus wohl kaum vertreten worden sein.

Doch selbst in der paulinischen Argumentation ist hier noch ein Bruch
gegeben. Wenn Paulus nämlich die Absicht der Galater, sich beschneiden
zu lassen, also nach seinem Verständnis sich unter das Gesetz zu begeben,
als ein Aus-der-Gnade-Fallen (5,4) wertet, wenn er es als Trennung von
Christus interpretiert, wenn er das Leben nach dem Gesetz als Geknechtet-
sein unter dem Gesetz versteht, kurz, wenn er das Sein unter der Sklavenmacht des Gesetzes (und somit unter der Sünde!) als von christustrennen-
der (und das impliziert doch wohl: auch von kirchentrennender) Relevanz
beurteilt, dann stellt sich notwendig die Frage, warum er sich dann immer
noch in Kircheneinheit mit den Jerusalemer Judenchristen betrachtet, die
sich doch zweifellos dem Gesetz (in seinen Augen der Sklavenmacht des Gesetzes!) verpflichtet wissen.

Ist nämlich gemäß der theologischen Argumentation des Gal das Sein in Christus Jesus identisch mit der Freiheit vom Gesetz, so ist eigentlich verwunderlich, warum Paulus Jakobus die Kirchengemeinschaft nicht aufkündigt,
warum er, wenn er doch die Freiheit vom Gesetz nicht als taktische Maß-
nahme für die Heidenmission begreift, sondern als dem christlichen Glauben wesensmäßig versteht, den Glauben der am Gesetz festhaltenden Judenchristen nicht als Unglauben verurteilt und geißelt. Wir kommen zunächst
nicht darum herum, an dieser Stelle nicht nur Unausgeglichenheit, sondern
Inkonsequenz der Argumentation und des Verhaltens festzuhalten.

1.3. Die Funktion des Nomos

Bei der ersten "Hinführung" hat sich gezeigt, wie ausschlaggebend das quantitative Moment in der Argumentation des Paulus ist: Nur totale Torahobödienz ist überhaupt Torahobödienz. Dieses Postulat der inhaltlichen Integrität der Gesetzeserfüllung besagt: Wird auch nur eine einzige Torahbestim-

mung übertreten, so hat dies die Wirkung, als sei die ganze Torah nicht beachtet worden, nämlich totaler Verlust der Gerechtigkeit - ganz im Sinne der exklusiven Alternative "alles oder nichts".

Bringt nun Paulus zum Ausdruck, daß die Galater bereit sind oder zumindest nahezu bereit sind, e i n i g e Gesetzesforderungen zu erfüllen, dann impliziert das notwendig, daß er meint, sie würden a n d e r e Gesetzesforderungen nicht erfüllen. Denn das ist ja die Voraussetzung, von der aus er argumentiert: Alle, also auch die Galater, praktizieren nicht totale Torahobservanz. Dann aber ist zu fragen: W e l c h e n Forderungen vermögen die Galater nach der Meinung des Paulus nachzukommen und w e l c h e n n i c h t ? Anscheinend ist man in den galatischen Gemeinden dabei, die Forderung der B e s c h n e i d u n g zu akzeptieren (5, 3; 6, 13). Immerhin eine erfüllbare, wenn auch für die Betroffenen reichlich schmerzhafte Forderung. Des weiteren ist von der Beobachtung k u l t i s c h e r Z e i t e n (4, 10) die Rede. Selbst wenn hier seitens der Galater und der Gegner des Paulus nicht an Forderungen des mosaischen Gesetzes gedacht worden sein sollte, wie es vor allem Schmithals sieht[37], wenn es also in Galatien um gnostische oder zumindest synkretistisch-jüdische Praxis gegangen wäre, so dürfte doch aus der Argumentation des Paulus - und um diese geht es hier! - deutlich werden, daß in ihr die Observanz kultischer Zeiten als Torahobservanz verstanden wird. Forderungen betreffs kultischer Observanz heiliger Zeiten sind aber auch, genau wie die Beschneidung, durchaus in korrekter Weise erfüllbar.[38] Von der S p e i s e gesetzgebung bzw. den l e v i t i s c h e n R e i n h e i t s g e s e t z e n ist nur im Blick auf das Verhalten des Petrus in Antiochien die Rede (2, 11ff.). Es ist nicht erkennbar, ob in Galatien derartige Forderungen erhoben wurden oder ob Paulus annahm, daß sie erhoben worden sind. Jedoch können wir dies auch nicht ausschließen. Im Gegenteil; daß Paulus auf das factum Antiochenum eingeht, läßt eher vermuten, daß die Galater dabei waren, auch kultische Speise- und Reinheitsgebote zu befolgen. Sollten also die Speisegesetze in Galatien relevant gewesen sein, so wären ebenfalls Besorgnisse über Nichterfüllbarkeit kaum angebracht gewesen.

All die soeben aufgezählten Forderungen - Beschneidung, Observanz geheiligter Zeiten, eventuell Speisegesetzgebung - gehören zu den kultischen Bestimmungen der Torah. Meint Paulus also, man könne zwar ihren kultischen Teil erfüllen, nicht aber ihre sittlichen Forderungen? Das jedoch sagt Paulus, jedenfalls in Gal, gerade nicht - ganz abgesehen davon, daß wir hier in das mosaische Gesetz eine Differenzierung eintragen, die sich aus dem antiken, zumindest dem jüdischen Denken als solchem nicht erheben läßt. Dort sind nämlich kultischer und sittlicher Aspekt keineswegs säuberlich geschieden. Man denke nur an Qumran: Die Beobachtung der kultischen Ordnung geschieht um der Beobachtung der Schöpfungsordnung willen, torahgemäßes Leben geschieht als Übereinstimmung mit den Gesetzen der Schöpfung und des Geschichtsablaufs.[39] Wir können also bis jetzt nur feststellen, daß Paulus in Gal die faktische Unerfüllbarkeit des Gesetzes für den Menschen behauptet und daß er, was noch genauer zu bedenken ist, die Liebe als Erfüllung des Gesetzes sieht (5, 14).

Da anscheinend die Frage nach den Inhalten der Torah, zumindest in diesem Stadium unserer Überlegungen, nicht weiterführt, sei die Frage nach der F u n k t i o n des nomos gestellt. Paulus fragt: τί οὖν ὁ νόμος; Da er im folgenden die Antwort primär mit dem Hinweis auf die Funktion des Gesetzes gibt, übersetzen wir: "Wozu dient nun das Gesetz?" Paulus gibt 3,19ff. zwei Antworten auf die Frage nach der Funktion des nomos:

1. Das Gesetz provoziert Übertretungen.
2. Das Gesetz versklavt.

ad 1) τῶν παραβάσεων χάριν προσετέθη ist final, nicht kausal zu übersetzen: Das Gesetz ist (zu den Verheißungen) hinzugesetzt, ist gegeben, "um der Übertretung willen", zugespitzt: "um Übertretungen zu provozieren".[40] Schlier hat recht, wenn er die Antwort des späten Luther oder die Calvins, Gal 3,19 bringe zum Ausdruck, daß das Gesetz die Übertretungen zu Erkenntnis bringe, ablehnt.[41] Das Röm 3,20 ausgesprochene Theologumenon "Durch das Gesetz geschieht Erkenntnis der Sünde, ἐπί- γνωσις ἁμαρτίας" steht eben hier nicht! Offen bleibt allerdings noch die Frage, wie die Provokation zu Sündentaten zu verstehen ist. Etwa so, wie Lipsius es formulierte: "um sie hervorzurufen, um den (schon vorher vorhandenen) Sünden das Gepräge von positiven Gesetzesübertretungen zu geben"?[42] Das hieße ja, daß lediglich der eigentliche Charakter der Sündentaten deutlich würde.

Zweck des Gesetzes ist es also, Sündentaten, d. h. Übertretungen seiner selbst zu provozieren; genauer: Zweck der Gesetzgebung bzw. personal formuliert: Zweck des Gesetzgebers (der Gesetzgeber? s. u.) ist es, die Menschen zur Übertretung des Gesetzes zu veranlassen. Doch ist festzuhalten, daß es sich dabei nicht um die immanente Intention des Gesetzes handelt; denn nach dieser gilt ja, dessen Bestimmungen "zu tun" und so "zu leben" (Gal 3,12 = Lev 18,5). Deutlich ist demnach zwischen der i m - m a n e n t e n I n t e n t i o n d e s j ü d i s c h e n G e s e t z e s und der I n t e n - t i o n d e s G e s e t z g e b e r s zu unterscheiden.

Dann aber stellt sich die Frage nach dem Gesetzgeber: W e r ist derjenige, nach dessen Absicht durch die Gesetzgebung die Menschen - und das heißt doch nach dem Zusammenhang: alle Menschen - zu Sündentaten provoziert werden sollen? Weithin heißt die Antwort: Gott. So ist z. B. nach Sieffert die Entstehung der Sünden in der straffälligen, zornverdienenden sittlichen Form der Übertretungen von Gott beabsichtigt: "denn recht gross sollte das Uebel werden, um von der Gnade noch überboten zu werden (Röm. 5,20)."[43] Das klingt freilich recht zynisch: Gott, der - obwohl er der Heilige ist! - die Menschen in die verdammenswerte (im wörtlichen Sinne!) und unsittliche Situation des Sündigens hineinbringt, nur damit er in seiner Güte und nicht zu überbietenden Gnade seine Gottheit erweist!

Diese Konsequenz ergäbe sich allerdings dann nicht mehr, wenn die Engel die Gesetzgeber wären, nicht aber Gott. Es heißt ja noch im selben Vers:

das Gesetz ... angeordnet durch Engel, διαταγεὶς δι' ἀγγέλων. Nun ist nahezu unumstritten, daß mit dieser Aussage die Inferiorität des Gesetzes hervorgehoben werden soll.[44] Umstritten ist jedoch, ob mit δι' ἀγγέλων unmittelbare oder mittelbare Herkunft des Gesetzes ausgesagt ist. Weithin werden die Engel nur als Vermittler des nomos, Gott aber als sein Urheber und eigentlicher Geber angenommen.[45] Die Präposition διά spricht auch in der Tat zunächst einmal für Vermittlung des von Gott gegebenen Gesetzes durch Engel. Engelische Urheberschaft ließe jedoch ein ὑπό erwarten. Mit Schlier ist zuzugeben, daß διά seiner eigentlichen Bedeutung nach hier instrumental zu fassen ist.[46] Doch vermutet auch Schlier eine gewisse eigene Aktivität der Engel beim Akt der Vermittlung im Blick auf den Inhalt: Wahrscheinlich habe Paulus in der Überlieferung von der Vermittlung des Gesetzes durch Engel einen Hinweis darauf gesehen, daß dieses Gesetz "ein nur mehr mittelbares und d e s h a l b verdorbenes göttliches Gesetz" sei.[47] Nimmt man jedoch v. 20 hinzu, der die Argumentation von v. 19 fortführt, so wird man einen Schritt weitergehen dürfen.

Der so umstrittene v. 20 - schon Sieffert spricht von mehr als 300 Erklärungen, Oepke gar von 430![48] - wird m. E. am besten verständlich, wenn man ihn im Lichte jener Auffassung liest, wonach ein Mittler per definitionem Mittler einer Vielheit ist: Da Gott nur e i n e r ist - später wird Paulus das Theologumenon vom εἷς θεός in anderer Weise für die Rechtfertigungslehre fruchtbar machen (Röm 3, 30) -, braucht er nicht nur keinen Mittler, vielmehr ist ein solcher bei ihm ausgeschlossen.[49] Mit Lietzmann: "der μεσίτης ist οὐχ ἑνός, ἀλλὰ πολλῶν· ὁ δὲ θεὸς εἷς ἐστιν: folglich ὁ μεσίτης οὐκ ἔστι θεοῦ, ἀλλὰ πολλῶν d. h. er vertritt nicht Gott, sondern eine Mehrheit, also nach v. 19 die Engel."

Damit, daß der Begriff "Mittler" als "Vermittler einer Vielheit" gefaßt wird, ist freilich das Problem noch nicht gelöst. Doch ist immerhin bereits deutlich: Dem Apostel liegt im Zuge seiner Argumentation unbedingt daran, daß der nomos ein zwischen den E n g e l n und Israel vermitteltes Gesetz ist und gerade nicht zwischen Gott und Israel. Der T o n liegt also e i n d e u t i g a u f e i n e r - zumindest in gewisser Hinsicht erfolgten - A b s e n t i e r u n g G o t t e s a u s d e m G e s c h e h e n d e r G e s e t z g e b u n g. Daß der nomos nicht durch Gott angeordnet wurde, ist konstitutives Beweiselement des Paulus. Daran und gerade daran liegt ihm, wenn es um die Frage nach dem Zweck der Gesetzgebung geht. Dann aber legt sich die Auffassung nahe, daß die Engel nicht nur Vermittler, sondern Urheber des Gesetzes sind.[50] Dies ist auch, wie gesagt, sprachlich durchaus möglich, da διά anstelle von ὑπό stehen kann.

Sind aber die Engel Urheber des Gesetzes und ist ihre Intention, die Menschen - im Argumentationszusammenhang ist anzunehmen: alle Menschen - zur Übertretung der Gesetzesbestimmungen zu provozieren, dann dürfte das Argumentationsgefälle indizieren, daß diese Intention nicht mit der Intention Gottes identisch ist. M. a. W., die Engel sind als dämonische Wesen zu begreifen, die im Gegensatz zu Gott nicht das Heil des Menschen wollen. Ihr "Funktionär" (Klein[51]) ist Mose. Dann entsteht auch nicht mehr jener fatale Eindruck, als sei die paulinische Darlegung vom Zweck des Gesetzes ein zynisches Reden von Gott.

Wird diese Deutung aber nicht durch den Temporalsatz in Gal 3,19 "bis daß der Nachkomme kommt, dem die Verheißung gilt" radikal in Frage gestellt? Denn dieser Nebensatz ist doch von der Aussage "Um der Sündentaten willen ist das Gesetz hinzugesetzt worden" abhängig. Müssen nicht Haupt- und Nebensatz als inhaltliche Einheit verstanden werden: Das Gesetz wurde u m d e r Ü b e r t r e t u n g e n w i l l e n hinzugesetzt, b i s der Nachkomme erscheint? Ist damit nicht das zeitliche Limit Bestandteil auch der im Hauptsatz zum Ausdruck kommenden Finalaussage, d. h. der dort zum Ausdruck kommenden Intention der Gesetzgebung? Zweifellos geht es aber in dem Temporalsatz um die Intention Gottes. Dann ist jedoch zu fragen, ob wir im Hauptsatz eine andere als die Intention Gottes ausgesagt sehen dürfen.

Dieser Einwand ist sicherlich gravierend und deshalb sehr ernstzunehmen. Er ist aber nicht zwingend. Operieren wir zunächst mit der Kategorie der Möglichkeit: Möglich ist durchaus ein nahezu nahtloses Übergehen der Aussage über die Intention der Engel in eine Aussage über die Intention Gottes. Wir müssen auf jeden Fall damit rechnen, daß sich im Blick auf gewisse Sachverhalte Unschärfen der paulinischen Darstellung finden, Unschärfen, die auch im sprachlichen, im syntaktischen Bereich ihren Ausdruck finden. Interpretation bedeutet in diesem Fall, im Satzgefüge die einzelnen, nicht deckungsgleichen Intentionen unterschiedlicher Subjekte voneinander sondieren. Die Gefahr eines derartigen Vorgehens ist offenkundig. Durch Überschärfe kann Überinterpretation erfolgen. Da aber bekanntlich Paulus seine Aussagen zuweilen inhaltlich überfrachtet, da in ihnen zuweilen P e r s p e k t i v e n k u m u l a t i o n geschieht, müssen wir in diesem konkreten Fall damit rechnen, daß unterschiedliche Intentionen unvermittelt nebeneinander ihren sprachlichen Ausdruck finden. Paulus hat natürlich nicht beim Diktat bewußt von der einen Intention zur anderen übergehen wollen. Aber w i r dürfen - und müssen - fragen, von welcher Voraussetzung aus das einzelne Satzglied jeweils formuliert ist. Es geht also um die jeweilige gedankliche Voraussetzung, die dem Autor zu eigen ist, die er sich aber im jeweiligen Prozeß des Formulierens nicht in ihren Relationen zu anderen gedanklichen Voraussetzungen ganz vergegenwärtigt. Von daher dann das Moment des "Sprunghaften" in seiner Argumentation. Sind wir es aber, die aufweisen, von woher jeweils eine Aussage des Autors bestimmt ist, so haben wir in gewissem Umfang realisiert, was Wilhelm Dilthey im Gefolge Friedrich Schleiermachers forderte: "Das letzte Ziel des hermeneutischen Verfahrens ist, den Autor besser zu verstehen, als er sich selber verstanden hat."[52]

Berücksichtigt man in diesem Sinne die Möglichkeit des Verschwimmens der eigentlich von Paulus gemeinten Intentionen in v.19, so ist zunächt zu-

mindest nicht ausgeschlossen, daß zwar der Hauptsatz "Um der Übertretungen willen wurde es hinzugesetzt" die Intention der Engel artikuliert,
der Nebensatz aber die Intention Gottes, die dieser mit der Intention der
Engel verfolgt, ausdrückt: "bis ..." Diese Deutung legt sich schon deshalb
nahe, weil mit der dann sich sofort anschließenden Partizipialwendung "angeordnet durch Engel", wie sich zeigte, die Absentierung Gottes aus dem
Akt der Gesetzgebung indiziert wird.

Das Hauptargument für die Richtigkeit unserer Argumentation ist jedoch
die Frage v. 21a, die einmal so paraphrasiert werden soll: Wenn nun das
Gesetz um der Provokation von Sündentaten zu den Verheißungen Gottes hinzugesetzt wurde, steht dann nicht das Engelgesetz gegen die Gottesverhei-
ßungen? Diese Frage[53] wird gerade dann verständlich, wird gerade dann
sogar notwendig[54], wenn unsere bisher vorgetragene Exegese zutrifft: Wenn
tatsächlich das Engelgesetz die Menschen in Sündentaten und somit in Unheil
treiben will, steht es dann nicht - eine Frage, die sich dem unbefangenen
Leser zunächst einmal aufdrängt und die auch Paulus selbst erwartet - gegen Gottes Heilsintention, die in den Verheißungen zum Ausdruck kommt?
Gal 3,19-21a ergibt so einen in sich stimmigen Gedankenablauf: Eine zuge-
spitzte Aussage, nämlich die vom nichtgöttlichen Ursprung des Gesetzes,
schreit geradezu nach der Frage von v. 21a. Wieder dürften wir auch hier
mit den unterschiedlichen Intentionen, die regelrecht ineinandergeschoben
sind, rechnen. v. 21a läßt sich ja zunächst auch so umschreiben: Steht die
Intention des Gesetzes (genauer: nicht die dem Gesetz immanente, sondern
die der Gesetzgeber) gegen die Intention der Verheißungen? Anders: Steht
die Intention der Engel gegen die Intention Gottes? Darauf antwortet Paulus,
vielleicht nach den bisherigen Darlegungen ein wenig verwunderlich: "Keinesfalls!" Doch können wir wieder schärfer zugespitzt formulieren: Die
Unheilsintention der Engel ist freilich zunächst gegen die Heilsintention Gottes gerichtet. Aber in diese Heilsintention Gottes ist die dazu quere Intention der Engel eingeplant. Steht auch der nomos im Dienst der hamartia,
so stehen letztlich doch wieder - wenn auch wider Willen der hamartia und
der Gesetzgeber - hamartia und nomos im Dienste Gottes. Der Engel böse
Absicht ist aufgehoben - "aufgehoben" im bekannten doppelten Sinne dieses
Wortes - in Gottes guter Absicht. Wenn schon nicht nur Übertretungen, sondern auch die grauenvolle dämonische Macht der Sünde in Gottes Heilsplan
eingebaut ist (v. 22!), dann sollte es eigentlich keine Schwierigkeiten berei-
ten, die dämonischen Engelmächte in gleicher Weise zu sehen. Gal. 3,19ff.
liegt somit in der ausgezogenen Linie von Hiob her: Der Satan mit seinem
Unheilswirken im Dienste des Heilswirkens Jahwähs![55] Immerhin hat sich
Paulus auf das Hiobbuch bezogen (Röm 11,35; 1 Kor 3,19; Phil 1,19; 1 Thess
5,22). Hat er vielleicht von dort das Interpretationsmuster für das Sinaige-
schehen, zumal er bereits in LXX Dt 33,2 von der Anwesenheit der Engel
auf dem Sinai lesen konnte?[56] Einerlei aber, ob ihn Hiob zu seinem Sinai-
verständnis inspirierte oder nicht, auf jeden Fall gibt Hiob 1 einen Finger-
zeig auf eine jüdische Dämoneninterpretation, in deren Nähe man Gal 3,19ff.
sehen sollte.

Das erwähnte Ineinander der unterschiedlichen, von Paulus aber sprachlich nicht klar genug auseinandergehaltenen Intentionen[57] gibt auch den
Schlüssel ab für die Interpretation der folgenden Verse. Zunächst fällt in
v. 21b auf, daß Paulus in seiner Antwort auf die Frage von v. 21a herausstellt, es bestehe kein Konkurrenzverhältnis zwischen Gesetz und Verheißungen.[58] Die Frage v. 21a zielte aber gar nicht auf Konkurrenz, sondern
auf Widerspruch (κατά). Dann aber ist zu folgern, daß Paulus eben mit der
Bestreitung des Konkurrenzverhältnisses - das Gesetz will doch gar nicht
wie die Verheißungen Gerechtigkeit schaffen! Das erhellt doch aus der Intention der Gesetzgebung! - einen Widerspruch beider zueinander als nicht
bestehend begründet. Allerdings verwundert diese Antwort ein wenig, wenn
man auf v. 12 zurückschaut - jedenfalls solange, wie man nicht zwischen
immanenter Gesetzesintention und Intention der Gesetzgeber unterscheidet.
Im Wesen des Gesetzes als solchem liegt es natürlich, daß lebt, wer es tut.
In diesem Sinne zitiert Paulus in v. 12 Lev 18, 5. Aber die Engel gaben ja
gerade nicht mit dieser Intention den nomos. Dann aber ist deutlich, daß
es in v. 21b nicht um die ureigene Gesetzesintention geht. Die Konsequenz
ist offenbar: Daß "aus dem nomos die Gerechtigkeit nicht war" ist aus der
Perspektive der Gesetzgebung gesagt. Verwickelt wird die Argumentation dann dadurch, daß v. 22 deutlich wieder von der Intention Gottes die
Rede ist: Die Schrift, γραφή, die schon nach v. 8 als Instrument der Verheißung Ausdruck der göttlichen Absicht ist, hat die ganze Menschheit unter
die Macht der hamartia eingeschlossen, damit die Verheißung, d. h. das
Verheißungsgut, aus dem Glauben an Jesus Christus den Glaubenden gegeben werde. Indem aber in v. 22 die Position auf die Negation von v. 21 folgt,
sind auf einmal Intention der Gesetzgeber und Intention Gottes im Argumentationsduktes zusammengebunden. Der Ausweg, beide Intentionen seien identisch und somit das Gesetz der Engel doch letzten Endes das Gesetz Gottes,
ist ja verbaut angesichts der Tatsache, daß, wie sich deutlich zeigte, durch
die Beweisführung in vv. 19f. Gott aus dem Geschehen der Gesetzgebung her-
ausargumentiert wurde. Nochmals: Es liegt Paulus daran zu zeigen, daß
der nomos, durch einen Mittler vermittelt, von den Engeln kommt. Stände
hinter der Gesetzgebung durch die Engel doch Gott, was sollte dann v. 20?

Vergegenwärtigt man sich aber diesen Sachverhalt, so bleibt nur die Konklusion: Die gute Absicht Gottes bestand darin, die böse Absicht der Engel aufzugreifen und zum Heil zu wenden. Wenn es v. 8 heißt, daß die Schrift
vorhergesehen habe, daß die Völker aus Glauben gerechtfertigt werden,
dann kann dies doch so umgesprochen werden, daß Gott es war, der dies
vorhersah und der mithin auch engelische Gesetzgebung und totale Herrschaft der hamartia vorhersah.[59] Die Schrift hat also - nun wieder nach
v. 22 - alles unter die Sündenmacht eingeschlossen, weil sie die böse Unheilsintention der Engel in die gute Heilsintention Gottes integrierte. Die
gesamte Argumentation des Paulus in Gal 3 kann so
ohne innere Widersprüchlichkeit verständlich gemacht
werden, indem als Instrumentarium jene dreifache Unterscheidung benutzt wird: Intention Gottes, immanen-

te Intention des Gesetzes und Intention der Gesetzge-
b e r. Fundament dieser Interpretation bleibt freilich a parte potiori unsere Auslegung von 3,19f. Doch wird es sich im weiteren Verlauf dieser Untersuchung zeigen, daß diese Interpretation mit anderen Gedankengängen
des Paulus in Gal stimmig ist. Schauen wir aber zunächst weiter auf den
folgenden Vers! Hier wird eine Funktion des nomos "vor dem Kommen des
Glaubens" genannt: Ort zu sein, wo wir in Haft gehalten wurden. Darüber
soll unter Punkt 2 Genaueres gesagt werden. Hier ist vor allem von Interesse, daß dasselbe Verb συγκλείειν, das als Tätigkeit der Schrift in v.
22 begegnete, nun im Passiv von "uns" ausgesagt wird: Wir waren als solche unter dem nomos in Haft gehalten, die "zusammengeschlossen" waren
im Blick auf die kommende Offenbarung des Glaubens. Der nomos, so fährt
v.25 fort, war unser Pädagoge, unser Zuchtmeister, bis zur Zeit Christi,
d a m i t wir "aus Glauben gerechtgemacht werden". Dann aber drängt sich
die F r a g e auf: Bedeutet diese finale Aussage, daß Gott die Unheilsabsicht
der engelischen Mächte anläßlich ihrer Gesetzgebung nur allzu gern in seinen Heilsplan integrierte, weil G l a u b e n s g e r e c h t i g k e i t nun einmal
h ö h e r w e r t i g i s t a l s Gesetzesgerechtigkeit, weil das Prinzip
des Glaubens mehr ist als das Prinzip des Tuns? Zu dieser Auffassung wird
man solange notwendig kommen, wie man in der ganzen Darlegung von Kap.
3 nur eine einzige Absicht, nämlich die Gottes am Werke sieht. Ihre Schwierigkeit besteht allerdings darin, daß man gezwungen ist, in v.12 das Zitat
Lev 18,5 mit seinem "er wird leben" nicht ganz ernstzunehmen; denn v.21b
mit seiner Aussage von der Unfähigkeit des Gesetzes, Leben zu schaffen,
kann aufgrund eines eindimensionalen Intentionsverständnisses das Zitat nicht
voll gelten lassen. Könnte man aber nicht diese Aporie durch die Annahme
des Neben- und Ineinanders der drei Intentionen beseitigen?: Gott sieht das
Scheitern des Menschen am a n s i c h lebensspendenden Gesetz voraus, er
sieht auch die Absicht der Engel voraus, die Menschen durch die Gesetzgebung ins Verderben zu locken. Und so kalkuliert er all dies ein und schafft
die Rechtfertigung aus Glauben. Dann aber wäre für G a l die so wichtige,
von Wilfried Joest formulierte Frage, ob Christus mit der von ihm gebrachten Glaubensgerechtigkeit nur eine "vikariierende Notlösung" gewesen sei,
etwa im Sinne von Joachim Mörlin (+ 1571) mit seiner Lehre vom tertius
usus legis[60], mit glattem Ja zu beantworten. Daß diese Antwort theologisches Unbehagen auslöst, liegt auf der Hand. Und in der Tat können wir es
nicht bei ihr bewenden lassen. Das Problem des Verhältnisses von Glaubensgerechtigkeit und Gesetzesgerechtigkeit bzw. von Glauben und Tun wird deshalb im Verlauf dieser Untersuchung noch einmal zu thematisieren sein.
Hier nur soviel schon im Vorgriff: So einlinig wie die Aussage, Christus
ist nur eine vikariierende Notlösung, ist die Theologie des Gal nicht. An
diesem Punkte wird differenzierter zu urteilen sein, um nicht mit einer
halben Wahrheit Falsches zu sagen. Um jedoch kein Mißverständnis aufkommen zu lassen: Was festgehalten wird, ist die oben durchgeführte Exegese von 3,19f.: Der nomos stammt von dämonischen Engelmächten.

Gegen dieses Verständnis ist aber ein weiterer Einwand zu erwarten: Vorausgesetzt, daß dämonische Engelmächte das Gesetz erließen, um die Menschen ins Unheil zu treiben, ist dann nicht damit zu rechnen, daß die Bestimmungen eben dieses Gesetzes schlecht sind? Und würde dies nicht des weiteren implizieren, daß Übertretungen dieser Engelbestimmungen doch gerade im Sinne Gottes liegen, daß also gerade eine derartige Übertretung nicht Sündentat ist? Übertretung, παράβασις, also gerade nicht als Symptom des Stehens unter der hamartia?

Aber diese Argumentation ist nicht schlüssig. Denn im Sinne des Paulus dürften die Engel darum gewußt haben, daß die Menschen am Gesetz scheitern, wenn dieses (auch) Gottes gute Gebote enthält. Weil eben die Engel Gottes heilige Gebote proklamierten, konnten sie die Menschen in die unselige Situation bringen, Übertreter des göttlichen Willens zu werden. Eine Ungereimtheit bleibt freilich: Was wäre geworden, wenn nicht die Engel, sondern Gott selbst seine Gebote verkündet hätte? Wären die Menschen dann nicht auch in diese unheilvolle Lage geraten? Diese Ungereimtheit hat sich Paulus anscheinend zur Zeit der Abfassung des Gal nicht bewußt gemacht. Sie wäre für ihn zu jener Zeit sicherlich auch belanglos gewesen; denn er ging in seinem Denken vom Faktum des Engelgesetzes aus, nicht aber von der Reflexion eines "was wäre geschehen, wenn".

Offen bleibt jedoch die Frage, inwiefern die Engel damit rechnen konnten, daß a l l e Menschen am Gesetz scheitern werden. Wußten die Engel um die generelle Schwäche des Menschen? Hatte Paulus, wenn er den Engeln das Wissen um das zukünftige Scheitern aller Menschen zutraute, die Paradieses- und Urgeschichte vor Augen? Haben die gesetzgebenden Engel nach seiner Auffassung jenes verführerische Werk fortgesetzt, daß sie einst im Paradies begonnen hatten?[61] Hatten sie gesehen, daß schon vor der Verkündigung des Sinaigesetzes a l l e s Sinnen und Trachten des menschlichen Herzens nur böse war (Gen 6,5) und selbst die große Flut daran nichts geändert hat (Gen 8,21)? Diese Fragen haben zweifellos nur spekulativen Wert. Aber man sollte sie doch einmal aussprechen, auch wenn man sie nicht zu einem stringenten Beweis verdichten kann.

Die Frage, ob die Engel mit dem "Erfolg" ihrer Gesetzgebung rechnen konnten, weil sie um die generelle Schwäche aller Menschen wußten, hängt mit der grundsätzlichen Frage zusammen, ob das Scheitern aller Menschen am Gesetz nur faktischer Natur oder, weil im Wesen des Menschen gelegen, notwendiger Prozeß war. Diese Frage sei hier nur formuliert. Sie wird im weiteren Verlauf dieser Untersuchung - zusammen mit der Frage, ob Christus nach Gal nur als vikariierende Notlösung zu verstehen sei - noch von fundamentaler Bedeutung sein.

Daß diese ganze Argumentation des Paulus über den Zweck des Gesetzes für jüdische Ohren blasphemisch klingt, daß sie auf Juden und nicht nur auf deren pharisäischen Teil schockierend wirken muß, ist evident. Das Gesetz soll Sünden provozieren! Ab 1,1 hingegen lesen wir: "Macht einen Zaun um die Torah!" Die pharisäische Auffassung tendierte im Sinne dieser Forderung dahin, die Torahbestimmungen noch weiter zu spezifizieren, damit gerade keine Übertretung geschieht.[62] Des weiteren war für jüdische Ohren ärgerlich, daß die Torah den Verheißungen erst "d a z u gegeben" (προσετέθη) wurde. Das muß vor allem dann anstößig geklungen haben, wenn man, wie anzunehmen sein dürfte, im 1.Jhdt. n. Chr. schon an die Präexistenz der Torah glaubte.[63] Aber diese ist nach Gal nicht nur jünger als die an Abraham ergangenen Verheißungen Gottes, sie hat auch mit dem Kommen des Messias ihr zeitliches Ende erreicht. Terminus a quo und terminus ad quem sind bekannt. Die Zeit des Gesetzes ist also abgelaufen, es währt nicht bis in alle Ewigkeit, wie jüdischer Glaube dies für sicher hält.[64]

ad 2) Der nomos hat die Funktion, als Bereich der Versklavung für den Menschen zu dienen.[65] Das Dasein des Menschen vor Christus ist ein U n t e r - d e m - G e s e t z - S e i n. Dieses wird im Zusammenhang der Argumentation 3, 22ff. zum generellen U n t e r - S e i n des nichtgläubigen Daseins ausgeweitet. Wer nicht glaubt, kann nicht anders existieren als unter versklavenden Mächten. Außerhalb des Bereichs des Glaubens gibt es nur die Domäne unterdrückender Herrschaft. Die Intention des Paulus geht gerade in 3, 22ff. darauf, den Galatern diese versklavende Abhängigkeit, in die sie sich begeben wollen, bewußt zu machen.

Das Unter-Sein wird mannigfaltig expliziert: unter der Sünde, ὑπὸ ἁμαρτίαν 3, 22; unter dem Gesetz, ὑπὸ νόμον, 3, 23; 4, 4. 5; unter dem Zuchtmeister, ὑπὸ παιδαγωγόν, 3, 25; unter den Erziehern und Hausverwaltern, ὑπὸ ἐπιτρόπους καὶ οἰκονόμους, 4, 2; unter den Weltelementen, ὑπὸ τὰ στοιχεῖα τοῦ κόσμου, 4, 3. Dabei fällt auf, daß bei diesen Wendungen sowohl Juden wie Heiden im Blick sind. Schon der mehrfache Schriftbeweis 3, 6-18 war nicht nur auf die Juden, denen das Gesetz gegeben war, bezogen.[66] 3, 22 heißt es, daß die Schrift die gesamte Menschheit, τὰ πάντα, unter die Sündenmacht zusammengeschlossen hatte. Wenn dann aber 3, 23 davon die Rede ist, daß es das Gesetz war, unter dem "wir" in Haft gehalten und zusammengeschlossen waren, so ist doch keineswegs jetzt wieder allein auf die Juden geblickt. Die Parallele zwischen v. 22 und v. 23 ist zu eng, als daß man differenzieren dürfte: Die ganze Menschheit unter der Sünde - die Juden unter dem Gesetz.[67] Damit kommt aber zum Ausdruck, daß die Sklavenherrschaft, unter der Juden und Heiden standen, dem Wesen nach gleich war. Eine Einebnung von Jude-Sein und Heide-Sein findet in einem für den Juden unerträglichen Ausmaß statt.[68] Hier wird nicht - wie Röm 9, 4 - gesagt, daß den Brüdern, den Israeliten, die Sohnschaft (vgl. Gal 3, 26; 4, 5), die Verheißungen und (!) die Gesetzgebung zu eigen seien! Unter dem Gesetz sein bedeutet im Argumentationszusammenhang des Gal unter dem verhaßten Zuchtmeister zu sein.[69] Nun aber ist der Glaube "gekommen". Durch ihn "s e i d ihr alle Söhne Gottes" (3, 26) und somit nicht mehr unter den Erziehern und Hausverwaltern (4, 2), also nicht mehr un-

mündig. Mit den ehemals heidnischen Galatern schließt sich dann wieder
Paulus zusammen, wenn er schreibt: "So waren auch wir (οὕτως καὶ
ἡμεῖς), als wir noch unmündig waren, unter den Weltelementen (τὰ
στοιχεῖα τοῦ κόσμου) versklavt." (4,3) Den Weltelementen dürfte
- trotz Delling[70] - dämonisch-heidnischer Machtcharakter eignen.[71] Dabei ist für unsere Frage unerheblich, ob sich der Begriff στοιχεῖα τοῦ
κόσμου mit Dibelius[72], Schlier[73] u. a. auf astrale Gottheiten oder mit
Schweizer auf den quasigöttlichen Machtcharakter der vier Weltelemente
bezieht. Wichtig ist lediglich, daß hier für den Juden eine Ungeheuerlich-
keit ausgesagt ist: Die Funktion der Torah ist identisch mit der heidnischer
Gottheiten. Vielhauer, der die Weltelemente nicht als persönliche Wesen,
wenn auch als göttlich verehrt faßt[74], kommt zu dem Ergebnis: "Er (sc.
Paulus) will mit ihm (sc. dem Begriff 'Weltelemente') Heidentum und Judentum auf den gleichen begrifflichen Nenner bringen."[75] Doch ist hier das Urteil von v. 23 nicht überboten; denn dort wurde ja schon die Funktion des
nomos mit der der furchtbarsten und grausamsten Macht der Geschichte
gleichgesetzt, nämlich der Sünde.

Warum betont Paulus die Funktion des Gesetzes als Ort der Versklavung
so sehr? Er tut es, weil ihm alles daran liegt, die bereits gewonnene Freiheit der Galater herauszustellen: Ihr s e i d frei, weil ihr Söhne Gottes
seid! Ihr s e i d frei, weil ihr glaubt! Das eben ist sein Anliegen, das er
mit Leidenschaft vorträgt: Verliert eure Freiheit nicht, verspielt sie nicht!
Laßt euch nicht von neuem versklaven! Einst habt ihr denen, die von Natur
aus nicht Götter sind, als Sklaven gedient (4,8). Warum wollt ihr euch wieder zu den schwachen und armen Weltelementen bekehren und ihnen Sklaven-
dienste leisten (4,9)? Also: Der Glaubende i s t frei, der aber aus dem Gesetz Lebende ist Sklave der Dämonen (die für Paulus existieren! s. 1 Kor
10,20). Das D a s e i n d e s G l a u b e n d e n ist kein U n t e r - S e i n. Hier
liegt der Nerv seiner Argumentation. Deshalb auch noch der keinen Juden
überzeugende Schriftbeweis 4,21-31, wonach nur der glaubende Christ Sohn
der freien Sara, die Juden aber Söhne der unfreien Hagar sind![76] Sie, die
Juden, nicht Söhne Isaaks, sondern Söhne Ismaels! Und so zielt alles hin
auf den Ausruf: "Zur Freiheit hat euch Christus befreit!" Daraus folgt: "So
steht nun und begebt euch nicht wieder unter das Joch der Knechtschaft!"
(5,1)

Jedoch, relativiert nicht Gal 5,13f. das soeben Gesagte? Korrigiert diese
Stelle nicht unsere bisher vertretene Auffassung? Verschieben wir aber die
Exegese dieser Stelle noch für einen Augenblick und vertiefen die letzten
Ausführungen!

Auf das "Seligkeitsinteresse" der Galater wurde bereits hingewiesen: diese
verstanden sich als solche, die auf Rettung angewiesen sind. Dieses Interesse ist also vorauszusetzen, wenn verständlich werden soll, daß die Predigt des Paulus ankam und daß auch seine Gegner mit ihren Parolen zumindest Eindruck machten. Vielleicht klingt in 1,4 "Christus hat uns aus der

gegenwärtigen bösen Welt herausgerissen" jenes Motiv an, das einst die
paulinische Missionspredigt in Galatien erfolgreich gemacht hatte. Menschen nämlich, die ihr Dasein als Dasein in einer heilen Welt verstanden
hätten, wären auf die paulinische Verkündigung nicht ansprechbar gewesen.
Paulus erinnert die Galater also daran, daß sie vor ihrer Bekehrung zu
Christus die Herrschaft der schwachen Weltelemente erfahren hatten. Sie
hatten selbst erlebt: Solange man sich ihnen beugt, vermögen sie wirklich
Menschen zu beherrschen, zu unterjochen. Wissen wir auch nicht genau,
wie die Elementenverehrung in Galatien ausgesehen hatte, so läßt sich doch
vermuten, daß der Erfolg der paulinischen Missionspredigt vornehmlich
damit zusammenhing, daß die Galater auf ihre Furcht vor den
Weltelementen angesprochen wurden, daß sie in der Tat hier ansprechbar waren, daß sie die Christusverkündigung als Befreiung von der
Furcht vor den Weltelementen verstanden.[77] War die Bekehrung für Paulus
eine Abwendung vom Gesetz zu Christus, so war die Bekehrung für die Galater eine Abwendung von den Weltelementen zu Christus. Also bei beiden
die gleiche conversio bei unterschiedlicher aversio (die aber, wie sich zeigte, von Paulus als gleichartig interpretiert wird). Bezeichnet nun Paulus
die wirkliche oder vermeintliche Hinwendung der Galater zum Gesetz als
Rückfall unter die Herrschaft der Weltelemente, so hofft er, sie an demjenigen Punkte ansprechen zu können, wo er dies ja schon einmal vermocht
hatte. Kannte er doch die alte Furcht der Galater vor den Weltelementen,
wußte er doch, wie sie ihr Leben damals in der Tat als Sklavendasein gegenüber diesen Mächten verstanden hatten. So appelliert er an das Selbstverständnis der Galater. Sein Vorwurf impliziert die Frage: Soll eure Existenz wieder durch die Furcht bestimmt sein?

Daß die Galater nun gerade dieses nicht wollten, liegt auf der Hand. Sie
wollten vielmehr die Freiheit von den einstmaligen Mächten erst richtig
s i c h e r n . Aber eben dieses Sichern durch äußere Zeichen, äußerliche
Praktiken, durch Vertrauen auf sichtbare Gegebenheiten ist es, was nach
Paulus das Wesen des Unglaubens ausmacht. Man lebt wieder aus Gesetzeswerken, aus dem, was man - mit magischer Absicht, um die göttliche
Gnade greifbar zu machen - an quantitativ bestimmbaren Akten setzt. So
ist der Glaube nicht mehr Glaube. Vertrauen auf Gottes Tat in Christus Jesus wird abgelöst durch Vertrauen auf äußerlich Vollziehbares.

Die Galater wollen also ihre Furcht vor dämonischen Mächten gerade dadurch aufheben, daß sie ihre Freiheit, die sie a l s Freiheit nicht begreifen, verraten. Anders gesagt: Die Galater haben ihr "Seligkeitsinteresse"
nicht als F r e i h e i t s i n t e r e s s e begriffen. Trotz einst schmerzlich er-
fahrener Unfreiheit ist ihnen nicht aufgegangen, was Freiheit wirklich ist.
Weil sie in ihrem falschen Sicherheitsinteresse die unverfügbare Gnade Gottes durch äußere Praktiken als verfügbare Gnade sich sichern wollen, verlieren sie Gnade und Freiheit, verlieren sie Gnade a l s Freiheit. Deshalb
sieht sich Paulus vor der Aufgabe, ihnen klarzumachen: Ihr seid "selig",
wenn ihr frei seid. Ihr braucht eure Gnade nicht zu sichern; denn der Freie

ist es - und ihr s e i d frei! -, der in der Gnade Gottes lebt. Ja, ihr dürft
sie nicht sichern. Alles hängt nun daran, daß den Galatern endlich aufgeht,
daß ihr "Seligkeitsinteresse" nur als Freiheitsinteresse gewahrt werden
kann. Streben sie nach Freiheit - und auch und gerade nach Freiheit vom
mosaischen Gesetz -, dann haben sie alles übrige. Vermutlich hätten die
Galater sagen können - vielleicht haben sie es auch gesagt -: Wir wollen
ja gerade Freiheit von den Weltelementen. Doch Paulus hätte entgegnet:
Ihr habt aber noch nicht die Tiefe dessen, was Freiheit ausmacht, ermes-
sen. Frei nach Anselm von Canterbury: Nondum considerastis, quanti pon-
deris sit libertas. (cf. Cur deus homo, I, 21) Hättet ihr begriffen, was es
um Freiheit ist, so wüßtet ihr: Wenn ihr glaubt, s i n d die Weltelemente
schwach und arm. Wenn ihr eure "Freiheit" aber durch Gesetzeswerke sichern wollt, so sind sie eure Herren und Götter, obwohl sie von Natur aus
(φύσει) dies gerade nicht sind (Gal 4, 8f.). Die Weltelemente sind so
schwach oder so stark, wie ihr glaubt.[78]

1.4. Die Erfüllung des "ganzen" Gesetzes

Nach den bisherigen Darlegungen ist das mosaische Gesetz in Gal nur negativ gesehen: Es ist um der Provokation von Sündentaten willen gegeben worden. Es stammt von den dämonischen Engelmächten. Es dient als Ort der
Versklavung, während Heil doch gerade Freiheit meint. Das Gesetz also
in Funktionseinheit mit den heidnischen Weltelementen! Schmeichelhaft für
das Gesetz ist diese theologische Gedankenführung des Paulus wahrlich nicht.
Wer, ohne daß er die positiven Aussagen des Röm über das Gesetz vor Augen hat, Gal bis einschließlich 5, 12 liest, wird wohl kaum von selbst auf
den Gedanken kommen, daß derselbe Verfasser einmal schreiben wird: "Das
Gesetz ist heilig und das Gebot ist heilig, gerecht und gut." (Röm 7, 12) Freilich lesen wir, um es noch einmal zu sagen, weithin Gal von Röm her mit einem harmonistischen Vorverständnis. Und so macht gerade der evangelische
Theologe bei der Lektüre von Gal aufgrund seines Vertrautseins mit Röm
erst gar nicht den Versuch, einmal all das beiseite zu tun, was er von diesem Brief verinnerlicht hat.

Aber spricht nicht bereits G a l 5, 1 4 gegen das von uns herausgearbei-
tete nomos-Verständnis des Gal? Das ganze Gesetz, so heißt es da, ist in
dem einen Worte erfüllt: "Du sollst deinen Nächsten lieben wie dich selbst."
Anders gesagt: Tue nur das in Lev 18, 5 geschriebene Liebesgebot, und du
hast die ganze Torah getan! Jedoch, meint Paulus hier mit der Wendung ὁ
πᾶς νόμος wirklich dasselbe, was er zuvor unter nomos verstand? Die
weithin vertretene Auffassung, das ganze mosaische Gesetz sei erfüllt, wenn
man nur dem Gebot der Nächstenliebe nachgekommen sei, führt nämlich in
die A p o r i e. Denn diese Auffassung - nennen wir sie die Auffassung von
der I m p l i k a t i o n, weil nach ihr das eine Gebot das ganze mosaische Ge-

setz impliziert - ist selbst nicht eindeutig; sie ist vielmehr auf zwei aporetische Auslegungsmöglichkeiten hin interpretationsoffen: Entweder muß man sie dahingehend auslegen, daß die ganze Torah in allen ihren Einzelgeboten am Liebesgebot partizipiert, wobei man sich dann fragt, warum - am Liebesgebot partizipierend! - Gebote nicht mehr befolgt werden dürfen (Beschneidung, Speise- und Reinheitsgebote). Oder man muß erklären, die Torah als ganze sei tendenziell so auf das in ihr enthaltene Liebesgebot angelegt, daß sich inhaltlich alle ihre anderen Bestimmungen erübrigen - also radikale inhaltliche Reduktion.[79] In beiden Fällen wird nicht wirklich ernstgenommen, daß Paulus vom g a n z e n nomos spricht. Die Aporie wird vor allem daran deutlich, daß Paulus einmal auffordert, die Beschneidung zu unterlassen; sonst sei man nämlich gehalten, das ganze Gesetz zu tun, ὅλον τὸν νόμον ποιῆσαι (5,3). Also soll man doch gerade n i c h t das g a n z e G e s e t z t u n![80] Dann aber erklärt er elf Zeilen danach, es obliege dem Christen, d a s g a n z e G e s e t z durch das Liebesgebot zu e r f ü l l e n.[81] Beide Aussagen sind nur dann in ihrem Zueinander verständlich, wenn ὁ πᾶς νόμος, 5,14, nicht genau das meint, was ὅλον τὸν νόμον, 5,3, bedeutet. In dem in Anm. 79 genannten Aufsatz habe ich bereits die These vertreten, daß es sich bei ὁ πᾶς νόμος um eine kritisch-ironische Wendung des Paulus handelt. Die attributive Stellung von πᾶς stellt ja die Totalität des Gesetzes in ihrem Gegenüber zu den einzelnen Gesetzesbestimmungen heraus.[82] Das attributive πᾶς verlangt also als Gegenüber geradezu eine Mehrheit, um sinnhaft ausgesagt werden zu können. Um diesen Effekt ist es aber in Gal 5,14 gebracht: In dem nur e i n e n Wort[83] besteht die Totalität aus v i e l e n Worten! Oder vielmehr: Paulus erreicht mit der linguistischen Verfremdung vom scheinbar sinnlos gebrauchten πᾶς, erreicht mit diesem Paradox, das jüdische Ideal vom Halten des ganzen Gesetzes ad absurdum zu führen. Paulus führt, indem er sich die sprachliche Nuance von ὁ πᾶς νόμος gegenüber ὅλος ὁ νόμος zunutze macht, einen linguistischen Tiefschlag gegen das von ihm bekämpfte jüdische Gesetzesverständnis, jedenfalls gegen das Gesetzesverständnis, das er als das jüdische unterstellt. (Auf die historische Frage, inwiefern er damit dem damaligen Judentum wirklich gerecht geworden ist, soll es hier nicht ankommen.) Diese stilistische Nuance ist im Deutschen so gut wie unübersetzbar. Wir müßten schon das Wort g a n z in Anführungsstriche setzen oder vom sog. ganzen Gesetz sprechen. Daß Paulus Meister der griechischen Sprache war, ist ja zur Genüge bekannt.[84] Also: D a s g a n z e G e s e t z d e s M o s e ist gerade n i c h t i d e n t i s c h m i t d e m "ganzen" G e s e t z, das für den Christen gilt.[85] Wenn die Ausleger von Gal 5,14 immer wieder von einer inhaltlichen R e d u k t i o n des m o s a i s c h e n Gesetzes sprechen, so geschieht dies durchaus zurecht, insofern eine Torah-Bestimmung zitiert wird, nämlich Lev 19,18. Reduktion heißt aber bewußte Abrogation wesentlicher Torahinhalte, so daß nur in der soeben beschriebenen kritisch-ironischen Weise vom ganzen Gesetz gesprochen werden kann. Und schon auf gar keinen Fall ist hier im Sinne Hillels gemeint, daß das ganze Gesetz in einem zentralen Gebote seinen prägnanten Ausdruck finde und alles übrige nur Auslegung sei (Schab 31a). Dieser Gedanke klingt erst Röm 13, 8-10 an. Keinesfalls hat aber Paulus ihn dort aus seiner vorchristlichen Zeit als angeblich ehemaliger Hillelit übernommen. Denn wenn eines eine unvorstellbare Vorstellung ist, dann Paulus vor seiner Berufung als Hillelit! Der Mann, der sein jüdisches Gesetzesverständnis total über Bord warf (Phil 3, 7f.!), sollte die Grundkonzeption seines pharisäischen Lehrers im Blick auf die Torah vertreten haben? [86]

Hier soll nun, was in dem in Anm. 82 genannten Aufsatz und in 1. 1. dieser Untersuchung schon kurz angerissen wurde, vertieft werden. Es wurde bereits gesagt, daß Paulus ein quantitatives Denken im Blick auf das menschliche Dasein ablehnt, wenn er gegenüber dem Dt 27, 26 (= Gal 3, 10) geforderten Ethos ein neues Ethos stellt. Exegesieren wir deshalb zunächst den Abschnitt Gal 3, 10-13 noch etwas genauer, als dies bei der ersten Hinführung zum Gesetzesproblem in 1. 1. geschah. Wir erinnern uns: Alle stehen unter dem Fluch, weil keiner der primär quantitativen Forderung des Gesetzes nachkam, alle, aber wirklich ausnahmslos alle seine Bestimmungen zu befolgen. Wer auch nur eine einzige dieser Bestimmungen übertritt, ist verflucht. Nun erklärt Schlier, der Fluch hafte offenbar für Paulus am Tun selbst, sofern es sich auf die Gesetzeswerke beziehe. [87] So sieht er im Zitat Dt 27, 26 den Ton auf dem ποιῆσαι ruhen und lehnt die gängige, auch von uns vertretene Auffassung ab, es sei die unausgesprochene Voraussetzung des Paulus, daß niemand das Gesetz quantitativ ganz erfüllt. [88] Er folgert: "Er (sc. der Fluch) ist nicht erst damit gegeben, daß das Gesetz quantitativ nicht ganz erfüllt wird, sondern schon damit, daß es überhaupt 'getan' werden muß ..." [89] Freilich gibt er auch zu: "Der innere Grund für diesen Sachverhalt wird hier nicht deutlich gemacht. Er ist aber aus Röm 7,7ff. zu erkennen." [90] Nun ist es aber gerade unser methodisches Prinzip, Röm nicht zur Interpretation von Gal heranzuziehen. Trotzdem soll hier Schliers These, Paulus gehe es um die notwendige Zusammengehörigkeit von Fluch und Tun schlechthin, auf ihr Recht befragt werden - auch wenn gegen Schlier an der Evidenz der Auffassung, Paulus habe in Gal 3, 10 das allgemeine Versagen am Legalprinzip von Dt 27, 26 stillschweigend vorausgesetzt, festgehalten wird. Denn auch in der Argumentation von Gal 3 gibt es einzelne Elemente, die möglicherweise Schliers These stützen.

Es wurde bereits darauf hingewiesen [91], daß Paulus für sein theologisches Urteil, es sei offenbar, daß niemand durch das Gesetz [92] vor Gott gerechtgemacht werden könne, sich auf die Schrift beruft. Sie ist es, die verheißt, daß der aus Glauben Gerechte leben wird. Daß das Habakuk-Zitat als Zitat der Schrift zu verstehen ist [93], geht mit Sicherheit aus seinem sachlichen Zusammenhang mit der Aussage über die Schrift in v. 8 in Verbindung mit v. 6 hervor. Hab 2, 4 kann im Zusammenhang der paulinischen Darlegung nicht von Gen 15, 6 und Gen 18, 18 getrennt werden. Die Schrift - sprich: Gott - dekretiert: Rechtfertigung geschieht aus Glauben. Noch genauer: Rechtfertigung geschieht nur aus Glauben, also nicht aus Tun. Gottes Ja zum Prinzip des δίκαιος ἐκ πίστεως, so scheint es, impliziert sein

Nein zum Prinzip des δίχαιὸς ἐκ ποιήσεως. Der nomos ist erwiesenermaßen nicht "aus Glauben"; sagt er doch von sich selbst: "Wer diese
(= alle Bestimmungen des nomos) tut, der wird durch sie leben." (Lev
18, 5 = Gal 3, 12). In der Tat sieht es so aus, als ob diese Aussage des nomos über sich selbst - "wer mich tut, wird durch mich leben" - durch die
autoritative Aussage der Schrift und somit kraft der Autorität Gottes selbst
Lügen gestraft wird. Schriftzitat also gegen Nomoszitat? Das Schriftzitat
also Ausdruck der göttlichen Wahrheit, das Nomoszitat jedoch Ausdruck
der widergöttlichen Lüge und Täuschung? Sieht man von diesem Gegensatz
der beiden Zitate mit ihrer jeweils entgegengesetzt motivierten Zusage des
Lebens zurück auf das Zitat Dt 27, 26 in v. 10, so will fast so etwas wie Zustimmung zu Schliers These vom Haften des Fluches am Tun als solchem
aufkommen.

So stringent aber vielleicht diese Argumentation im ersten Augenblick erscheinen mag - schlüssig ist sie nicht. Denn es ist eines bei diesem Inter-
pretationsversuch übersehen: Der Fluch, den das Gesetz Dt 27, 26 ausspricht, ist voll wirksam. Er ist gerade dadurch voll wirksam, daß er der
Fluch Gottes ist, freilich vom Gesetz ausgesprochen![94] Er ist so wirksam, daß Gott dann selbst auf dem Plan erscheint und ihn durch den Kreu-
zestod seines Messias unwirksam für den Menschen macht. Und dabei unter-
wirft sich eben der Christus Gottes einer weiteren Fluchbestimmung dieses
nomos (Dt 21, 23 = Gal 3, 13).[95] Also wird man nicht nur allein von der Autorität der Schrift und somit von der Autorität Gottes im Verlauf der Argumentation von Gal 3 reden dürfen, sondern genau so von der Autorität des Gesetzes. Verhält sich aber dies so und sind die Aussagen des nomos im Blick auf
Dt 27, 26 und Dt 21, 23 durch die Kraft des Gesetzes so wirksam, daß selbst
Gottes Heilsplan sie - etwas überspitzt formuliert - nicht umgehen konnte,
ja geradezu an sie gebunden war, dann ist es auch nicht möglich, die Le-
benszusage des nomos Lev 18, 5 als Lüge und Täuschung zu werten. Wenn
das Gesetz sagt, daß leben wird, wer alle seine Bestimmungen tut,
dann gilt diese Aussage auch (als immanente Intention des Gesetzes!). Wer alles, aber freilich restlos alles tut, der wird leben, wird genau so leben wie der aus Glauben Gerechte![96]

Trifft auch dies zu, so drängt sich die Frage auf, wie dann überhaupt das
Habakuk-Zitat von Paulus als Verneinung der durch den nomos erteilten Le-
benszusage in die Argumentation eingebracht werden konnte. Denn das war
doch wohl an der Interpretation von vv. 11f. einsichtig: Gottes Wille ist die
Rechtfertigung aufgrund des Glaubens und nur aufgrund des Glaubens. Deshalb - also nicht aufgrund empirisch gemessener Einsicht! - ist "offenbar"
(δῆλον), daß keiner durch das Gesetz gerecht wird! Beides ist demnach
anscheinend von Paulus in seine Beweisführung eingebracht:

1. Die Autorität der Schrift, die letztlich die Autorität Gottes selbst ist, setzt das Gesetz mit seiner Gerechtigkeit aus der quantitativ vollständigen Erfüllung aller Gesetzesbestimmungen ins Unrecht.

2. Die Autorität des Gesetzes ist so groß, daß sie nicht nur alle Menschen unter den Fluch zu stellen und wirkliches Leben zuzusagen vermag, sondern darüber hinaus Gott selbst zum Reagieren auf Gesetzesbestimmungen zu bewegen.

Diese beiden Gedankengänge kreuzen sich in Gal 3, ohne daß sie zu einem wirklichen gedanklichen Ausgleich gebracht worden sind. DieArgumentationsrichtungen beider Beweiselemente gehen einfach in jeweils andere Richtung. Deshalb wird man kaum mit Luz sagen können, Paulus sei vermutlich entgangen, daß das Zitat aus Lev 18, 5 ebenso gültig sei wie das Zitat Hab 2, 4.[97] Vielmehr geht es doch gerade darum, daß zwei geltende Lebensprinzipien einander gegenübergestellt werden und somit zum Ausdruck kommen soll, daß der nomos, wenn sein Prinzip ganz durchgehalten wird, voll und ganz Leben garantiert. Insofern hat Luz aber recht, als Paulus vom jetzt rechtfertigenden Glauben aus denkt.[98] Aus dieser Perspektive allerdings hat das nomos-Prinzip seine Gültigkeit verloren. Es geht als um verlorene Geltung. Die dem nomos an sich inhärierende Lebensintention (um noch einmal mit jener Begrifflichkeit zu operieren, die sich schon früher als hilfreich erwiesen hat) gilt, wo er allein zuständig ist bzw. sein könnte. Die Intention Gottes geht jedoch auf Rechtfertigung aus dem Glauben. Wie aber steht es dann mit dem Verhältnis der dem Gesetz als solchem innewohnenden Intention zu der Intention Gottes, beide Male gesehen unter dem Blickwinkel des für den Menschen zu erreichenden Lebens? (In Abschn. 1.3. wurde - es sei noch einmal daran erinnert - das Verhältnis der Intention der Gesetzgeber zu der Intention Gottes behandelt.) Auch hier trifft wieder zu, daß das Verhältnis beider Intentionen als solches von Paulus nicht explizit behandelt ist und somit nur mit Hilfe von Konklusionen unsererseits argumentiert werden kann. Auszugehen ist dabei von dem Faktum, daß zunächst einmal beide Intentionen sich widersprechen. Auszugehen ist aber auch davon, daß Paulus, wie Luz richtig gesehen hat, vom jetzt rechtfertigenden Glauben aus denkt. Die Frage, warum jetzt nicht leben soll, wer das Gesetz in allen seinen Teilen tut, ist folglich als eine Frage disqualifiziert, die von der Irrealität aus denkt. Paulus kann deshalb auch in seiner Beweisführung zwei divergierende Beweiselemente bringen, weil sie letzten Endes gar nicht divergent sind. Sie widersprechen sich nämlich aus dem Grunde nicht, weil sie jeweils in einer anderen Existenzwirklichkeit gelten. Deshalb gilt auch nur vordergründig, daß für Gal Christus lediglich eine "vikariierende Notlösung" - so die Fragestellung von Joest (s. Abschn. 1.3.) - ist. Wollte man das chronologische Element zum eigentlich tragenden Gerüst von Gal 3 machen, wollte man also in diesem Sinne die einzelnen Argumentationsteile verobjektivierend auffassen, so wäre Christus und so wäre die Rechtfertigung aus dem Glauben wirklich zu einem - leider notwendigen - Notstopfen abgewertet. Diese "heilsgeschichtliche" Objektivation ist aber nicht möglich, da Paulus von der Existenz des Glaubenden, aus der Existenz des Glaubenden her spricht. M.a.W., nur im Bereich der Rechtfertigung aus dem Glauben gilt die Rechtfertigung aus dem Glauben. Diese Aussage kann nur dann als Tautologie verstanden werden, wenn die Argumentationsebene des Paulus übersehen wird, nämlich die Ebene des Glaubens. Auf dieser neuen Ebene ist aber das Tun gerade nicht abrogiert (s. die oben abgelehnte Auffassung Schliers), es ist neu qualifiziert. Hier ist nun all das mitzudenken, was Paulus im Anschluß an die Erfüllung des "ganzen" Gesetzes durch die Nächstenliebe sagt: Wer vom pneuma "getrieben" ist, steht nicht mehr unter dem knechtenden nomos (5,17 bedeutet νόμος wieder die Torah, ist also nicht mit ὁ πᾶς νόμος, 5,14, identisch!) mit seinem quantitativen Anspruch. Schon vor 5,14 heißt es: Wer aus dem Glauben lebt, in dem wirkt sich eben dieser Glaube als Liebe aus; denn der Glaube ist die Energie der Liebe (5,6: πίστις δι᾽ ἀγάπης ἐνεργουμένη). Hat Paulus vielleicht bewußt den Begriff ἐν-εργ-ουμένη gewählt, um ihn den ἔργα νόμου zu kontrastieren? Wir wissen es nicht, sollten es aber auch nicht als unmöglich ausschließen: der "ganze" nomos als Glaubens-Energie gegenüber dem ganzen nomos mit seinen quantitativ definierten Werken. Diese Energie ist Frucht des pneuma, dessen erstes und vornehmstes Spezifikum die Liebe, ἀγάπη, ist (5,22). Und da die Liebe das "ganze", sprich: das eine und einzige Gesetz ausmacht, sind die übrigen Aussagen wie Freude, Frieden usw. nur Modalitäten der Agape (5,22f.).[99] Die Werke des Fleisches (5,19ff.) - wieder der Begriff ἔργα! Paulus verstand in der Tat etwas von "Linguistik"! - tut der vom pneuma Getriebene nicht. Freilich will Paulus nicht sagen, daß diese Werke des Fleisches mit den Werken des Gesetzes identisch sind. Das dürfte aus den bisherigen Darlegungen zur Genüge erhellen. Aber deutlich dürfte auch sein, daß der, der nicht aus dem Glauben lebt, der folglich nicht vom Geiste geleitet ist, gar nicht in der Lage ist, das zu verwirklichen, was in 5,22f. Früchte des Geistes genannt wird. Erst auf der Argumentationsebene des Glaubens erweist sich somit die Unmöglichkeit für den Menschen außerhalb des Glaubens, die von der Torah geforderte Liebe (Lev 19,18) zu "tun". Es ist eben der fleischliche Mensch, der Mensch der σάρξ. Vergegenwärtigt man sich aber diesen Sachverhalt, dann ist deutlich, daß die in Gal 3,10 vorausgesetzte Nichterfüllung der quantitativen Torahforderungen durch alle Menschen deren sarkisches Wesen impliziert. Quantitative Erfüllung ist nicht möglich, weil die Torah Bestimmungen besitzt, die "qualitativ erfüllt" werden müssen. Immerhin ist ja das "ganze", den Christen fordernde Gesetz eine Forderung der Torah! Der in Gal 3,10 vorausgesetzte Mensch wähnt in seiner sarx, das Gesetz "tun" zu können und verliert sich in seinem Wahn an die von ihm zu produzierende Quantität. Und weil er nicht weiß, daß wahres Tun nur als Frucht des Geistes möglich und wirklich ist, täuscht er sich selbst, indem er einer quantitativen Norm gehorchen will. Er versteht die Erfüllung dieser Norm als einzig sein Werk, weiß aber nicht, daß sein Tun, weil Liebe Sache Gottes ist, nur als Aus-Wirkung des Geistes Gottes im Menschen geschehen kann.

Eine kurze Bemerkung noch zu Schoeps' Interpretation von Gal 3,10f.![100] Er sieht hier die Anwendung der 13. hermeneutischen Regel des Rabbi Jischmael, gemäß der bei Widerspruch zweiter Verse der Schrift ein dritter zu suchen sei, der den Widerspruch beseitigt. Hier, so meint Schoeps, widerstreiten sich eine Torah- und eine Prophetenstelle. Die Auflösung gebe eine weitere Torahstelle, nämlich der schon zuvor zitierte Satz Gen 15,6. Mussner wendet dagegen ein, in Wirklichkeit werde gar keine dritte Stelle zur Auflösung des Widerspruchs zitiert, also könne es sich nicht um die 13. Midda des Rabbi Jischmael handeln. Deshalb faßt er Hab 2,4 als den Widerspruch der Schrift gegen das Prinzip des Gesetzes, das in Lev 18,5 zum Ausdruck kommt.[101] Aber Mussners Argumentation gegen Schoeps bewegt sich zu sehr auf nur einer Ebene. Die von Paulus intendierte Dialektik und sein Ernstnehmen von Lev 18,5 kommen so zu kurz. Schoeps hat darin recht, daß es nicht beim Widerspruch bleiben soll. Aber es widerstreiten sich im Sinne des Paulus nicht, wie er meint, eine Torah- und eine Prophetenstelle, sondern eine Torah- und eine Schriftstelle - "Schrift" hier nicht verstanden als das Korpus von Gesetz, Propheten und Schriften, sondern als verheißende Aussage Gottes, die in den Büchern des Alten Testaments ihren schriftlichen Ausdruck gefunden hat. Denn Gen 15,6, also eine Pentateuchstelle - aber gerade nicht eine Stelle der Torah im eigentlichen Sinne, sondern wie Hab 2,4 eine Stelle der Schrift! -, verleiht, wie schon gezeigt wurde, aufgrund ihrer Verbindung mit Gen 18,18 in v. 8 dem Habakuk-Zitat die Qualifikation, Aussage der - verheißenden! - Schrift zu sein. Hab 2,4 steht ja in engstem sachlichen Zusammenhang mit Gen 15,6.

Stehen also in Gal 3,10f. Torah und Schrift[102] mit widerstreitenden Aussagen gegeneinander, so gilt es, dieses Gegeneinander transparent werden zu lassen im Gefüge jener Überlegungen, die unter 1.4. dargelegt sind. Dann zeigt sich nämlich, daß ein bloßes Nein zu dem Prinzip von Lev 18,5 die theologische Konzeption von Gal 3 simplifiziert.

2. NOMOS IM RÖMERBRIEF

2.1. Abraham und die Beschneidung in Röm 4

Es fiel auf, daß Paulus in Gal 3 nicht auf die für Gen 17 charakteristische Verbindung von Bund bzw. Testament ($\delta\iota\alpha\theta\acute{\eta}\varkappa\eta$) und Beschneidung eingegangen ist - und das, obwohl er die Abraham-diatheke zum Beweis seiner Rechtfertigungsbotschaft heranzieht! Dies ist dann um so bemerkenswerter, wenn unsere Vermutung zutreffen sollte, daß die Gegner des Paulus gerade mit Gen 17 argumentierten: Wenn ihr Galater, um Christen zu sein, Abrahamssöhne sein wollt, wenn ihr also um eures Christseins willen am Abrahamsbund teilhaben wollt, dann müßt ihr euch beschneiden lassen. Erinnern wir uns weiter: In Gal sieht Paulus die Beschneidungsforderung sofort unter der Perspektive des Gesetzes. Er warnt die Galater: Wenn ihr euch beschneiden lassen wollt, dann habt ihr euch auch gebunden, das ganze Gesetz des Mose zu halten. Die Verpflichtung zum Halten des ganzen Gesetzes aber führt in die Aporie, führt, weil keiner das ganze Gesetz hält, unter den Fluch. Die Beschneidung wird also, weil sie notwendig in verheerende Knechtschaft führt, radikal abgelehnt. Da sie als pars pro toto des Gesetzes steht, ist gerade sie es, die durch die auf dem Glauben beruhende Abraham-diatheke ganz und gar ihr theologisches Recht verloren hat; ja, nicht nur ihr Recht verloren hat, sondern darüber hinaus theologisch verurteilt ist: Sie darf nicht mehr praktiziert werden! Wer sie dennoch ausübt, ist aus der Gnade gefallen.

Vergegenwärtigt man sich diese Argumentationsrichtung des Gal bei der Lektüre von Röm 4, so fällt schon a prima vista eine merkliche Verschiebung der Fragestellung auf. Gehen wir beim Vergleich von Röm 4 mit Gal 3 methodisch zunächst so vor, daß wir herausstellen:

1. In welchen Punkten stimmen Gal 3 und Röm 4 überein?
2. Welche Argumentationselemente von Gal 3 hat Paulus in Röm 4 nicht mehr aufgegriffen?
3. Welche Argumentationselemente finden sich in Röm 4 neu gegenüber Gal 3?
4. Welche Argumentationselemente aus Gal 3 sind in Röm 4 modifiziert worden?

Aufgrund der Antworten auf diese vier Teilfragen dürfte es möglich sein, die entscheidende Frage zu beantworten: In welchem Sinne liegt in Röm 4 eine Modifikation des gesamten Argumentationsgefälles von Gal 3 vor?

ad 1) Wie Gal 3,6 geht Paulus auch in Röm 4,3 von Gen 15,6 aus. An beiden Stellen wird aus LXX wörtlich zitiert.[1] Des weiteren betont Paulus in beiden Briefen die Zusammengehörigkeit des Glaubens der unbeschnittenen

Heidenchristen mit dem Glauben Abrahams (Gal 3, 8f. u. ö.; Röm 4, 11 u. ö.).
Im Zuge der Abrahamsdiskussion wird in beiden Briefen der Zusammenhang
von Gesetz und Übertretung, παράβασις, herausgestellt (Gal 3, 19; Röm
4, 15). Als charakteristisch für Abraham wird in beiden Briefen die an ihn
ergangene Verheißung (bzw. Verheißungen), ἐπαγγελία(ι), betont (Gal
3, 16ff.; Röm 4, 13ff.). Beiden Briefen ist gemeinsam, daß die zeitliche
Priorität der Verheißung vor dem Gesetz bzw. vor der Beschneidung behauptet wird (Gal 3, 15ff.; Röm 4, 10f.).[2]

Es sind also eine Reihe äußerst wichtiger Punkte aus Gal 3, die Paulus in
Röm 4 wieder aufgreift. Zwischen beiden Briefen ist somit ein ziemlich breiter Kontinuitätsstrom gegeben.

ad 2) Freilich gibt es aber auch essentielle Elemente in Gal 3, die in Röm
4 nicht mehr vorkommen. Vor allem fehlt dort die Verklammerung der Abrahamsthematik mit dem Argument, daß der nomos restlos zu befolgen sei und
daß, wer nach der Ordnung der Gesetzesgerechtigkeit in auch nur einer einzigen Bestimmung dem nomos nicht gerecht wird, unter dem Fluch steht.
Es fehlt der in Gal an dieses Theologumenon sich anschließende Gedanke von
der stellvertretenden Übernahme dieses Fluches durch Christus. Des weiteren fehlt erstaunlicherweise der Begriff des Bundes bzw. des Testamentes, der διαθήκη, der für die Argumentation in Gal 3 konstitutiv gewesen
ist.[3] Im Gefolge dieses Sachverhalts ist auch nicht mehr die Rede davon,
daß die diatheke 430 Jahre vor dem nomos in Kraft gesetzt wurde und somit
dieser so spät hinzugesetzte nomos die diatheke nicht außer Kraft setzen
konnte. Die 430 Jahre sind sozusagen auf die kurze Zeit zwischen Gen 15, 6
und Gen 17 reduziert. Sollte Paulus die synagogale Chronologie gekannt haben, so wären die 430 Jahre auf 29 Jahre zusammengeschrumpft.[4] Weiterhin fehlt in Röm 4 der Zusammenhang der Abrahamsthematik mit dem Emp-
fang des Heiligen Geistes (Gal 3, 14; s. 3, 2).

ad 3) Neu gegenüber Gal sind der Hinweis auf Gott den Lebendigmacher und
Schöpfer (Röm 4, 17) und das damit zusammenhängende Verständnis des Glau-
benden als Hoffnung wider Hoffnung (4, 18) und wieder damit verbunden das
Sara-Thema (4, 19ff.). Auch auf den hermeneutischen Grundsatz 4, 23f. in
Verbindung mit der aus der Tradition übernommenen[5] kerygmatischen For-
mel 4, 25 sei aufmerksam gemacht.

Von größerer Wichtigkeit ist jedoch, daß Paulus den in Gal 3 vermißten Bezug auf Gen 17, wo die Beschneidung als Zeichen, σημεῖον, verstanden
wird, nun endlich expressis verbis bringt. Freilich in einer eigentümlichen
Abänderung: Gen 17, 11 wird die Beschneidung "Zeichen der diatheke" genannt. Röm 4, 11 hingegen ist die Rede vom "Zeichen der Beschneidung".
Wie schon unter Punkt 2 gesagt, ist der Begriff "diatheke" aus der Argumentation herausgenommen. Gen 17, 10ff. wird dann dadurch Gen 15, 6 untergeordnet, daß das Zeichen der Beschneidung als Siegel der bereits in
Unbeschnittenheit erlangten Glaubensgerechtigkeit interpretiert wird. Des-

halb ist es Paulus nun möglich, einen weiteren entscheidenden Gedanken
einzuführen: Für die beschnittenen Judenchristen ist Abraham Vater der
Beschneidung, insofern sie nicht nur beschnitten sind, sondern auch glauben (4,12). Die Beschneidung gilt also nur im Junktim
mit dem Glauben. Aber - und das ist das radikal Neue gegenüber Gal -
in diesem Junktim gilt sie![6]

ad 4) Indem wir diese neue Funktion der Beschneidung bedenken, sind wir
aber schon bei Punkt 4; denn die Hinzufügung dieses neuen Argumentations-
elementes bedeutet bereits evidente Modifikation. Das gilt noch mehr für
den übergeordneten Gesichtspunkt, unter dem Paulus die Abrahamsfrage
abhandelt. Wenn wir uns hier Käsemann anschließen dürfen, so ist Röm
3,31 mit seinem markanten "Wir richten das Gesetz auf!" nicht Abschluß
des Kontextes 3,27-30, sondern Überleitung zu Kap. 4.[7] Während Gal 3 im
Beweisduktes der unter allen Umständen abzulehnenden Beschneidung Abraham als Inbegriff der Glaubensgerechtigkeit, die per definitionem nicht Gerechtigkeit aus Gesetzeswerken ist, fungiert, wird - zunächst zumindest als
Paradox erscheinend - Abraham zwar auch in Röm 4 wieder als Inbegriff
der die Werkgerechtigkeit ausschließenden Glaubensgerechtigkeit eingeführt,
aber jedoch gerade im Sinne des Aufrichtens des nomos![8] Gerafft formuliert:
Paulus richtet den nomos auf, indem er an Abraham zeigt, daß Gerechtigkeit vor Gott ausgerechnet nicht aus dem nomos kommt.

Eine weitere wichtige Modifikation ist die neue Verwendung des Begriffs "Samen Abrahams". Während Paulus Gal 3,16 in kühner und eigenwilliger Exegese ihn, weil Singular, auf Christus bezieht und erst über den Umweg des
Theologumenons, daß alle in Christus Jesus einer sind (3,28), die Christen
als Samen Abrahams bezeichnet (3,29), wird Röm 4 dieser Begriff in v.13
zunächst im eigentlichen Sinne als leibliche Nachkommenschaft verwendet,
in vv. 16 und 18 jedoch sowohl im erweiterten Verständnis als auch die geistliche Vaterschaft umfassend.

Versuchen wir nun, diesen nach vier Gesichtspunkten aufgefächerten Sachverhalt zu explizieren. Die entscheidende Differenz gegenüber den Aussagen
des Gal dürfte in Röm 4 die nicht mehr ausschließlich negative Beurteilung
der Beschneidung sein. Diese ist nun nicht mehr Gegenstand beißender Polemik. Während in Gal die ganze Abrahamsdiskussion einzig um des Nachweises willen geschah, daß die Beschneidung in die Existenz aus Gesetzeswerken führt, daß sie also das Fallen aus der Gnade bewirkt (Gal 5,3f. greift
Gal 3m10 auf; dieser Vers ist aber essentieller Teil der Abrahamsargumentation), urteilt Paulus jetzt differenzierter. Abrahamskindschaft wird jetzt
nicht mehr im bloßen contra zur Beschneidung gesehen. Verwundert nimmt
derjenige, der zuvor nur Gal gelesen hat, zur Kenntnis, daß Paulus nun auf
einmal in der Lage ist, die Beschneidung in die Abrahamskindschaft zu integrieren.[9]

Man muß sich freilich zunächst einmal fragen, ob diese Differenz nicht vielleicht nur sehr vordergründiger Natur ist, ob sie nicht durch die unterschied-

lichen Adressaten der beiden Briefe zur Genüge erklärt werden könnte, etwa in dem Sinne, daß es in Galatien darum ging, Heidenchristen vor der Gefahr zu bewahren, den christlichen Glauben mit der jüdischen Gesetzesreligion zu verwechseln, während es in Röm darauf ankam, u. a. auch das Wesen des Judenchristentums theologisch zu reflektieren. Und in der Tat ist es methodisch unerläßlich, bei der Interpretation gerade eines schwierigen Textes zu fragen, inwiefern die Situation der Adressaten den Text zu erhellen vermag. Doch ganz abgesehen von der grundsätzlichen hermeneutischen Überlegung, daß wir die Adressaten aus dem Text erschließen müssen und uns also im notwendigen hermeneutischen Zirkel bewegen - könnte nicht die Annahme näher liegen, daß Paulus eine Inkonsequenz der Darlegungen im Gal, die uns schon früher auffiel, bedacht und aufgegeben hat? Wir stellten ja bereits in Abschn. 1. 2. einen Bruch in seiner Argumentation fest: Wenn Paulus die Absicht der Galater, sich beschneiden zu lassen und so - wenn auch vielleicht nicht völlig bewußt - die Verpflichtung auf sich zu nehmen, die ganze Torah zu halten, als ein g r u n d s ä t z l i c h e s Fallen aus der Gnade und ein g r u n d s ä t z l i c h e s Sich-Trennen von Christus verurteilte (Gal 5, 4), dann stellt sich mit Notwendigkeit die Frage, wieso er sich noch in Kircheneinheit mit den Jerusalemer Judenchristen betrachtete, die doch zweifellos weder Beschneidung noch Torahobödienz aufgegeben haben, die nicht nur stolz auf ihre Beschneidung waren, sondern auch weiterhin ihre Neugeborenen diesem Ritus unterzogen. Sollte Paulus inzwischen diese Unausgeglichenheit in seiner damaligen Argumentation aufgegangen sein? Hat er neu über das Verhältnis Heidenchristentum - Judenchristentum nachgedacht? Hat man ihm vielleicht sogar die Frage gestellt, wie er es denn vereinbaren könne, in seinen Gemeinden die Beschneidung als Trennung von Christus zu diffamieren und zugleich die Judenchristen als Brüder in Christus anzureden? Wir wissen zwar nichts über derartige Diskussionen - gerade bei Paulus haben wir leider nicht die Möglichkeit, dem dringenden Gebot des "audiatur et altera pars" zu gehorchen -, werden aber am besten annehmen, daß zwischen der Zeit der Abfassung des Gal und der des Röm ein nicht geringer Prozeß der Reflexion und Entwicklung des Theologen Paulus liegt, ein Prozeß, der (auch) als Resultat eines judenchristlichen Einspruchs gegen sein nomos-Verständnis verstehbar wäre. Die scharfen Formulierungen in Gal n u r auf das Konto einer momentanen Erregung und Verärgerung, eines Sich-gehen-Lassens im Verbalen zu schreiben, um keinen wirklichen Bruch zwischen Gal und Röm konstatieren zu müssen, scheitert m. E. an der grundsätzlichen Aussage der entscheidenden Partien des Gal. Dies würde dann noch an Gewicht gewinnen, wenn H. D. B e t z recht haben sollte, daß Gal als "highly skilful composition"[10] zu beurteilen ist. Wer auf der Heidenmissionssynode so entscheidende Verhandlungen über die Beschneidung geführt hat und mit der Materie so vertraut ist wie Paulus, der sagt wohl kaum ohne jegliche Überlegung, sozusagen nur im Überschwang der Polemik, daß der, der sich beschneiden läßt, aus der Gnade gefallen ist und sich von Christus abgetrennt hat. Und selbst wenn er es auf der Synode s o nicht ausgesprochen haben sollte[11], wäre eine derartige

Formulierung immer noch als die eigentliche Überzeugung des Paulus zur
Zeit der Abfassung des Gal zu beurteilen. Man könnte höchstens sagen, Paulus habe nun endlich Farbe bekannt, habe in der Erregung nun endlich "die
Katze aus dem Sack gelassen". Auf jeden Fall sollte man aber die entscheidende theologische Aussage in Gal über Beschneidung und Gesetz nicht wegen weniger radikalen Aussagen in anderen paulinischen Briefen relativie-
ren und nur im uneigentlichen Sinn verstehen wollen, sondern als die grundsätzliche theologische Überzeugung des Apostels zu eben jener Zeit werten.
Eher als die Annahme, die so scharfen Verdikte über Beschneidung und
Torah in Gal seien aus der Situation der Galater und der Situation des
Briefschreibers zu erklären, leuchtet dann ein, daß Paulus in der Tat
die Inkonsequenz, von der oben die Rede war, damals noch nicht bedacht
hatte und daß vielleicht gerade das Bekanntwerden des Gal in Jerusalem
der Anlaß[12] war, kritische Fragen an den Autor zu stellen - die dieser
sich dann auch wider Erwarten stellen ließ![13] Im Nachhinein ist es immer leicht möglich zu sagen, jene Inkonsequenz hätte doch dem Paulus
sofort bewußt werden müssen. Aber wissen wir nicht zur Genüge aus
der Geschichte, wie oft es geschichtlicher Tragödien größten Ausmaßes
bedarf, bis es schließlich ganzen Völkern wie Schuppen von den Augen
fällt: Wir haben ja Selbstverständliches nicht erkannt? Wie oft geschieht
geschichtliches Erkennen und Verstehen von eigentlich Einleuchtendem
nur aus der historischen Distanz? Sollte also Paulus etwas von seiner
kirchlichen und theologischen Größe nur deshalb einbüßen, weil auch ihm
in einer gewissen Hinsicht für eine Zeitlang die Augen gehalten waren?
Das kann nur für unmöglich halten, wer nicht geschichtlich denkt und die
kleinliche Elle logischer Beckmesserei an Menschen legt, die groß sind
im einmaligen Kairos. M.E. klärt sich am ehesten die Differenz zwischen
Gal und Röm, wenn man eine nicht geringe theologische Entwicklung des
Paulus zwischen den beiden Briefen annimmt. Die weiteren Überlegungen
dieser Monographie sollen die Mosaiksteinchen für ein derartiges Bild
bieten.

Daß Paulus in Röm anders sprechen bzw. schreiben kann als in Gal, zeigt
auch Röm 2,25ff.; 3,1ff. Zwar könnte man 2,25 - "Die Beschneidung nutzt nämlich, wenn du das Gesetz tust. Wenn du aber ein Übertreter des Gesetzes
bist, ist dir die Beschneidung zum Unbeschnittensein geworden." - insofern als eine lediglich für die Vergangenheit zutreffende Aussage halten,
als ja nach 3,9 alle, also auch alle Juden, sich unter der Sündenmacht
befinden. Das entspräche der Aussage des Gal, wonach derjenige, der
sich ganz an das Gesetz hält, leben wird (Gal 3,12b). Aber der Nutzen
der Beschneidung wird in Röm nicht nur vom Halten des Gesetzes aus
gesehen. Zwar wird nach Röm 2,26 selbst der Heide, der die Rechtsbe-
stimmungen des Gesetzes befolgt, als ein solcher betrachtet, dem die
Beschneidung angerechnet wird ($\lambda o\gamma\iota\sigma\theta\dot{\eta}\sigma\epsilon\tau\alpha\iota$), und das Jude-Sein wird,
was seine Konstituierung angeht, geradezu spiritualisiert (2,29: $\pi\epsilon\rho\iota\tau o\mu\dot{\eta}$
$\varkappa\alpha\rho\delta\acute{\iota}\alpha\varsigma$ $\dot{\epsilon}\nu$ $\pi\nu\epsilon\acute{\upsilon}\mu\alpha\tau\iota$!). So überrascht es, wenn Paulus dann doch der

Beschneidung (und mit ihr dem Judentum als ethnischer Größe![14]) den Nutzen zugesteht, daß ihr die Verheißungen Gottes[15] anvertraut sind. Daß darunter auch, ja gerade die Abrahamsverheißung verstanden ist, ist anzunehmen. Das gilt selbstverständlich auch dann, wenn man mit manchen Exegeten τὰ λόγια τοῦ θεοῦ im weiteren Sinne fassen möchte.[16] Daß aber
Paulus in Gal sich in der Lage gesehen hätte, vom Nutzen der Beschneidung
in der Weise zu reden, daß ausgerechnet dieser Beschneidung Gottes Verheißungen anvertraut seien, ist unvorstellbar. Die Verheißung an Abraham
war es ja gerade, die Paulus zur schärfsten Polemik gegen die Beschneidung ins Feld führte.

Es bedarf aber, um den Unterschied zu Gal noch deutlicher herauszustellen,
einer weiteren Verhältnisbestimmung zwischen Beschneidung und Gesetz in
Röm. Für Gal läßt sich, wie im ersten Teil dieser Untersuchung deutlich
wurde, der Sachverhalt auf die kurze Formel bringen: Beschneidung bedeutet Totalverpflichtung gegenüber der Torah. In Röm fällt dagegen der Gedanke einer Verpflichtung als Totalverpflichtung weg.[17] Zumindest wird er
auffälligerweise nicht expressis verbis ausgesprochen. Was von Gal her
durchgehalten wird, ist die Auffassung von der Beschneidung als Verpflichtung zur Torahobödienz (2,25). In diesem Zusammenhang greift Paulus
auf den alttestamentlichen Gedanken von der Beschneidung des Herzens (Jer
9,24f.)[18] zurück und radikalisiert ihn dabei in eigentümlicher Weise: Die
körperliche Beschneidung wird in der Beschneidung des Herzens aufgehoben
(2,29). Daß dieses Aufgehobensein jedoch nicht die völlige Negation der leiblichen Beschneidung meint, zeigt 3,1. Paulus redet hier dialektisch:
Die leibliche Beschneidung gilt nur als etwas, wenn das Gesetz getan wird,
d.h. wenn auch das Herz beschnitten ist. Das Tun des Gesetzes kann sogar
schon allein als Beschneidung angesehen werden. Trotzdem wäre es falsch,
Paulus hier als Spiritualisten festzulegen. Denn gerade die leibliche Beschneidung ist es, der die Verheißungen Gottes anvertraut sind. Daß aber
leibliche und geistliche Beschneidung jeweils nur in ihrem Zueinander beurteilt werden können, daß also die eine ohne die andere und die andere ohne die eine die - jeweils jedoch anders zu definierende - Substanz verlieren,
macht mit das Spezifikum des theologischen Denkens in Röm aus. Weil somit
die leibliche Beschneidung im Ganzen der Theologie des Röm einen unverzicht-
baren Stellenwert besitzt, kann nun auch - gegen Gal - Abraham als Vater
der wahrhaft Beschnittenen gelten, d.h. derjenigen Judenchristen, die wie
er beschnitten sind und zugleich glauben. Sieht man, wie sehr Paulus in der
Betonung des theologischen Wertes der leiblichen Beschneidung der "Geschichte Israels" theologische Relevanz gibt, so wird man vorsichtig sein
müssen im Blick auf eindimensionale Aussagen, wie sie z.B. Michel formuliert: "Abraham ist zunächst Vater der Heidenchristen, dann erst Vater
der Judenchristen."[19] Das ist nicht ganz falsch. Aber die Darlegungen des
Röm sind vielschichtiger, als daß man so ungeschützt eine solche Aussage
machen dürfte. Das Problem, das sich hier stellt, ist die Frage nach der
theologischen Bedeutung der Geschichte des Volkes, das als Volk der leib-

lichen Beschneidung und somit der Verpflichtung zur Torahobödienz existiert. Es ist zu erwarten, daß Paulus auch an diesem Punkte nicht begriffen ist, wollte man ihn in griffigen Formelm einer eindimensionalen Betrachtung begreifbar machen. Soviel aber dürfte bereits deutlich geworden
sein: Die Beschneidungsthematik, wie sie in Röm in stark modifizierter
Weise gegenüber Gal begegnet, weist auf die enge Verbindung des Themas
"Gesetz" mit dem Thema "Geschichte Israels".

2.1.1. "Geschichte Israels" und Gesetz

Wertet Paulus in Röm die Beschneidung nicht mehr nur unter negativen Vorzeichen, hat er sich vielmehr an diesem Punkt zu einer differenzierten Sicht
durchgerungen, so muß dies auch Konsequenzen haben für sein Verständnis
von der Geschichte Israels und im Zusammenhang damit für sein Verständnis vom mosaischen Gesetz. Denn wenn er sagt, ausgerechnet der Beschneidung seien die Verheißungen Gottes anvertraut, dann heißt das ja vermutlich:
Dem Volke Israel, verstanden auch als ethnische Größe, sind diese Verheißungen anvertraut.

Im Blick auf Gal 3 formuliert K l e i n : "Zugespitzt läßt sich sagen: Für Paulus ist das Alte Testament kein Element der Geschichte Israels, sondern
die Geschichte Israels ein Element des Alten Testaments und als solches
von diesem vorweg abqualifiziert."[20] Insofern das die Geschichte Israels
essentiell mitbestimmende Gesetz in Gal 3 disqualifiziert ist, läßt sich gegen diese eigens als "zugespitzt" bezeichnete Formulierung wenig einwen-
den - s o l a n g e   s i e   f r e i l i c h   n u r   G a l   3   m e i n t ! Sobald sie jedoch auf Röm bezogen wird, ist sie falsch. Denn konstitutiv für die Gesamtkonzeption dieses wohl letzten Briefes des Apostels ist Röm 9-11.[21] Röm
9, 4f. werden koordinativ u. a. genannt: $\upsilon\iota o\theta\varepsilon\sigma\iota\alpha$ (Gal 4, 5 als Synonym für
$\dot\varepsilon\lambda\varepsilon\upsilon\theta\varepsilon\rho\iota\alpha$ und zwar im Sinne von Freiheit vom nomos!), $\delta\iota\alpha\theta\tilde\eta\varkappa\alpha\iota$ (Plural!), $\nu o\mu o\theta\varepsilon\sigma\iota\alpha$ (also die Gesetzgebung durch Mose hier gerade nicht im
Gegensatz zu den Verheißungen zur Sprache gebracht!) und $\dot\varepsilon\pi\alpha\gamma\gamma\varepsilon\lambda\iota\alpha\iota$
(zu diesen Verheißungen dürfte mit Sicherheit die an Abraham ergangene
Verheißung zu zählen sein!). Alles in allem: Röm 9, 4f. ist zunächst einmal
eine positive Wertung der "Geschichte Israels". Doch darf - und damit wird
das Gesagte sofort wieder relativiert- diese Stelle nicht isoliert gesehen werden. Schon die Fortsetzung zeigt, daß eine eindimensionale Sicht der Geschichte Israels, wie sie zunächst durch die koordinative Nennung von Gesetzgebung, Verheißungen usw. in 9, 4f. suggeriert werden könnte, nicht von
Paulus intendiert ist. Sie wird nämlich in dialektischer Betrachtung aufge-
brochen. Die Voraussetzung der Argumentation von v. 6 an ist ja das offen-
kundige Scheitern des aus seiner Geschichte kommenden Israels. Gerade
die "Geschichte Israels" ist gescheiterte Geschichte, insofern sie ihr Ziel
nicht erreicht hat. Ist sie doch auf das Kommen des Messias angelegte Geschichte - aber Israels Versagen ist Versagen ausgerechnet gegenüber die-

sem Ziel der Geschichte Israels. Kurz: Die auf das Kommen des
Messias ausgerichtete "Geschichte Israels" ist gescheitert, weil Israel am Messias gescheitert ist.

Und wiederum müssen die positiven Implikationen dieser negativen Aussage gesehen werden, um nicht die Gesamtsicht zu verfehlen. Wie eben die
positive Aussage von der Geschichte Israels in 9,4f. durch die negative von
9,6ff. relativiert[22] wurde, d.h. in Relation zu dem 9,6ff. ausgesagten Scheitern und somit in größeren Zusammenhang gestellt wurde, so muß dies nun
auch in umgekehrter Richtung geschehen: Die Aussagen über das Scheitern
Israels in und an seiner Geschichte haben nur dann theologische Relevanz,
wenn die göttliche Komponente[23] dieser Geschichte nicht hinfällig wird. Gerade dieses Moment ist für Paulus entscheidend. Er sieht selbst, daß das
Scheitern des Volkes Israel in seiner Geschichte den Nachdenklichen zu dem
Urteil bewegen könnte: Also ist auch Gottes Wort, Gottes Verheißung hinfällig geworden (s. auch Röm 3,3!). Anders formuliert: Israels Scheitern
ist das Scheitern der göttlichen Zusage und somit das Scheitern Gottes. Die
Antwort, die Paulus gibt, ist überraschend: Nicht die Verheißung ist problematisch. Problematisch ist vielmehr, was unter "Israel" zu verstehen
ist. Denn da die "Geschichte Israels" als unter der Verheißung Gottes ste-
hend nicht scheitern kann, das historische Israel aber gescheitert ist, muß
um des Gültigbleibens der göttlichen Verheißung willen die Größe "Israel"
neu gefaßt werden.

Dies geschieht zunächst durch die Paradoxie v.6b, in der Paulus mit dem
Begriff "Israel" - in für ihn typischer Manier - spielt: Nicht alle aus Israel
sind Israel.[24] Im ersten Falle meint Israel die historische Größe des Volkes Israel, im zweiten Falle dagegen diejenigen aus dem jüdischen Volke,
die an Christus glauben. Das zweite Israel ist somit ein sehr kleiner Teil
aus dem ersten Israel. Falsch wäre es allerdings, wollte man einen völkischen Begriff "Israel" einem theologischen Begriff "Israel" konfrontieren.[25]
Denn zweifellos ist auch Israel im Sinne des jüdischen Volkes theologisch
qualifiziert, wie durch vv.4f. deutlich ist.[26] Das geschichtlich-völkische
Israel macht ja jene aus, die Paulus mit dem Ehrennahmen "Israeliten"[27] bedenkt. Insofern hat auch die Geschichte Israels theologische Relevanz, wenn
auch freilich für sie das Prädikat "Heilsgeschichte" nur in eigentümlicher
Brechung zutrifft. Was von v.6b gesagt wurde, gilt entsprechend für v.7:
Das biologische Faktum der Nachkommenschaft Abrahams ist nur bedingt
ein Prärogativ. Denn nicht alle, die sich als "Samen Israels" bezeichnen
können, sind auch seine "Kinder". Auch hier ist wieder die Geschichte Israels theologisch ernstgenommen, insofern die "Kinder" eine, wenn auch
kleine, Auswahl aus dem "Samen Abrahams" ausmachen. Im Zusammenhang
der Röm 9,1-13 vorgetragenen Argumentation geht es ja nicht um das Verhältnis Juden - Christen, sondern nur um das Verhältnis Juden - Judenchristen. In diesem Zusammenhang beweist Paulus seine These, daß das
Wort Gottes, genauer: die Verheißungen Gottes, nicht hingefallen sind (v.
6a).[28]

Ganz in sich stimmig ist freilich die paulinische Beweisführung nicht. Hat
der Apostel zunächst (vv. 6b. 7a) durch das zweimalige "nicht alle" geradezu quantifizierend argumentiert und somit im Blick auf das Volk Israel re-
duktiv für eben d i e s e s Volk das Gültig-Bleiben der göttlichen Verheißungen dargelegt, m. a. W., hat der Apostel also nicht einen kontradiktorischen
Gegensatz Volk Israel - neues Israel, schärfer noch: falsches Israel - wahres Israel, behauptet, sondern höchstens eine konträren, so stellt er im
folgenden durch seine Exegese von Gen 21, 12 in der Tat einen sich ausschließenden Gegensatz auf: Die Kinder des Fleisches sind gerade nicht die Kinder Gottes. Als Kinder Gottes sind vielmehr nur diejenigen zu beurteilen,
denen als Kindern der Verheißung die Nachkommenschaft eigens angerechnet (λογίζεται) wird (v. 8). Jetzt wird geradezu die Verheißung von der
historischen Größe "Volk Israel" isoliert.

Der Sachverhalt, daß Paulus im Verlauf seiner Argumentation von einer die
Geschichte Israels theologisch r e l a t i v i e r e n d e n Sicht zu einer die Geschichte theologisch n e g i e r e n d e n Sicht fortschreitet und so in seiner
Gesamtargumentation nicht stimmig bleibt[29], darf nicht in dem Sinne falsch
bewertet werden, als ob durch die Negation die zuvor zum Ausdruck gebrachte Relativierung aufgegeben sei. Denn dann wäre ja, wie aus den bisherigen
Überlegungen ersichtlich ist, der Ausgangspunkt der paulinischen Darlegung
in vv. 4f. verlassen. Durch die so schroffe Entgegensetzung von v. 8 ist aber
ein deutlicher Akzent auf die Verheißung gesetzt. Sie ist einerseits im Bereich der Geschichte Israels erfolgt, sie transzendiert aber zugleich diesen
Bereich, insofern sie selbst, wie später die Darlegungen über die Heidenchristen zeigen, sich außerhalb der völkischen Größe Israel realisiert, ja
sich selbst g e g e n diese Größe realisiert (s. z. B. das Hosea-Zitat in vv.
25f.).

Käsemann hat recht, wenn er dieses dialektische Springen vom Ja zum Nein
und wiederum vom Nein zum Ja in Röm 9-11 im Zusammenhang mit der Rech-
fertigungslehre sieht: "Die paulinische Lehre von der Heilsgeschichte ist eine Variation seiner Lehre von der Rechtfertigung der Gottlosen."[30] Wir werden also daran festzuhalten haben, daß die "Geschichte Israels" von Paulus
in Röm nicht durchgestrichen ist. Israel bleibt - einschließlich seines Gesetzes! - eine positive theologische Größe; positiv, weil, um mit Luz zu sprechen, Gott Israel seine Israelschaft geschenkt hat.[31] Werden darüber hinaus
die Verheißungen selbst dem ungläubigen Israel vorbehaltlos zugesprochen,
werden also Gesetz und Verheißung, die in Gal als sich ausschließende Heils-
prinzipien gegenüberstehen, in Röm beide unter dem Gesichtspunkt einer Gnadentat Gottes an seinem Volk gesehen[32], dann leuchtet es schlechterdings
nicht ein, daß Paulus, wie Luz meint, über das Verhältnis von Röm 9, 4 zu
Gal 3 nicht reflektiert habe.[33]

Faßt man Röm als ein Schreiben sehr reflektierter Theologie, dann dürfte
in diese Reflexion auch eingeflossen sein, was Paulus zuvor über die betreffenden Fragen gedacht hat - und sei es in reflektierter Absetzung vom
bereits einmal Gesagten. Daß sich Paulus in der Verkündigung seines Evan-

geliums treu bleibt, bedeutet nicht, daß er in den theologischen Objektiva-
tionen seiner Reflexion konstant bleibt. Denn darin ist seine sich gleichblei-
bende Identität gerade nicht gegeben! Gerade die Treue zu seinem Auftrag
verpflichtet ihn zu je neuer Reflexion, zu je neuem theologischen Angang.
Das Evangelium kann nicht überboten werden, die Stufe einer theologischen
Reflexion aber sehr wohl! Und theologische Reflexion bedeutet weithin auch
Abschiednehmen von einmal liebgewonnenen theologischen Gedanken. Daß
Theologie immer wieder im Spannungsfeld von Kontinuität und Diskontinui-
tät geschieht, hat Paulus gut begriffen. Heute noch lebt davon die Kirche.

2.2. Die Heidenmissionssynode - Ein korrigiertes Mißverständnis?

In der Argumentation des Paulus in Gal fiel eine Unausgeglichenheit auf[34]:
Wer sich beschneiden läßt und somit die Verpflichtung zum Tun des ganzen
Gesetzes auf sich nimmt (5,3), ist aus der Gnade gefallen (5,4). Trotz dieser Überzeugung hat Paulus seine Vereinbarung mit den Jerusalemer Judenchristen abgeschlossen - mit solchen also, die doch weiterhin in treuer Torahobödienz ihre neugeborenen Kinder beschnitten und stolz auf ihre eigene
Beschneidung waren! Eindeutig geht aus Gal 2 hervor, daß Paulus die Freiheit vom Gesetz n u r für die Heidenmission ausgehandelt hat. Galt dann
- so ist doch wohl zu fragen - das theologische Urteil von Gal 5,4 nur für
die Heidenchristen?

Es war in unseren Erörterungen von 1.2. auch offengeblieben, ob Paulus
vielleicht die Vereinbarung anders verstanden hatte als seine judenchristlichen Vertragspartner. Daß Abmachungen und Verträge von den vertrags-
schließenden Parteien unterschiedlich verstanden und hinterher auch unterschiedlich ausgelegt werden, ist eine sich immer wieder zeigende Erfahrung
der Geschichte. Leben doch oft Verträge gerade davon, daß man sich auf
nicht eindeutige Formeln "geeinigt" hat! Konkret im Falle der Synode: Waren in der Abmachung nicht schon vielleicht dadurch künftige Kontroversen
vorprogrammiert, daß Paulus sie als prinzipielle Freiheit vom Gesetz auf-
faßte, während "die andere Seite" in ihr lediglich eine Konzession, eine Befreiung von Beschneidung und Reinheitsgeboten sah, vielleicht sogar nur als
zeitweilige Konzession - ganz abgesehen davon, daß man anscheinend das
Problem gemischter Gemeinden überhaupt noch nicht im Blick gehabt hatte?
Eine endgültig eindeutige Antwort auf die Frage nach einem u.U. unterschiedlichen Verständnis der Abmachung wird man aufgrund der einseitigen Quel-
lenlage wohl nicht mehr geben können. Um so notwendiger ist es dann, zumindest die Frage in aller Deutlichkeit zu formulieren. Auf jeden Fall ist
zu beachten: In Gal 2 besitzen wir nur eine I n t e r p r e t a t i o n der Synode.
Es ist freilich die authentische Interpretation der einen Seite. Aber eben
nur: Die e i n e der beiden authentischen Interpretationen. Um wieviel wären wir weiter, wenn wir auch die authentische Interpretation der Jerusa-

lemer hätten! Ganz abgesehen davon, daß uns vor allem die Formulierung
(wohl kaum ein offizieller "Text"; denn ein schriftlich fixiertes Kommuni-
qué ist doch wohl ein Anachronismus!) der Vereinbarung, insofern sie
das schwierige Thema der Beschneidung bzw. des Gesetzes betrifft, nicht
überliefert ist.[35]

Nehmen wir an, es habe sich bei den galatischen Gegnern des Paulus um
sog. Judaisten[36] gehandelt, und zwar um solche, die in irgendeiner Weise mit Jerusalem in Kontakt standen, mögen sie auch in ihrer Gesetzes-
strenge weitergegangen sein als die offizielle Haltung des Jakobus und seiner Leute. (Für Judaisten und folglich nicht für Gnostiker spricht, wie sich
bereits in 1.1. andeutete, - zumindest im Sinne eines Konvenienzgrundes -
die Berufung dieser Paulusgegner auf die Abrahamskindschaft im Kontext
der für unumgänglich gehaltenen Beschneidung.) Dann aber ist zu vermuten, daß Jakobus und der Jerusalemer Kirchenleitung
die Argumentation des Paulus in Gal zumindest in Um-
rissen bekannt war. Vielleicht kannte man in Jerusalem sogar den
genauen Text dieses Briefes. Das hieße aber, daß in Jerusalem die paulinische Interpretation der Heidenmissionssynode als authentische Äußerung
des Mannes, der sich überall als der berufene Apostel für die Heidenmission vorstellte, vorgelegen hätte.

Unterstellen wir aber zunächst einmal, Paulus habe die damalige Abmachung
in Kap. 2 korrekt wiedergegeben. Unterstellen wir also, Paulus habe auf der
Synode tatsächlich die Befreiung von der Beschneidung als Freiheit vom
Gesetz erreicht. Dann mußten aber die theologischen Folgerungen,
die Paulus in Gal 3ff. daraus gezogen hatte, in Jerusalem Jakobus und die
ihm Nahestehenden nicht nur konsternieren, sondern auch aufs höchste em-
pören. Konnten sie auch das Vorgehen der Paulusgegner in Galatien nicht
decken - denn in der Tat verstieß deren Vorgehen gegen die Abmachung der
Synode -, so durften sie dennoch von ihrem Standpunkt aus das paulinische
Verdikt über die Torah in Gal beim besten Willen nicht hinnehmen. Sie hätten sich sonst selbst aufgegeben. Die antinomistischen Partien des Gal mußten alle Judenchristen, denen die Torah am Herzen lag, verbittern. Und
im übrigen war, was Paulus da schrieb, nur Wasser auf die Mühlen jener
radikalen Nomisten, die in ihrem Extremismus vielleicht auch zuweilen einem Manne wie Jakobus das Leben schwermachten. Vielleicht bekam er jetzt
von ihnen zu hören, daß er nun die Quittung dafür bekommen habe, daß er
Paulus gegenüber damals zu konziliant gewesen war.

Aber die soeben gemachte Unterstellung, Paulus habe die Abmachung genau
wie die Jerusalemer Autoritäten interpretiert, unterliegt größten Bedenken.
Sollten die Jerusalemer wirklich so sehr über ihren Schatten gesprungen
sein, daß sie eine totale, eine prinzipielle Freiheit vom Gesetz für die Heidenmission akzeptierten, obwohl sie doch sich selbst allem Anschein nach
für das wahre Israel gehalten haben? Nehmen wir deshalb im nächsten
Schritt unserer Überlegungen hypothetisch an, Paulus habe in dem bereits

dargelegten Sinne die Synode falsch interpretiert. Dann freilich war zu erwarten, daß von seiten der Jerusalemer Kirchenleitung alles getan wurde, um dem auf Missionsreisen befindlichen Paulus deutlich zu machen, wie falsch seine Interpretation ist. Jerusalem mußte alles daran gelegen sein, Paulus deutlichst vor Augen zu führen, daß es derart prinzipiell gesetzesfreien Abmachungen niemals zugestimmt hätte und daß er, Paulus, nun dafür Sorge zu tragen habe, daß die Dinge wieder ins Lot kämen! Es ist also dann zu vermuten, daß Paulus zu verstehen gegeben wurde, er dürfe auf keinen Fall weiterhin die Übereinkunft auf der Synode so deuten, wie er es in seinem Schreiben an die galatischen Gemeinden getan hatte. Und man wird auch damit zu rechnen haben, daß Jakobus selbst in Galatien einige Fakten richtigstellen ließ - wohl im Sinne einer mittleren Linie zwischen Paulus und seinen Gegnern. Wilckens bemängelt, daß "merkwürdigerweise" die Kommentare und Monographien die Frage nach dem Ausgang des galatischen Konflikts im allgemeinen nicht berührten.[37] Er sieht nun gerade im völligen Scheitern des Paulus in Galatien einen wesentlichen Grund für die Abfassung des Röm. "Das Desaster in Galatien hat aber zugleich seine Stellung Jerusalem gegenüber sehr verschlechtert."[38] Also schreibt er, ehe er mit seiner Kollekte nach Jerusalem reist, an die römische Gemeinde, um ihre Solidarität und Fürbitte, also ihre Hilfe im Blick auf Jerusalem zu erreichen. Wilckens erwägt aber nicht die Möglichkeit, daß Jakobus oder einer seiner Vertrauten in der Jerusalemer Kirchenleitung zuvor schon Kontakt mit Paulus aufgenommen hatte, um ihm die Fehlinterpretation der Vereinbarung deutlich zu machen - und zwar eben aus jenem Interesse heraus, das auch den Paulus bewegte: die christliche Kirche nicht auseinanderfallen zu lassen (im Sinne von Gal 2,2?).

Vielleicht sehen diese Überlegungen für manchen zu sehr nach Spekulation aus. Aber ganz ohne "spekulatives" und kombinatorisches Engagement geht es bei der Interpretation von Texten und der damit verbundenen Rekonstruktion von geschichtlichen Situationen nicht. Alle Versuche seit Ferdinand Christan Baur[39], die Situation, aus der heraus und in die hinein Röm geschrieben wurde[40], zu erhellen, sind in diesem Sinne Spekulation - Spekulation freilich, die die uns gegebenen fixa in je unterschiedlicher Weise kombiniert. Diese fixa sind bekannt: Die als "doctrinae christianae compendium" (Melanchthon, Loci communes, Introductio) verstandenen theologischen Ausführungen des Briefes, die Ermahnungen anläßlich des Streites zwischen "Starken" und "Schwachen" in Kap. 14f., die Diskrepanz zwischen betonter Ankündigung, in Rom das Evangelium verkündigen zu wollen, (bereits zu Beginn des Briefes!) und der "ominöse(n) Nichteinmischungsklausel"[41] (Röm 15,20), die offen zu Tage tretende Charakterisierung der Christen in Rom als Heidenchristen (1,5; 11,13) und die Anrede "du Jude" (2,17) im Zusammenhang mit dem Bemühen, ausgerechnet Heidenchristen zu beweisen, daß die Gerechtigkeit nicht aus dem jüdischen Gesetz kommt. Die hier vorgelegte Untersuchung kann selbstverständlich nicht alle Einleitungsfragen des Röm in extenso behandeln. Aber darin hat Schmithals zweifellos recht: Wir dürfen nicht hinter Ferdinand Christian Baur zurückfallen; wir müssen Röm

historisch, d.h. aus seinen konkreten Abfassungsverhältnissen heraus
erklären.[42] Und insoweit es für unsere Fragestellung nötig ist, die historischen Verhältnisse als notwendigen Verstehenshorizont zu erfassen, müssen diese Probleme auch behandelt werden.

Mit Wilckens bin ich einig, daß die fortschreitende Geschichte der paulinischen Gemeinden Paulus zu theologischer Anstrengung provoziert.[43] Des
weiteren stimme ich ihm weithin zu, wenn er schreibt: "Jetzt (sc. in Röm)
polemisiert er nicht wie im Galaterbrief, sondern er sucht das Gespräch; er nimmt die Einwände ernst, die es seinen Gegnern verweh-
ren, ihm zuzustimmen; er durchdenkt sie für sich selbst neu, um jene
zu überzeugen. Das unterscheidet den Römerbrief vom Galaterbrief, obwohl
dessen Gedankenführung dem Römerbrief zugrunde liegt. Dieser ist eine re-
flektierte Wiederholung des Galaterbriefes, und die Reflexion dient dem Gespräch, einer womöglichen Übereinkunft."[44] Ich bin allerdings nicht wie
Wilckens der Meinung, daß Gal kurz vor Röm abgefaßt ist.[45]

Nehmen wir also an, Jakobus habe Kenntnis von Gal und somit von des Paulus Interpretation der Heidenmissionssynode. Nehmen wir des weiteren an,
Paulus habe in der Tat die Abmachung dieser Synode im gravierenden Sinne
mißverstanden. Nun erfährt dieser also, daß ausgerechnet Jakobus, auf den
er sich in Gal berufen hatte, im Blick auf das auf der Synode erzielte Ergebnis seiner Darstellung widerspricht. Er erfährt vielleicht, daß Jakobus darüber hinaus bei den Galatern in diesem Sinne interveniert hat. Es wäre nun
durchaus vorstellbar, daß Paulus daraufhin lieber die Einheit mit Jerusalem
hätte auseinanderbrechen lassen als auch nur einen Deut von seiner Auffassung abzugehen. Aber das Faktum der Argumentation in Röm, die sich bereits in Abschnitt 2.1. andeutete und sich im weiteren Verlauf dieser Untersuchung noch deutlicher darstellen wird, spricht gegen ein solches Verhalten. Paulus ist vielmehr bewogen worden, das in Gal Gesagte noch einmal
neu zu bedenken. Es muß für ihn zwingende Argumente gegeben haben, die
ihn dazu veranlaßten. Und es muß einen oder mehrere unter den Judenchristen gegeben haben, deren Widerspruch ihn nicht zu weiterer Verhärtung der
eigenen Position, sondern zum Einlenken geführt hat. Nicht etwa im Sinne
einer Konzession, zu der er sich lediglich aus taktischen Gründen schließlich bereit erklärt hätte. Nein, es muß einen (oder mehrere)
gegeben haben, von dem (oder denen) er sich wirklich
etwas sagen ließ! Gehen wir fehl in der Annahme, daß es gerade Jakobus war? Denn an einer Übereinstimmung mit diesem für Jerusalem so
wichtigen Manne dürfte ihm unter allen Umständen gelegen haben. Totaler
Dissens mit Jerusalem bedeutete für ihn Scheitern (Gal 2,2!). Und ist es
bloße Phantasie, wenn wir einmal den Gedanken durchdenken, Jakobus selbst
könne auf Gal 5,4 - wer sich beschneiden läßt, ist aus der Gnade gefallen -
fragend eingewandt haben[46], wie denn nun Paulus damals überhaupt mit solchen, die weiterhin ihre Kinder beschnitten und die weiterhin stolz auf ihre
Beschneidung waren, eine Abmachung treffen konnte, wenn nach seinem Verständnis allein die Gesetzesfreiheit als Ernstnehmen der Erlösungstat Chri-

sti zu begreifen ist? Wie kann man nur mit Judenchristen, die weiterhin die von der Torah geforderte und die den Torahgehorsam fordernde Beschneidung üben, kirchliche Einheit praktizieren, wenn man Christus als das totale Nein zur Torah predigt? Daß Paulus sich auf der Synode auch im Sinne von Gal 2, 2, also für die Notwendigkeit der kirchlichen Einheit, geäußert hat, wird man schlecht bestreiten können. Hat nun Jakobus ihm übermitteln lassen, er frage sich, wie ernst es der Heidenapostel mit der Einheit von Judenchristen und Heidenchristen nehme, wenn er die Beschneidung als Aus-der-Gnade-Fallen diffamiert?

Wir sind nicht in der Lage, hier Einzelheiten, die uns nicht überliefert sind, einfach zwingend zu postulieren. Sollte aber unsere Voraussetzung richtig sein, nach der Jakobus die Argumentation des Gal kannte und nach der Jakobus und Paulus in einem entscheidenden Punkte die Vereinbarung der Synode widersprüchlich auslegten, dann dürfte auf jeden Fall damit zu rechnen sein, daß Paulus, von der Reaktion des Jakobus betroffen, zu erneutem Nachdenken veranlaßt wurde.[47] Zu einem Nachdenken, in dem er auch die Einwände des Jakobus nach-dachte und so unter Wahrung seines ureigenen Anliegens dieses neu be-dachte.

Es ist nun gar nicht mehr so befremdlich, wenn Paulus fürchtet, man könnte in Jerusalem die Annahme seiner Kollekte verweigern (Röm 15, 31). Bekanntlich bedeutete diese Kollekte für Paulus mehr als eine bloß karitative Aktion. Sollte sie doch die Einheit der Kirche aus Judenchristen und Heidenchristen demonstrieren.[48] An dieser Einheit war Paulus bereits, wie wir sahen, auf der Synode gelegen. Und nun, da er endlich nach Jerusalem zurückkehren gedenkt mit eben der beim letzten dortigen Aufenthalt zugesagten Kollekte, muß er fürchten, daß er mit seinen damaligen Darlegungen über die Torah in Gal ausgerechnet seinem u n d des Jakobus Anliegen so sehr geschadet hatte, daß sich Jakobus - und wenn nicht er, dann andere Judenchristen in Jerusalem - vielleicht sogar außerstande sahen, eine Kollekte aus der Hand des Torahgegners Paulus anzunehmen. Es ist eine geradezu tragische Situation für Paulus. Er kann verstehen, warum u. U. die Kollekte, also ausgerechnet das Zeichen der kirchlichen Einheit, abgelehnt wird, abgelehnt als Gabe dessen, der das Band eben dieser Einheit durch seine antinomistischen Äußerungen in Gal zerschnitten hatte.[49] Deshalb nun sein intensives theologisches Bemühen um Vermittlung zwischen seinem Anliegen, nämlich der Rechtfertigung aus Glauben und dem universalen Aspekt dieser Rechtfertigung, mit dem judenchristlichen Standpunkt.

Von hieraus wäre zu überlegen, ob die Redewendungen von Jerusalem als der heimlichen Adresse des Röm[50] nicht doch etwas Richtiges enthält. Nicht in dem Sinne, als ob der nach Rom gesandte Brief a l s s o l c h e r in Jerusalem irgendetwas bewirken sollte. Wohl aber sollte man erwägen - immer wieder unter der Voraussetzung, daß Paulus bemüht war, die durch Gal in Jerusalem aufgewühlten Wogen der Empörung zu besänftigen -, ob nicht Paulus daran lag, seine "Vermittlungstheologie", die uns in Röm erhalten ist,

auch schon v o r seiner Ankunft in Jerusalem bekannt werden zu lassen.
Ist es unter Berücksichtigung dieser Situation wirklich so abwegig zu erwägen, ob nicht auch ein weithin mit Röm identischer Brief nach Jerusalem gegangen ist, ein Brief freilich, der (aus durchsichtigen Gründen?)
nicht erhalten geblieben ist? Wenn unsere Voraussetzung stimmt, daß Paulus, nachdem man ihm zu verstehen gegeben hatte, wie weit die Jerusalemer Interpretation der Heidenmissionssynode mit der seinen differiert, um
einen ehrlichen Ausgleich bemüht war, dann müßte es eigentlich verwun-
dern, wenn er vor seiner erneuten Ankunft in der jüdischen Metropole nicht
alles daran gesetzt hätte, dort seine "neue" Theologie des Verhältnisses
von Judenchristen und Heidenchristen bekannt zu machen, und zwar so bekannt zu machen, daß sie möglichst einleuchtet. Daß sie all das an Einwänden aufgreift und beantwortet, was ihm an Einwänden bekannt ist.[51] Freilich, als er den Brief an die Gemeinde zu Rom schreibt, da weiß er noch
nicht, wie man in Jerusalem seine "Kehre" auffaßt.

Daß Paulus sich mit diesem neuen theologischen Bemühen nicht selbst untreu
zu werden glaubt, sollte man annehmen. An seinem eigentlichen Anliegen
nämlich, der Rechtfertigung aus dem Glauben an das Jesus Christus offen-
barende Evangelium, hat sich nichts geändert. Er hat - so wird man seine
Intention sicher richtig deuten - seine Rechtfertigungstheologie lediglich auf
ihre Israel-Implikation hin neu durchdacht. Der Preis dafür war allerdings
eine völlig neue Sicht der Torah. So bleibt als letztes die Frage: Wie sieht
Paulus jetzt die Vereinbarung auf der Synode? Nimmt er jetzt an, daß ihm
damals nur die Befreiung von der Beschneidung für die heidenchristlichen
Gemeinden konzediert, nicht aber eine prinzipielle Freiheit vom Gesetz dekretiert wurde? Vielleicht ist, was unter 2.1. gesagt wurde, schon eine gewisse Antwort auf diese Frage. Die Tatsache, daß er in Röm eine virtuos,
mit systematischer Kraft durchgeführte dialektische Behandlung des Themas "Gesetz" im Kontext der Rechtfertigung durch den Glauben leistet, zeigt
m. E. das Bemühen, Christus als des Gesetzes Ende (Röm 10, 4), zugleich
aber das Gesetz als Inbegriff des heiligen Willens Gottes zu sehen. Die folgenden Überlegungen sollen dies näher begründen und verdeutlichen. Zuvor
jedoch in einem kurzen Exkurs noch einige Überlegungen zur These von
Schmithals, die Integrität des Röm sei in Frage zu stellen!

2.2.1. Exkurs: Die Frage nach der Integrität des Römerbriefs

Die von Walter Schmithals in seiner jüngsten Monographie "Der Römerbrief
als historisches Problem" (1975) vertretene Hypothese läuft im wesentlichen
auf die Teilung des Briefes hinaus. Das Hauptargument lautet: In 14, 1-15, 6
rechnet Paulus mit einer die Mehrheit der Gemeinde bildenden Gruppe von
"Starken". Von einer solchen Gruppe war aber in Kap. 1-11 nicht die Rede.[52]
In Kap. 1-11 sind zwar Heidenchristen eindeutig angesprochen, die Argumentation besteht aber in der Widerlegung ausgerechnet des jüdischen Standpunk-

tes. So ist es das Auffällige, daß "Paulus mit den römischen Heidenchristen wie mit Juden diskutiert".[53] Daraus folgert Schmithals: Paulus hat einen ersten Brief an die Gemeinde zu Rom geschrieben (in etwa 1, 1-11, 36 + 15, 8 -13), in dem er seine Absicht ausdrückt, als berufener Heidenapostel sein Evangelium auch in Rom zu verkündigen. Später schrieb er einen zweiten Brief (in etwa den Rest ohne 13, 1-7 und Kap. 16), in dem er sich das Recht herausnimmt, die Gemeinde wie eine von ihm gegründete zu behandeln und in deutlichen Worten in einen Streit innerhalb der Gemeinde einzugreifen.

Diese Hypothese hat etwas Bestechendes an sich. Abgesehen von der einleuchtenden Erklärung einer Reihe von Schwierigkeiten[54], ist sie vor allem in der Lage, die Diskrepanz zwischen der Ankündigung seiner Evangeliums-predigt in Kap. 1 und der Nichteinmischungsklausel 15, 20 aufzulösen[55], zumal Günter Kleins Versuch, diese Schwierigkeit mit der Annahme, Paulus wolle durch seine Predigt das 15, 20 genannte, aber in Rom noch fehlende Fundament legen, nämlich die Apostolität der römischen Christengruppe schaffen und diese so zur Kirche machen, nicht zu überzeugen vermochte.[56]

Man wird sich also mit Schmithals' Lösungsversuch als einer interessanten und ernsthaften Bemühung um das Rätsel des Röm auseinanderzusetzen haben. Der Sachverhalt, daß ausgerechnet Röm hinsichtlich seiner Integrität bezweifelt wird, sollte eigentlich nicht als das Schlachten einer heiligen Kuh diffamiert werden, wie Schmithals selbst befürchtet.[57] Wenn m. E. erwiesenermaßen zumindest 2 Kor und Phil jeweils Briefkompilationen sind[58], dann sollten analoge Überlegungen auch für Röm nicht a priori mit einem Verdikt belegt werden. Am vorgelegten Versuch von Schmithals wird man also nicht vorbeigehen dürfen.

Trotzdem bestehen m. E. eine Reihe gravierender Einwände gegen diese Hypothese. Beginnen wir mit einer sich aus ihr selbst ergebenden Konsequenz. Daß Gal und Röm bei aller theologischen Unterschiedlichkeit, deren Herausarbeitung gerade in unserer Untersuchung zum methodischen Prinzip gemacht ist, in wesentlichen Partien einander e n t s p r e c h e n, sollte wohl keiner Widerlegung bedürfen.[59] So entsprechen sich u. a. auch Gal 5, 14 und Röm 13, 8-10.[60] Gehört aber nach Schmithals Röm 13, 8-10 zu Brief B, dann findet sich in der antijudaistischen Argumentation von Brief A ausgerechnet zu Gal 5, 14 keine Entsprechung, also keine Entsprechung zu jener Stelle, die in Gal eine Schlüsselposition einnimmt. Durch Zufall hätte aber Paulus dann gerade diese Entsprechung in seinem zweiten Brief gebracht, obwohl er doch bei der Niederschrift des ersten mit Sicherheit noch nicht an den zweiten gedacht hatte! Daß dies als eine gewisse Ungereimtheit erscheint - ganz vorsichtig formuliert: erscheinen kann - ist vielleicht einsichtig. Daß Röm 13, 8 -10 im Verlauf der mit 12, 1 einsetzenden Argumentation einen zentralen Ort einnimmt, geht auch aus Schmithals' Darlegungen zwingend hervor, zumal wenn er mit seiner Vermutung recht hätte, daß 13, 1-7 nicht in diesen Zusammenhang gehört.[61] Er kann also gerade aufgrund seiner eigenen Schlußfolgerungen nicht 13, 8-10 aus Brief B lösen und in Brief A lokalisieren.

Ein Weiteres ist mit dem genannten Problem eng verbunden. Gal 5,14 und
Röm 13,8-10 sind jeweils der Angelpunkt der Paränese. Schmithals freilich wehrt sich gegen die Auffassung, Röm 12-15 als paränetischen Teil des
Gesamtbriefes zu verstehen. Sie beruhe auf der irrigen Konzeption von Röm
als einer Art Kompendium der paulinischen Lehre.[62] Doch auch hier ist darauf aufmerksam zu machen, daß der Wegbruch der Paränese aus Röm 1-11
bedeutet, die Gesamtanlage von Brief A so zu begreifen, daß in ihm kein
Element der Paränese des Gal entspricht. Selbst unter der Voraussetzung,
daß Gal - wofür H.D. Betz zumindest sehr beachtliche Gründe vorgeführt
hat[63] - in seiner Komposition als "example of the 'apologetic letter' genre"[64]
zu verstehen sei und von d a h e r die Paränese in d i e s e m Briefe ihren
Ort habe[65], daß also die Gründe, die Paulus veranlaßt haben, in Gal den
paränetischen Teil zu bringen, für Röm A nicht mehr zuträfen, bliebe aber
der merkwürdige Tatbestand, daß trotz weitgehender Entsprechung wesentlicher, wenn auch modifizierter Argumentationselemente der beiden Briefe Gal und Röm A die Paränese in Röm A entfiele.

Nun dürften die von uns gebrachten Argumente - 1. die Entsprechung von
Gal 5,14 und Röm 13,8-10; 2. die dieser Entsprechung übergeordnete
Entsprechung der paränetischen Teile in Gal und Röm - sicherlich nicht
letztlich zwingend sein. Doch ihr sachlicher Stellenwert ist nicht gering
anzuschlagen.

Eine andere Schwierigkeit schafft sich Schmithals selbst. Er zeigt zunächst,
daß sich die Röm 12,1 begegnende Formation ($\pi\alpha\rho\alpha\kappa\alpha\lambda\tilde{\omega}$ mit folgendem
$\delta\iota\acute{\alpha}$ + Genitiv und Absichtssatz) bei Neuansätzen i n n e r h a l b eines pauli-
schen Briefes nicht findet. Folglich handele es sich hier um den Beginn des
Briefkorpus.[66] Doch dann operiert er ausgerechnet mit Röm 15,30: Dort
finde sich in Röm B diese Formation zu Beginn der Schluß(!)-paränese.[67]
Also ausgerechnet diejenige Wendung, die zuvor den Anfang des Brief k o r -
p u s beweisen soll, als "bewußt den Ring des Briefes schließen"! Damit
hat Schmithals seine eigene Argumentation wieder aufgehoben.

Mit diesen Einwänden gegen Schmithals bleibt allerdings dessen Grundfrage unbeantwortet: Wieso kann Paulus in Kap. 1-11 mit Heidenchristen so reden, als seien es Juden? Wieso kann er in Kap. 1 seine Predigt als Predigt
des Heidenmissionars emphatisch ankündigen, dann aber 15,20 in aller Kraß-
heit die Nichteinmischungsformel bringen? Wieso kann er in Kap. 1 trotz der
Emphase, mit der er seine Evangeliumsverkündigung anmeldet, so vorsichtig, geradezu diplomatisch formulieren, andererseits aber den Römern in
Kap. 14f. in aller Deutlichkeit die Leviten lesen (15,15: $\tau o\lambda\mu\eta\rho o\tau\acute{\epsilon}\rho\omega\varsigma$)?
Indiziert dies alles nicht zwei sehr verschiedene Situationen, in denen der
Apostel schreibt? Schließlich ist Schmithals nicht der erste, der mit Tei-
lungshypothesen für Röm aufwartet![68]

Fast gleichzeitig mit Schmithals' Untersuchung (1975) erschien Alfred
Suhls Monographie "Paulus und seine Briefe. Ein Beitrag zur paulinischen
Chronologie". Eine Gesamtwürdigung des Werkes, dessen Ergebnisse in

weitem Ausmaße mit den hier vorgelegten differieren, kann an dieser Stelle nicht erfolgen. Doch scheint mir eine seiner Überlegungen für das hier zu verhandelnde Problem erwägenswert und sehr hilfreich zu sein. Schmithals geht davon aus, daß jeweils eine ganz bestimmte Auffassung in den beiden Römerbriefen ihre polemische Erwiderung findet; in Brief A ein Heidenchristentum, das judaistisch denkt, in Brief B eine sich paulinisch verstehende Gemeinde, die dabei ist, ihren Paulinismus lieblos auszuspielen. Beide Male sieht sich Paulus verpflichtet, von sich aus in die jeweilige Situation einzugreifen. Könnte es aber nicht auch so sein, daß Paulus um Schützenhilfe angegangen worden ist? Daß, wie Suhl meint, der Kontakt mit Rom auf die Initiative e i n e r Gruppe innerhalb der römischen Gemeinde zurückgeht? [69] Natürlich der paulinischen Gruppe! Paulus hat dann dazu seine Bereitschaft erklärt: πρόθυμον (1, 15)! [70] Hat aber e i n e Gruppe um Intervention gebeten, dann ist anzunehmen, daß die Argumentation des Paulus in jene Richtung zielt, aus der die römischen Pauliner angegriffen wurden. Dann versteht es sich aber auch, daß der Apostel seinen eigenen Leuten auch einige unangenehme Dinge ins Stammbuch schreibt - s. Kap. 14f.!

So ist es durchaus plausibel, daß Paulus sich in Röm als Heidenapostel einführt, daß aber zunächst die polemische Stoßrichtung seiner Argumentation sich gegen jene Judenchristen richtet, die den heidenchristlichen Paulinern das Leben schwer machen. Über die Größenverhältnisse beider Gruppen ist damit noch gar nichts ausgesagt. Auch die Charakterisierung beider Gruppen in "Starke" und "Schwache" im paränetischen Teil des Schreibens läßt in dieser Hinsicht keinen weiteren Rückschluß zu. Paulus übernimmt hier einfach jene Terminologie, die für ihn in Korinth schon hilfreich war (1 Kor 8, 1ff.). So ist durchaus vorstellbar, daß aufgrund des Claudius-Ediktes 49 n. Chr. aus Rom vertriebene Judenchristen zurückkehren und nun an Freiheiten der Heidenchristen Anstoß nehmen. [71] Doch ist diese Annahme, so sehr sie mir als die naheliegendste erscheint, nicht zwingend. Die Vermutung von Suhl, der Konflikt könne auch zwischen Heidenchristen und Proselytenchristen entstanden sein [72], ist nicht von der Hand zu weisen. In diesem Falle hätte Paulus sich als Heidenapostel um so mehr verpflichtet gesehen, in die Streitigkeiten einzugreifen, als er sich sicherlich nicht seine Zuständigkeit für Proselytenchristen hat bestreiten lassen. Was sollte nämlich nach Christus noch eine Konversion zum Judentum? Und - last not least - gerade an Konversionen zum Christentum über das Judentum konnte ihm nicht liegen! (Mochte er auch in Röm nicht mehr so rigoros und apodiktisch denken, sprechen und argumentieren wie einst in Gal.) Aber sollten, wie oben vermutet, die Gegner der Pauliner Judenchristen gewesen sein, so dürfte auch dann Paulus das Recht zum Eingreifen auf seiner Seite gesehen haben. Damals auf der Heidenmissionssynode war über gemischte Gemeinden nichts vereinbart worden. Man hatte ja die Problematik noch gar nicht gesehen. Da Paulus aber in dieser gegenüber der Synode neuen Situation kaum derartige Gemeinden als Missionsdomäne der Judenchristen angesehen haben dürfte, wird er jene Orte, an denen es neben Juden und Judenchristen auch Heiden

und Heidenchristen gab, als sein, zumindest als auch sein Missionsfeld
betrachtet haben.

Eine plausible Antwort auf die Frage, warum Paulus an eine (auch!) hei-
denchristliche Gemeinde so schreibt, als schreibe er an Juden, ist also nicht
nur von den Voraussetzungen möglich, die Schmithals macht. Die Heidenchristen haben ihn gerade dazu ersucht! Noch nicht beantwortet ist allerdings die Frage nach der Diskrepanz zwischen Kap. 1 und der Nichteinmischungsklausel. In der Tat, einmal kündigt Paulus seine Evangeliumspredigt
für Rom an (1,15), dann aber erklärt er es als seinen Ehrgeiz, nicht dort
das Evangelium zu verkündigen (wieder wie 1,15 das Verb $\dot{\varepsilon}\upsilon\alpha\gamma\gamma\varepsilon\lambda\dot{\iota}\zeta\varepsilon\sigma\theta\alpha\iota$
wo bereits Christus genannt ist, um nicht auf einem fremden Fundament zu
bauen (15,20). Aber es ist doch sehr die Frage, ob Röm 15,20 wirklich Rom
meint! Weil Paulus nicht dort, wo von anderen vor ihm "der Namen Christus proklamiert" wurde[73], Evangelium verkündigen will, geht er nach Rom,
um von dort aus Spanien zu erreichen. Was aber Rom selbst angeht, so
scheut sich Paulus dort nicht, das Evangelium zu verkünden. Denn, hat er
auch selbst die römische Gemeinde nicht gegründet, so sieht er doch in ihr
sein Missionsfeld, da dort seine Pauliner leben.[74]

2.3. Die neue Funktion des Nomos

Zum Abschluß seines Argumentationsduktes 1,18-3,20 schreibt Paulus:
Durch das Gesetz entsteht Erkenntnis der Sünde, $\dot{\varepsilon}\pi\dot{\iota}\gamma\nu\omega\sigma\iota\varsigma$ $\dot{\alpha}\mu\alpha\rho\tau\dot{\iota}\alpha\varsigma$
(3,20b). Dieses theologische Urteil ist, wie schon allein der unmittelbare
Kontext 3,20a zeigt, zu präzisieren: Durch das Gesetz entsteht nur Erkenntnis der Sünde. Daß dieser exklusive Sinn allein der Aussageintention
des Paulus entspricht, ist heute unbestritten. Dennoch ist damit der Inhalt
dieses für Paulus so wichtigen Satzes noch nicht eindeutig ausgesagt. Denn
es bleibt offen: Für wen bietet das Gesetz Erkenntnis der Sünde? Kann
der Jude durch das Gesetz seine Sünde erkennen, zumal gerade ihm es gilt?
Oder ist Sünde als hamartia im paulinischen Verständnis nur für den Glaubenden erkennbar, weil sich der Jude, noch außerhalb des Christusglaubens
existierend, nur im eingeschränkten Maße als Sünder verstehen kann? Immerhin setzt aber Paulus bei seiner Polemik gegen "den" Juden 2,27ff. voraus, daß dieser zumindest in der Lage ist, seine Sündentaten als Schuld
vor Gott zu sehen. Denn er kennt ja den Willen Gottes, er ist ja im Gesetz
erzogen (2,18). Gerade deshalb ist er unentschuldbar (2,1)[75]. Es bleibt
aber die Frage, ob er als Jude nicht lediglich bis zur Erkenntnis einzel-
ner Sündentaten vordringen kann, also nur bis zur Erkenntnis der $\pi\alpha\rho\alpha\beta\dot{\alpha}$-
$\sigma\varepsilon\iota\varsigma$, der $\pi\alpha\rho\alpha\pi\tau\dot{\omega}\mu\alpha\tau\alpha$. Das jedoch dürfte feststehen: Die $\dot{\varepsilon}\pi\dot{\iota}\gamma\nu\omega\sigma\iota\varsigma$
$\pi\alpha\rho\alpha\beta\dot{\alpha}\sigma\varepsilon\omega\nu$ ist ihm selbstverständlich möglich, da andernfalls die Argu-
mentation Röm 2,1-3,20 sinnlos würde.

Nach Ulrich Wilckens wird das Urteil "kein Fleisch wird aus Gesetzeswerken vor Gott gerecht" ausdrücklich als Urteil des G e s e t z e s eingeführt. Paulus beanspruche keineswegs, daß dieses Urteil erst unter dem Aspekt des Glaubens einsichtig werden könne, denn es ist ja das Gesetz, durch das es zur Erkenntnis der Sünde kommt.[76] Dem widerspricht Käsemann: Die Antwort v. 20b wirke in ihrer Kürze orakelhaft, sie könne nicht als allgemeine Wahrheit vor Christus erkannt werden. Erkenntnis der Sünde geschehe nicht im Zuge eines Fortschreitens, sondern als Ende des Weges.[77] Nun könnte man freilich fragen, ob die Wahrheit nicht insofern in der Mitte liegt, als zwar 3, 20a ein im Sinne des Paulus nur im Glauben aussprechbares Urteil ist (wer die Unfähigkeit des Gesetzes zur Rechtfertigung erkannt hat, ist nicht mehr Jude!), jedoch 3, 20b immerhin - wegen 2, 27ff.! - dem Juden einsichtig ist, solange nicht gesagt wird: Durch das Gesetz entsteht n u r die Erkenntnis der Sünde.

Nur, was meint hier "Sünde"? Soviel ist zunächst deutlich: Die Argumentation auf Röm 3, 9 hin soll zeigen, daß auch und gerade der Jude mindestens zu der Erkenntnis gelangen soll, daß der hamartia irgendwie Machtcharakter eignet. Das wird schon allein an der Wendung "unter der hamartia sein" in 3, 9 erkenntlich. Mit dieser Formulierung findet die Größe der Katastrophe als eines kosmischen Geschehens ihren sprachlichen Ausdruck. Sünde (Singular!) kann also nicht von den je individuellen Taten des Einzelnen, von den $\pi\alpha\rho\alpha\beta\acute{\alpha}\sigma\epsilon\iota\varsigma$ bzw. $\pi\alpha\rho\alpha\pi\tau\acute{\omega}\mu\alpha\tau\alpha$ her voll definiert werden. Obwohl also in 1, 18-3, 20 das Wesen der hamartia nur fragmentarisch herausgestellt wird - zu Recht spricht Schmithals davon, daß es nirgendwo in diesem Abschnitt um eine dogmatische Entfaltung des Sündenbegriffs geht[78] -, zeichnet sich doch schon konturenhaft Wesentliches dieser hamartia ab.

Der Machtcharakter der Sünde wird u. a. in Röm 5, 12ff. pointiert ausgesagt: Quasipersonifizierung und das Verb $\beta\alpha\sigma\iota\lambda\epsilon\acute{u}\omega$ als Prädikat für Sünde und Tod. Zur Erhellung von 3, 20b ist jedoch der Abschnitt 7, 7ff. noch wichtiger. Schauen wir zunächst auf den Abschnitt 7, 7 - 13. In dieser "Apologie des Gesetzes"[79] ist zwar die Sünde nicht hauptsächlicher Gegenstand der Reflexion. Doch geht es hier bei der von Paulus energisch verneinten Frage, ob der nomos hamartia sei, m. a. W., ob man Wesensgleichheit von nomos und hamartia behaupten dürfe[80], um das Verhältnis von Gesetz und Sünde.[81] Ist auch der nomos keinesfalls hamartia, so läßt sich doch eine Beziehung zu ihr[82] nicht leugnen[83]. Die Relation zwischen nomos und hamartia wird zunächst als E r k e n n t n i s r e l a t i o n ausgesagt: ein $\gamma\nu\tilde{\omega}\nu\alpha\iota$ $\dot{\alpha}\mu\alpha\rho\tau\acute{\iota}\alpha\nu$ gibt es nur durch das Gesetz. Man beachte die U m k e h r u n g der e x k l u s i v e n A u s s a g e r i c h t u n g gegenüber 3, 2 0 . Dort hieß es: Durch das Gesetz kommt es n u r zur Erkenntnis der Sünde. Hier heißt es: N u r durch das Gesetz kommt es zur Erkenntnis der Sünde. Somit ist trotz "materieller" Übereinstimmung beider theologischer Urteile die Perspektive verschieden.[84] Was es um die durch das Gesetz konkret erfahrene[85] Sünde ist, zeigt sich (begründendes $\gamma\acute{\alpha}\rho$!) in der eigenen, durch das Gesetz bewußt gewordenen e p i t h y m i a . (Da dieser paulinische Begriff mit dem deutschen Wort "Begierde" nicht präzis wiedergegeben ist, soll er im folgenden - ähnlich wie hamartia - meist unübersetzt bleiben.) Paulus folgt hier einer jüdischen Tradition, die die Sünde von der epithymia her versteht (s. u.).[86] In dieser Tradition wird die epithymia radikalisiert. Wie 4 Makk 2, 6 wird Röm 7, 7 das Gebot οὐκ ἐπιθυμήσεις (Zitat Ex 20, 17/Dt 5, 21) ohne Objekt eingeführt. Diese Radikalisierung wird dann Röm 7, 8 von Paulus dadurch zum Ausdruck gebracht, daß er von "jeder" epithymia spricht, die die hamartia durch das Gebot verursachte. Hier geschieht nun deutlich der Übergang vom Noetischen zum Ontischen (s. Anm. 84). Während nach v. 7 hamartia und epithymia gemeinsam als Objekte der Erkenntnis ausgesagt werden - beide sind bereits vorhanden und werden durch den nomos dann zusätzlich zu solchen Objekten -, ist nach v. 8 "jede epithymia" Objekt, genauer: Produkt der hamartia. Der Begriff "epithymia" ist demnach in den beiden Versen nicht ganz synonym gebraucht.

Das Anliegen des Paulus ist also zu zeigen: Weil der nomos als Operationsbasis von der hamartia mißbraucht wird, kann man ihm keine Schuld anlasten. Er war vielmehr in seinem grundlegenden Gebot auf Leben hin angelegt: ἡ ἐντολὴ ἡ εἰς ζωήν. Es war die Schuld der hamartia, daß das εἰς ζωήν in ein εἰς θάνατον verkehrt wurde (7, 10). Die beiden Präpositionen εἰς sind jedoch keineswegs inhaltlich voll identisch. Mit der ersten soll die ureigene Intention des Gesetzes (bzw. seines Urhebers), soll dessen eigentliches Aus-Sein-auf ausgesagt werden; die zweite will aber lediglich zeigen, in welche Richtung die hamartia den nomos pervertiert hat. αὕτη εἰς θάνατον ist demnach nicht im gleich eigentlichen und unmittelbaren Sinne gemeint wie ἡ ἐντολὴ ἡ εἰς ζωήν. αὕτη εἰς θάνατον ist eine geradezu paradoxe Wendung. Mit ihr wird zur Sprache gebracht, wozu das Gebot gegen sein eigentliches εἶναι εἰς mißbraucht wird. Somit ist hier das Gebot bzw. Gesetz nicht der aktive, sondern der passive Teil. Selbst vom Mit-Wirken des nomos sollte man nur in uneigentlicher Weise sprechen. In diesem Sinne wird man mit Niederwimmer[87] und Käsemann[88] zwischen ursprünglicher Intention und faktischer Funktion des Gesetzes sprechen können. Doch selbst die Wendung "faktische Funktion" ist immer noch ein wenig zu stark. Fungieren im eigentlichen Sinne ist ja allein Sache der hamartia. Diese bedient sich bei ihrem Fungieren der "Funktion" des Gesetzes. Sie benutzt das Gebot als Operationsbasis (7, 8. 11: ἀφορμὴν λαβοῦσα) gegen das vom Gesetz bzw. Gebot Gewollte.

So kann dann Paulus in aller Deutlichkeit erklären: Nicht das Gute, also das Gesetz, das heilig ist, dessen Gebot heilig, gerecht und gut ist (7, 12), brachte "mir" den Tod, sondern die hamartia, die gerade dadurch, daß sie das Gute mißbrauchte und ausnutzte, sich als über alle Maßen sündhaft und grauenhaft erwies (7, 13).

Bisher mocht die Gedankenführung des Paulus noch einigermaßen einfach erscheinen: So furchtbar und so verworfen ist die hamartia, daß sie die Intention des heiligen nomos Gottes in ihr Gegenteil verkehrt; doch bleibt der nomos trotz des Mißbrauchtwerdens heilig. Kompliziert wird die Interpretation von Röm 7, 7-13 jedoch in dem Augenblick, wo 1. nach dem "Ich" gefragt wird, das Paulus hier nennt, und 2. die Frage nach einer eventuell weiteren Bedeutung von epithymia aufgeworfen wird. Beide Fragestellungen sind aber engstens miteinander verflochten.

Nach Günther Bornkamm u. a. besitzt der Begriff "epithymia" d o p p e l t e B e d e u t u n g , nämlich sowohl die Begierde nach dem vom nomos zu begehren Verbotenen (a n t i n o m i s t i s c h e r Aspekt) als auch die Begierde, den nomos zu erfüllen und so die eigene Gerechtigkeit vor Gott hinzustellen (vgl. Röm 10, 3; n o m i s t i s c h e r Aspekt).[89] Trifft das zu, dann läßt sich eine Interpretation ohne weiteres mit der Argumentation des Paulus bis einschließlich v. 10 vereinbaren: Als die Sünde durch das Kommen des Gebotes erwachte, da verleitete sie das "Ich" - wer immer es gewesen sein mag oder ist - zur Übertretung des Gebots und ebenso zu seinem nomistischen Mißbrauch im Sinne der Selbstrechtfertigung vor Gott. Schwierig wird es aber, wenn v. 11 im Zusammenhang mit den zuvorstehenden Versen die Paradiesesversuchung meinen sollte.[90] Denn die Sünde - hier als Umschreibung bzw. Interpretation der Schlange - wollte doch nicht damit den Menschen täuschen, daß sie ihn zum nomistischen Mißbrauch des Gebots verleitete! Und nach der biblischen Erzählung wollte auch Adam nun wahrlich nicht durch die Erfüllung des von Gott gegebenen Gebots "seine Gerechtigkeit hinstellen" (Röm 10, 3)! So legt sich zunächst folgende Alternativinterpretation nahe:

1. Röm 7, 11 und folglich 7, 8b-11 (begründendes γάρ in v. 11) "erzählt"[91] begründend Gen 3. Dann kann aber nicht gemeint sein, daß die epithymia in vv. 7. 8a auch nomistisch verstanden sein will.

2. Paulus versteht die epithymia in ihrem Doppelcharakter als Begehren des vom nomos Verbotenen und als Begehren, die eigene Gerechtigkeit vor Gott zu schaffen. Dann kann Paulus in Röm 7, 11 nicht Gen 3, 13 vor Augen haben.

Daß die Annahme vom Doppelcharakter der epithymia, von der Gesamtkonzeption des Röm her gesehen, naheliegt, wird man schlecht bestreiten können. Andererseits besitzt aber auch die Interpretation, die in Röm 7, 8b-11 einen Rekurs auf Gen 3 erblickt, eine Interpretation, die bereits von einer Reihe von Kirchenvätern (Methodius, Theodor von Mopsuestia, Theodoret) vertreten wurde[92], etwas Bestechendes: "Es gibt nichts in unsern Versen, was nicht auf Adam paßt, und alles paßt auf Adam" (Käsemann[93]). Prüfen wir deshalb zunächst die Argumente, die gegen eine Bezugnahme auf Gen 3 sprechen.

Kümmel hält es für ganz unverständlich, wie sich unter der Voraussetzung, daß mit entolé das Gebot Gen 2, 16f. gemeint sei, in dem Abschnitt Röm 7, 7 -13 nomos und entole zueinander verhalten.[94] Faßt man aber die entole als jenes Verbot des nomos, das das Grundübel untersagt (s. o.), dann wird der jeweilige Gebrauch von nomos und entole in Röm 7, 7-13 durchaus einsichtig und sinnvoll. Dann entfällt auch der Einwand, bei der fraglichen Deutung müßte die entole "du sollst nicht begehren" den Inhalt des Verbots Gen 2, 17 ausdrücken; dort aber sei zwar vom Verbot des Essens die Rede, nicht aber von dem des Begehrens.[95] Daß freilich Röm 7, 14ff. nicht auf Gen 2 und 3 gedeutet werden kann[96], ist unbestreitbar. Nur geht es doch dort bereits um einen neuen Gedanken, wie der Tempuswechsel indiziert.

Nach Bornkamm kann mit dem Urteil des Paulus, ohne das Gesetz sei die hamartia tot (Röm 7, 8b), nicht der Urstand gemeint sein; denn in 7, 8f. gehe es um das Sein des Menschen in einer Welt, in der die Sünde schon Eingang gefunden hat.[97] Dieser Einwand trifft aber nur dann zu, wenn Röm 5, 12[98] so eng interpretiert wird, daß erst mit dem Sündigen des Individuums Adam die Sünde in der Menschheit, d. h. in der Geschichte e x i s t e n t wird; m. a. W., daß es eine Zeit Adams ohne Sünde gegeben hat. Will aber Paulus in derart objektivierender Weise verstanden werden? Will Paulus wirklich in dieser Weise den ersten Menschen Adam und den in der Geschichte geschichtlich existierenden Postadamiten trennen? Bereits Kierkegaard hat die Aporie einer solchen Interpretation herausgearbeitet: Wenn Adams Sünde die Sündhaftigkeit jedes geschichtlich lebenden Menschen bedingte, diese Sündhaftigkeit jedoch dessen jeweils erste Sünde verursachte, dann stände Adam außerhalb des Menschengeschlechts. "Durch die erste Sünde kam die Sünde in die Welt. G a n z i n g l e i c h e r W e i s e gilt es von jedes späteren Menschen erster Sünde, daß durch sie die Sünde in die Welt kommt."[99] Dieses Verständnis Kierkegaards entspricht ganz der Aussagetendenz von Röm 5, 12: Die Sünde kam durch Adam in die Welt und d e s h a l b der Tod - der Tod kam zu allen Menschen, w e i l alle sündigten. Also beide Male Sünde bzw. Sündigen als geschichtliche Voraussetzung des Todes. Will man Paulus keine objektive Sündentheorie zumuten, so ist davon auszugehen, daß er das Woher der Sünde nicht in Form einer Ätiologie zu erklären beabsichtigt, sondern Adam so versteht, daß jeder geschichtlich existierende Mensch in das Geschick des geschichtlich lebenden Protoplasten verflochten ist.[100] M. a. W., durch jeden Menschen kommt die Sünde in die Welt, w e i l jeder sündigt (mit dieser Aussage wäre Röm 5, 12 konzentriert ausgesagt). Für jeden Menschen gilt, daß man sein Sündigen in quasimythologischer Weise ein "Kommen der hamartia" nennen kann. Für jeden Menschen gilt, "daß d i e S ü n d e s i c h s e l b s t v o r a u s s e t z t, daß die Sünde so in die Welt kommt, daß sie, indem sie ist, vorausgesetzt ist".[101] Dann aber ist die Annahme eines Seins Adams in einer Welt, in die die hamartia noch nicht Eingang gefunden habe, eine nicht vollziehbare mythologische Objektivierung. Noch einmal Kierkegaard: Man würde dann die Sünde Adams als Sünde in einem "phantastischen Anfang außerhalb" der "Geschichte des Menschengeschlechts" lokalisieren, man würde "eine phantastische Voraussetzung" postulieren.[102] Auch Paulus hat damals, wenn man so will, "existential interpretiert", d. h. Adam sowohl wie den "nach" Adam lebenden Menschen hinsichtlich des Sündigens innerhalb je seiner Geschichte und je seiner Geschichtlichkeit verstanden und somit beide geschichtliche Wesen zusammengesehen.[103] Paulus dürfte zwar die "Historizität" des von Gen 3 Erzählten

angenommen haben, aber doch nicht so, daß er - im Gegensatz zum Jah-
wisten![104] - ein in seiner Chronologie historisch fixierbares und in der
Vergangenheit abgeschlossenes Geschehen als Erklärung im Ursache-Wir-
kung-Schema vorgetragen hätte.

Es gibt also gute Gründe anzunehmen, daß sich Paulus in Röm 7, 8b-11 auf
Gen 3 bezieht. Aber immer noch steht jene Schwierigkeit im Raum, daß Gen
3 nicht als Begründung für eine nomistisch verstandene epithymia dienen
kann. Hinzu kommt eine weitere Schwierigkeit. Da Röm 7, 8a Explikation
und Weiterführung des Gedankens von 7, 7 sein dürfte, wird man erst in 7, 8b
- dieser Versteil ist durch νεκρά antithetisch mit 7, 9 (ἔζων) verbunden -
den Beginn des Rekurses auf Gen 3 sehen. Dann aber meint die Wendung
ἀφορμὴν λαβοῦσα διὰ τῆς ἐντολῆς in vv. 8 und 11 jeweils etwas anderes. In v. 8 steht sie als unmittelbarer Kontext der These, daß Erkenntnis von hamartia und epithymia durch den nomos geschehen. Wir haben zwar
gesehen, wie sich sozusagen unter der Hand die Aussage über einen noetischen Sachverhalt in eine Aussage über einen ontischen Sachverhalt wandelt.
Hinter dem Schillernden im nicht synonym gebrauchten Begriff "epithymia"
- in v. 7 ist sie die vor dem Akt des Erkennens bereits "existente" Begierde,
die durch eben diesen Akt bewußt wird; in v. 8 dagegen wird sie durch die
schon vorhandene hamartia als des jeweiligen Menschen eigene Begierde
erst hervorgebracht - verbirgt sich allerdings ein theologisches Anliegen:
Die epithymia ist dem Menschen sowohl vorgegeben als auch zugleich die je
eigene (ἐν ἐμοί) Begierde. Ähnlich wie Röm 5, 12 der Mensch als der Sünde preisgegeben (Verhängnis) u n d als verantwortlicher Sünder (geschichtlich-verantwortliche Tat) ausgesagt wird, geschieht es hier mit ihm im Blick
auf die epithymia. Trotz des sich Ineinanderschiebens von noetischem und
ontischem Aspekt dominiert jedoch insofern auch in v. 8a noch der noetische
Aspekt, als durch die Wendung "jede epithymia" jene Radikalisierung noch
deutlicher werden soll, die bereits durch das Weglassen des Akkusativobjek-
tes im Gebot-Zitat in v. 7 signalisiert wurde. Entscheidend ist für 7, 7. 8a:
I n d e m "mir" gesagt wird: "Du sollst nicht begehren!", w e r d e i c h zum
antinomistisch und nomistisch Begehrenden. Auf d i e s e Weise benutzt die
hamartia nach v. 8 das Gebot als Operationsbasis für ihr schändliches Tun.
Hingegen wird das Gebot als Operationsbasis in v. 11 anders verstanden: Die
Sünde - sie steht also hinter der Schlange, die hier expressis verbis nicht
genannt wird - diffamierte das Gebot, das Gott im Paradies gegeben hatte
- ein Gebot zum Leben wohlgemerkt! -, als heuchlerisch, um selbst in heuch-
lerische Weise mit einer Anti-"Verheißung" des Lebens den Tod herbeizufüh-
ren. Die Sünde täuschte (Gen 3, 13: ἠπάτησεν; Röm 7, 11: ἐξηπάτησεν,
vgl. 2 Kor 11, 3), indem sie dem lebenbringenden Gebot Gottes die angeblich
lebenbringende, ihrer Intention nach aber todbringende Aufforderung entge-
gensetzte. Nach Röm 7, 11 bediente sich also die hamartia nur m i t t e l b a r
des Gebotes als Operationsbasis, nach 7, 8 aber u n m i t t e l b a r.

Es ist aber wiederum zu fragen, ob Paulus hier nicht mit Bedacht zwei A-
spekte des hamartialischen Wirkens mit e i n e r sprachlichen Wendung um-

greift. Er bringt ja Gen 3, wie sich bereits zeigte, nicht um des Konstatierens eines vergangenen Faktums willen. Um noch einmal mit Käsemann zu sprechen: Wir alle sind in die Geschichte Adams verflochten.[105] Ist aber jeder Mensch in die Unheilsgeschichte Adams verflochten, so wird in jeder Sünde auch etwas von Gen 3 akut. Dann aber gibt es Analoges zwischen dem Verführt-worden-Sein Adams durch die hamartia und dem je neuen Verführt-Werden des Menschen. Es zeigt sich wieder: Was Paulus sagen will, erschließt sich uns nur dann, wenn wir bereit sind, seiner bewußt unscharfen Verwendung entscheidender Begriffe - um ein Maximum ihrer Bedeutungsmöglichkeiten herauszuholen - Rechnung zu tragen. So ist sein Gebrauch der Verben "leben" und "sterben" und der damit semantisch verwandten Worte in Röm 7, 8-11 dafür symptomatisch, wie er den Unterschied zwischen der in Gen 3 konkret beschriebenen Sünde Adams (und Evas!; cf. 2 Kor 11,3) und jeder anderen Sündentat in gewisser Weise einebnet. Obwohl gerade Kümmel sich entschieden davon absetzt, in Röm 7, 8ff. einen Bezug zu Gen 3 zu erblicken (s.o.; selbst in $\dot{\varepsilon}\xi\eta\pi\acute{\alpha}\tau\eta\sigma\varepsilon\nu$ Röm 7,11 sieht er keine Anspielung auf die Schlange[106]), kann uns an dieser Stelle seine so exakte Exegese weiterführen: Röm 7, 8 bedeutet $\nu\varepsilon\kappa\rho\acute{\alpha}$, daß die Sünde, obwohl vorhanden, nicht angerechnet wird[107], sie ist, mit Lagrange, "sans force"[108], $\H{\varepsilon}\zeta\omega\nu$ Röm 7,9 meint, mit B. Weiss, in "prägnante(r) Bedeutung" lebendig sein, $\dot{\alpha}\nu\acute{\varepsilon}\zeta\eta\sigma\varepsilon\nu$ Röm 7, 9 sich in voller Wirkungskraft befinden[109], $\dot{\alpha}\pi\acute{\varepsilon}\theta\alpha\nu\sigma\nu$ Röm 7,9 Aufhören des Lebens im religiösen Vollsinn[110]. Kurz: $\zeta\tilde{\eta}\nu$ und $\dot{\alpha}\pi\sigma\theta\alpha\nu\varepsilon\tilde{\iota}\nu$ bezeichnen nicht einfach physisches Leben und physischen Tod.[111]

Trifft nun auch für Röm 7, 7ff. zu, daß Paulus nicht gemäß einem modernen Ideal Sprache als System eindeutiger Zeichen verwendet, dann bestätigt dies noch einmal, daß er, indem er Gen 3 erzählt, dies interpretierend so tut, daß auch der Mensch "nach" Adam, besser: der Mensch als Adam, darin vorkommt. Dann aber "berichtet" Paulus zwar, wie die Sünde (die Schlange) den Umweg über eine Gegenverheißung gegen das das Leben verheißende Paradiesesgebot genommen hat und damals so das Gebot Gottes als Operationsbasis für ihr abscheuliches Tun mißbrauchte. Paulus denkt jedoch bereits mit, wie der Mensch, indem ihm das Gesetz gesagt wird, die Begegnung mit der in ihm wohnenden Sünde, konkret: mit der ihn immer schon bestimmenden und jetzt erst bewußt gewordenen epithymia, erfährt. Paulus denkt und argumentiert eben nicht auf nur einer einzigen Ebene.[112] Sehr schön spricht in diesem Sinne Karl Prümm von Paulus als dem "Mann der Zusammenschau".[113] So schaut der Apostel das Sterben Adams und das "Sterben" (und Sterben!) des Sünders zusammen. Und er schaut zusammen, wie der Mensch in unterschiedlicher Weise unter der Macht der epithymia zum sündhaft Begehrenden wird. Und wenn es auch unbestreitbar ist, daß Adam nicht durch Befolgen des göttlichen Gebotes seine eigene Gerechtigkeit vor Gott hinstellen wollte, so befinden doch die Gen 3 erzählte Sünde Adams und die Röm 10, 3 genannte Sünde Israels in einem Punkte ihr tertium comparationis: Adam wollte sein wie Gott. Unbewußt (ἀγνοοῦντες) maßt sich aber auch Israel an, wie Gott sein zu wollen; denn wer sich selbst rechtfertigen will, maßt sich an, was Gottes ist.

Fassen wir zusammen: Der Argumentationsduktes Röm 7, 7-13 läßt sich, wenn man gewillt ist, die doppelte Bedeutung von epithymia für diesen Abschnitt anzunehmen, folgendermaßen vermuten:

Röm 7, 7: Das Gesetz ist nicht Sünde. Es bringt aber, indem es dem Menschen gesagt wird, diesem die Sünde, konkret die epithymia, zum Bewußtsein.

Röm 7, 8a: Steigerung des Gedankens: Die Sünde bewirkt, indem sie - grundsätzlich - sich des göttlichen Gebots bedient, jegliche epithymia, die antinomistische wie die nomistische.

Noetischer und ontischer Gesichtspunkt gehen Röm 7, 7f. ineinander über: Indem Begehren als verbotenes Begehren bewußt wird, sündigt der Begehrende durch eben dieses bewußt gewordene Begehren. (Inwieweit epithymia als nomistisch verstandene epithymia durch den nomos bewußt werden kann, soll erst gleich erörtert werden.)

Röm 7, 8b-11: Paulus begründet mit Hilfe von Gen 3. Doch wird auf Gen 3 so rekurriert, daß dadurch bereits die Situation jedes Menschen unter dem Gesetz transparent wird. Paulus begründet also die "grundsätzliche" Aussage von v. 8a mit einem zunächst nur punktuellen Geschehen, das aber auf die in v. 8a zur Sprache gebrachte Grundsätzlichkeit hin offen ist. Doch geschieht diese Argumentation auf doppelter Ebene nicht so sehr um des durch die hamartia getäuschten Menschen willen; die Intention ist vielmehr primär, den nomos in Schutz zu nehmen: Zwar gibt es eine Erkenntnisrelation zwischen nomos und hamartia. Aber schuld ist allein die hamartia.

Röm 7, 12f.: Also ist der nomos gut und heilig. Um so sündhafter hat sich gerade dadurch die hamartia erwiesen.

+

Die Grundfrage zu Beginn dieses Kapitels war, ob nach Röm 3, 20 schon der Jude in der Lage ist, die ihn bestimmende hamartia zu erkennen. Diese Frage wurde präzisiert: Erkennt der Jude die hamartia als solche oder nur ihre Symptome, nämlich einzelne Sündentaten, einzelne Übertretungen des Gesetzes?

Wie vermag Röm 7, 7-13 hier weiterzuhelfen? Zunächst sei der mögliche Einwand abgewiesen, die Frage sei falsch gestellt: Weil dieser Abschnitt in organischem Zusammenhang mit 7, 14-25 stehe, es darin aber um die Beschreibung des Gesetzesmenschen aus der Perspektive des Glaubens gehe, könne man auch 7, 7-13 nur als aus dieser Perspektive gesehen interpretieren. Also sei hier keine Antwort auf die Frage zu erwarten, zu welcher Erkenntnis der Jude in seinem Horizont gelangen kann. Nun hat aber bereits Kümmel, dem wir den endgültigen Durchbruch der Erkenntnis verdanken, daß es sich in Röm 7 um eine christliche Deutung des notwendig am Gesetz scheiternden Menschen handelt[114], gezeigt, daß 7, 7-13 geschildert wird, wie der Mensch durch die Sünde dem Tode verfällt, aber daß dieses Geschehen 7, 14-24 erklärt wird, indem das Wesen des Gesetzes und des Menschen zu dieser Aufgabe herangezogen wird.[115] Dann ist es jedoch methodisch gerechtfertigt, zumindest die Möglichkeit, in 7, 7-13 Antwort auf die anstehende Frage zu erhalten, nicht von vornherein auszuschließen. Denn die spezifisch christliche "Erklärung" für den in diesen Versen geschilderten Sachverhalt gibt ja gerade erst 7, 14ff. !

Für 7, 14ff. gilt, um mit Ernst Käsemann zu sprechen: "Was es um Sünde wirklich ist und wie es sich mit ihrer Herrschaft verhält, entzieht sich der Kategorie der Erfahrbarkeit selbst im Stande unter dem Gesetz ..., wird erst vom Evangelium aufgedeckt und nur dem Pneumatiker einsichtig."[116] In der Tat: "Die gesamte paulinische Theologie steht und fällt mit dieser Feststellung, weil Rechtfertigung des Gottlosen ihre Mitte ist. Für sie wird gerade der moralische Mensch aufs tiefste von der Macht der Sünde verstrickt, ohne nach 9, 31 oder 10, 3 es erkennen zu können ..."[117] Der Verstehenshorizont des Gesetzesmenschen ist also zu eng, als daß er sich selbst nach den Kriterien von 7, 14ff. verstehen könnte. Er ist als Gesetzesmensch eben dadurch definiert, daß er nicht erkennen kann, in welche Richtung ihn die hamartia verführt hat und weiter verführt. Als derart seine eigene Existenz Verkennender erkennt er auf keinen Fall die Tiefendimension der Sünde. Er verkennt sich, weil er die hamartia verkennt. Er erkennt nicht, daß er selbst und gerade in seinem Streben nach Gerechtigkeit vor Gott auch dann noch von hamartia und epithymia total bestimmt ist, falls er sich so in der Gewalt haben sollte, daß er im antinomistischen Sinne nicht mehr begehrt. Die Tragik des Gesetzesmenschen ist Röm 7, 15 in präziser Weise ausgesagt: "Was ich tue, weiß ich nicht, οὐ γινώσκω." Und weil dieser Satz aus der Perspektive des Glaubenden gesagt ist, kann man ihn in die 3. Person umsprechen: Er weiß nicht, daß er nicht weiß, was er tut.[118] Die 7,14ff. zum Ausdruck gebrachte "Erkenntnis der Sünde" ist also dem Juden nicht möglich. Wenn demnach 3, 20b von der "Erkenntnis der hamartia" die Rede ist und dieses Urteil gerade als Exklusivurteil (durch das Gesetz geschieht nur...) durch 3, 20a als Glaubensurteil deutlich ist, so kann Paulus am Ende der Beweiskette von 1, 18-3, 20 nicht meinen, daß dem Juden als Juden durch das Gesetz die Tiefendimension der Sünde im Sinne von 7, 14ff. aufgeht. Wer so weit wie das "Ich" von Röm 7, 14ff. in seiner Erkenntnis fortgeschritten ist, hat den status des "Jude"-Seins weit hinter sich gelassen.

Röm 7, 7-13 hingegen wird aber, wie sich gezeigt hat, auf zumindest zwei Ebenen argumentiert. Was die antinomistisch verstandene epithymia angeht, so soll doch wohl in aller Eindeutigkeit gesagt werden, daß auch der Mensch unter dem Gesetz weiß, wann er gegen das Gebot (bzw. Verbot) "Du sollst nicht begehren" verstößt. Und wenn man sich vor Augen hält, daß die

Röm 7, 7 vollzogene Radikalisierung der epithymia und somit die Interpretation der hamartia (nicht der Sündentaten!) durch eben diese epithymia nichts spezifisch Paulinisches und nichts spezifisch Christliches ist, daß Paulus einer jüdischen Tradition folgt, "wenn er das Gebot der Begier als Kern und Summe des Gesetzes versteht"[119], wenn er - mit Käsemann (und Lagrange) - in der epithymia "die Grundsünde schlechthin" sieht[120], so kann er nie und nimmer gemeint haben, daß die Erkenntnis dieser "Grundsünde schlechthin" dem Christen vorbehalten sei. Röm 7, 7 - sehen wir dabei ruhig von v. 8a noch einmal ab - wird ja gerade die Erkenntnis der parabasis des epithymia-Verbots als Erkenntnis der h a m a r t i a gewertet. M. a. W., i m   B e w u ß t w e r d e n   d e r   j e   a k t u e l l e n   S ü n d e n t a t e n   w i r d   b e -
r e i t s   w e s e n s m ä ß i g   e t w a s   v o n   d e r   M a c h t   d e r   h a m a r t i a
b e w u ß t.[121] Dann ist es aber m. E. nicht mehr möglich, mit Bultmann die Sünde als "nicht etwas am empirischen Menschen Wahrnehmbares", als nicht identisch mit den sittlichen Verfehlungen (von Bultmann verstanden als totale Divergenz von Sünde und sittlichen Verfehlungen) zu begreifen, wie er dies 1924 in seinem Aufsatz "Das Problem der Ethik bei Paulus"[122] getan hat. Gilt das, was soeben dargelegt wurde, dann ist die Sünde gerade nicht "erst in dem Augenblick" wahrnehmbar, "da sie vergeben wird, bzw. für die christliche Betrachtung".[123] Darin freilich sei Bultmann zugestimmt: Daß nach Röm 7, 14ff. das Wollen des nicht gerechtfertigten Menschen u n d die Intention des Gesetzes auf das Leben gerichtet sind, dieser Mensch aber gerade nicht erkennt, daß sein Tun in Wirklichkeit den Tod zur Folge hat, das ist ihm, eben weil er außerhalb von Christus lebt, notwendig nicht klar. "... alles Tun ist von vornherein gegen seine eigene und eigentliche Intention gerichtet."[124] Den philosophischen Ausdruck für diesen Gedanken formuliert Hans Jonas in seiner glänzenden, wenn auch nicht ganz unproblematischen Meditation über Röm 7. Er spricht von der existentiellen Antinomie des Sittlichen an sich: "In äußerster Kürze besagt sie, daß unter der Bedingung menschlicher Zweideutigkeit der Versuch einer Heiligkeit des Willens sich selber zu einem unheiligen Willen verurteilt."[125]

+

Lenken wir unsere Aufmerksamkeit noch einmal auf G a l zurück! Es zeigte sich, daß dort der Röm 3, 20; 7, 7 ausgesprochene Gedanke von der Erkenntnis der Sünde durch das Gesetz noch nicht begegnet. Gal 3, 19 ist vielmehr zu interpretieren: Funktion des Gesetzes ist, Sündentaten zu provozieren. Während also in Röm der energische Versuch gemacht wird, den nomos als nomos Gottes (und somit Gott selbst!) auf keinen Fall als sündenverursachendes Element erscheinen zu lassen, während also entschieden die Relation zwischen Gesetz und Sünde (zumindest primär) als Erkenntnisrelation bestimmt wird, schreibt Paulus in Gal unbefangen: Um (der Provokation) der Sündentaten willen wurde das Gesetz hinzugefügt. Die Aufgabe, Sündentaten (womöglich noch verstanden als symptomatischer Ausdruck der hamartia) zur Erkenntnis zu bringen, kann man aus Gal nur herauslesen, wenn man zuvor diesen Gedanken aus Röm 3, 20; 7, 7 in Gal hineingelesen hat. Dem entspricht, daß Paulus in Gal das Gesetz als Engelgesetz diffamiert, während er in Röm größten Wert darauf legt, daß es heilig, gerecht und gut ist (7,12), daß es geistlich ist (7,14: πνευματικός), d.h., daß es auf die Seite Gottes, nicht aber auf die Seite des Gegenspielers Gottes, der hamartia, (6,22) gehört.

Halten wir uns dies vor Augen, so dürfte e in nicht nur peripherer Unterschied zwischen der nomos-Konzeption des Gal und der des Röm bestehen. Zu verschieden, ja widersprüchlich ist jeweils die Funktion des nomos in beiden Briefen dargestellt.

Dieser so einleuchtende Sachverhalt - vorausgesetzt, man akzeptiert die hier vorgetragene Exegese von Gal 3,19 und Röm 3,20; 7,7ff. - wird aber wieder fraglich, wenn man darauf verweist, daß es in Röm auch Aussagen gibt, die anscheinend in inhaltlicher Nähe zu Gal 3,19 - wobei die Wendung "um der Sündentaten willen" dann als Intention Gottes zu fassen wäre - stehen, nämlich 4,15 (wo kein nomos besteht, da gibt es auch keine Übertretung, parabasis), 5,20 (der nomos ist "zwischeneingekommen", παρεισῆλθε damit das paraptoma zunehme) und vor allem 11,32 (Gott hat alle Menschen unter den Ungehorsam geschlossen, um sich aller zu erbarmen). Sind diese Stellen nicht geradezu tödlich für die von uns vertretene Hypothese? Lipsius z. B. erklärt ausdrücklich, der Zweck des Gesetzes wäre nach Röm 5,20, das paraptoma Adams zu vervielfältigen; die hierdurch verursachte Vervielfältigung der hamartia geschieht, "sofern sie in einer Mannichfaltigkeit von Gesetzesübertretungen in die Erscheinung trat (nicht: zum subjektiven Bewußtsein kam)".[126]

Zunächst zu R ö m 4 , 1 5 ! 4,15a ist nomos als Instrument Gottes genannt: Er bewirkt den Zorn (Gottes); zweifellos ein Rückgriff auf 1,18. Nach Michel fehlt in v.15 ein vermittelndes Zwischenglied: Das Gesetz bewirkt Übertretung, die Übertretung aber den Zorn Gottes.[127] Die Frage ist dann, wie das Bewirken der Übertretung durch das Gesetz zu verstehen ist. Röm 4,15a differiert zunächst mit Gal 3,19 schon insofern, als der durch das Gesetz verursachte Zorn[128] nicht durch ein Engelgesetz bewirkt wird. Des weiteren wird hier n i c h t ein F i n a l verhältnis ausgesagt. Es wird nämlich nicht gesagt, daß der nomos eigens zu dem Zweck erlassen wurde, um Sündentaten zu provozieren. Hier heißt es vielmehr im Sinne des Konsekutivverhältnisses, und zwar in negativer Formulierung: Wo kein nomos ist, kann auch kein nomos übertreten werden. Die Position, die in dieser Negation impliziert ist, dürfte aber, wenn man den Gesetzen der Logik folgt, nur heißen: Wo (ein?) nomos[129] erlassen ist, da k a n n dieser auch übertreten werden. Keinesfalls ist hier aber gesagt, daß mit dem Erlaß der Torah notwendig die Übertretungen mitgesetzt sind. Das Gesetz ist eben n u r die notwendige Voraussetzung (im Sinne der conditio, nicht aber der causa!) für die Möglichkeit von Übertretungen. Mehr aus 4,15b herauszulesen bedeutet, von vornherein den nicht final formulierten Satz als in der paulinischen Intention final vorauszusetzen. Das aber heißt, die in diesem Satz

nur als Möglichkeit ausgesagte Gesetzesübertretungen als Notwendigkeit
zu behaupten. Der Argumentationsduktes besagt also (wir stellen einmal
um dieses Duktus willen die Reihenfolge der gebrachten und der gedachten
Argumente um):

1. Wo kein nomos ist, da kann er auch nicht übertreten werden.
2. Wo ein/der nomos erlassen ist, da kann er übertreten werden.
3. Wo aber Übertretung geschieht, da bewirkt sie Gottes Zorn.

Daraus ist zu folgern: Der Erlaß des nomos ist ein notwendiges Glied im
Bedingungsgefüge für das Zustandekommen des Zornes Gottes.

Daß der nomos Gottes Zorn "bewirkt", ist demnach auf keinen Fall als mo-
nokausale Erklärung gesagt. Freilich setzt Paulus voraus, daß tatsächlich
für alle das Gesetz auch d i e s e Funktion ausgeübt hat. Aber auch hier kann,
analog zu Röm 7, 7ff., nur im uneigentlichen Sinne von "Funktion" geredet
werden. In gewissem Sinne stützen sich also die Exegesen von 4, 15 und 7, 7ff.
gegenseitig. Und gerade Michel, der 4, 15 interpretiert: "das Gesetz bewirkt
Übertretung", sieht in 7, 7-25 den "Höhepunkt" der Linie 3, 20; 4, 15; 5, 13;
7, 7ff.[130]

Wie aber steht es mit 5 , 2 0 : Das Gesetz ist zwischeneingekommen, d a -
m i t das paraptoma zunimmt? Die erste Frage ist, was p a r a p t o m a
hier meint: Sünde im Sinne von hamartia oder Übertretung bzw. Sündentat
im Sinne von parabasis? Sicher sind unter dem Begriff in 5, 15f. die einzelne Sündentat Adams und die einzelnen Sündentaten der vielen verstanden.
5, 17 wiederholt 5, 15. Jedoch steht 5, 20 dieser Begriff bezeichnenderweise
nicht im Plural: Nicht die paraptomata sollen sich mehren, sondern das eine paraptoma![131] Und Paulus fährt - noch einmal: bezeichnenderweise -
fort: Wo aber dann die h a m a r t i a sich gemehrt hat, da ... Insofern dürfen wir annehmen, daß paraptoma hier synonym mit hamartia steht. Ist dies
aber der Fall, dann ist soviel schon einmal deutlich: Der nicht zu leugnen-
de Finalsatz 5, 20a kann nicht meinen: damit die Sündentaten sich mehren.
E i n e   u n m i t t e l b a r e   P a r a l l e l e   z u   G a l   3 , 1 9   l i e g t   a l s o   i n
R ö m   5 , 2 0   n i c h t   v o r.[132]

Der entscheidende Gesichtspunkt ist aber noch gar nicht genannt: Wenn Paulus davon spricht, daß die Sünde zunimmt, dann war sie auch schon vorher
da! Gal 3, 19 war aber davon die Rede, daß der nomos gegeben wurde, um
Übertretungen erst einmal zu provozieren. Röm 4, 15 ist nur noch vorausgesetzt, daß es ohne nomos keine Übertretung geben kann. Hier aber wird gesagt, daß durch den "Zwischeneintritt" des nomos die Sünde sich mehren
soll. Es geht also um weitere Machtzunahme der schon mächtigen transsubjektiven hamartia. V o m   e i n z e l n e n   S ü n d e r   w i r d   h i e r   g e r a d e
n i c h t   g e s p r o c h e n. Im universalen Horizont 5, 12-21 geht es ja gar nicht
primär um das Individuum, so wenig freilich bestritten werden soll, daß
letztlich eine vom Individuum losgelöste "Weltgeschichte" für Paulus nicht
denkbar ist.[133] Hier wird erklärt, daß es in der "Weltgeschichte" ($\pi\acute{\alpha}\nu\tau\epsilon\varsigma$
 o$\acute{\iota}$ $\pi o\lambda\lambda o\acute{\iota}$) zu einer Mehrung der Sünde - sicherlich im Zusammenhang

des Röm: durch Bewußtwerden der Sündentaten als bewußtes Übertreten des Gesetzes - kommen soll, damit die Gnadentat Gottes (χάρις) übermäßig groß wird und königlich herrscht.[134] Der Finalsatz steht somit im Dienste der übergeordneten Finalaussage 5,21. Während also Gal 3,19ff. die Richtung der Argumentation von den provozierten Gesetzesübertretungen zur alles umfassenden Sündenmacht (v.22) geht, finden wir Röm 5,20f. die umgekehrte Blickrichtung: Der nomos soll die Sünde mehren; daß sich die Sünde in Sündentaten auswirkt, ist erst in der Konsequenz mitgedacht.

In Parenthese: Eine gewisse Unausgeglichenheit in der Argumentation des Paulus fällt auf: Nach Röm 5,13 gab es einen Abschnitt in der Geschichte, nämlich zwischen Adam und Mose, wo parabaseis nicht möglich waren, da - s. 4,15! - der nomos noch nicht gegeben war. Andererseits sind die Heiden sich selbst Gesetz (2,14), sie sündigen deshalb als solche ohne mosaisches Gesetz (2,12). Was aber ist dann mit den Juden bis Mose? Waren sie nicht sich selbst Gesetz? Freilich ergibt sich diese Unausgeglichenheit nur, wenn 5,12-21 als letztlich objektivierende Aussage gefaßt wird. Paulus kann so unbefangen im Blick auf die "Heilsgeschichte" "sich widersprechen", weil seine Intention eben nicht die ist, Geschichte zu schreiben. Er löst keinesfalls Geschichte in Existenz auf, aber genau so wenig Existenz in Geschichte!

Als gravierendster Einwand gegen die hier vorgetragene Konzeption mag vielleicht Röm 11,32 erscheinen, die Klimax der gesamten Darlegungen des Paulus über die Rechtfertigung.[135] Steht hier nicht doch die finale Aussage, deren Fehlen in 4,15 es ermöglichte, diese Stelle zu Gal 3 in Distanz zu bringen?: "Gott hat alle unter den Ungehorsam eingeschlossen, um sich aller zu erbarmen." Findet sich hier nicht doch jener Zynismus betreffs des Handeln Gottes, der sich in Gal 3 nur mit Hilfe der Unterscheidung der einzelnen Intentionen (Gott, Gesetz, Engel) bestreiten ließ? Nun zeigte sich freilich schon bei der Exegese von Gal 3,22, daß συνέκλεισεν als Aussage über die Schrift auf der Seite Gottes anzusiedeln ist: Gott hat das Unheilswirken anderer in sein Heilswirken eingebaut. Dann aber sollte man für Röm 11,33 nicht annehmen, daß Paulus hinter das in Gal 3 Gesagte zurückfalle, zumal er zuvor in Kap. 7 energisch dem Versuch gewehrt hat, das Gesetz Gottes mit der Sünde wesenhaft zusammenzubringen. Deshalb ist zu fragen, was v.32a sagen will. Wie ist zu verstehen, daß Gott alles in den Ungehorsam eingeschlossen hat? Zweifellos steht dieser Vers im Zusammenhang prädestinatianischer Aussagen, so daß der Ungehorsam, der letztlich Unglaube ist[136], als gottgewirkt erscheinen könnte. Bedenkt man aber, daß, wie Käsemann mit Recht betont hat, Prädestination bei Paulus nicht mit den Kategorien des Determinismus oder Indeterminismus erfaßt werden kann[137], daß gerade der Ungehorsam des Menschen als dessen verantwortliche Tat gesehen wird (Röm 11, 30f.), so wird man zu fragen haben, ob das Idiom "unter den Ungehorsam einschließen" nicht in Richtung auf "mit dem Ungehorsam behaften" auszulegen ist: Gott hat die Ungehorsamen an i h r e n Ungehorsam festgebunden, festgeschlossen. Gott hat die Ungehorsamen ins Gefängnis ihres eigenen Ungehorsams eingesperrt. Dieser Gedanke wird durch den forensischen Grundzug des Röm in spezifischer Weise geprägt: Das Behaften beim eigenen Ungehorsam bedeutet, Gott hat sie ihrem Ungehorsam ausgeliefert und preisgegeben[138], indem er ihn ihnen als Ungehorsam anrechnet.[139] In seiner Art hat dies Karl Barth in der Kirchlichen Dogmatik formuliert: "Wir antworten auf die Frage nach des Menschen Verderben in einem dritten Satz, den wir dem zusammenfassenden Pauluswort Röm. 11, 32 entnehmen: indem Gott sich in der Dahingabe Jesu Christi aller Menschen erbarmen wollte und erbarmt hat, ist darüber entschieden, daß er zuvor sie 'Alle verschlossen hat unter den Ungehorsam'. 'Verschließen' bedeutet hier: sie unter ein gültiges, von ihnen nicht in Frage zu stellendes, noch anzufechtendes, geschweige denn umzustoßendes Urteil und Verdikt stellen - mit Inbegriff aller aus diesem sich ergebenden Folgen."[140]

Schauen wir zurück auf den Abschnitt 2.3., so dürfte ein theologisches Gefälle von Gal zu Röm deutlich geworden sein, in dem das Gesetz des Mose an theologischem Gewicht gewinnt. Keineswegs soll aber hier "das Kind mit dem Bade ausgeschüttet werden". Keineswegs soll die hier vertretene Grundthese überzogen werden, indem wir Gal und Röm nur in Gegensatz zueinander stellen. Was beide Briefe in der hier diskutierten Problematik verbindet, ist zumindest der Gedanke: Sünde ist die Übertretung von Gottes heiligem Willen, wie er, was Gal betrifft, selbst im Engelgesetz zum Ausdruck kommt - denn sonst könnte dieses Gesetz, wie sich zeigte, nicht den furchtbaren Fluch wirken. Darüber hinaus ist für Gal auch charakteristisch, daß Paulus - freilich aus der Perspektive der neuen Heilsordnung - ein Sein aus Gesetzeswerken nicht gelten läßt, weil der Mensch sonst nach dem greift, was Gottes ist: Existenz ist nicht aus quantitativ begriffenen Gesetzeswerken erstellbare, also menschlich verfügbare Sache! Wenn auch in Röm der quantitative Gesichtspunkt nicht mehr anklingt (s. u. Abschn. 2.4.), so ist doch ein für diesen Brief entscheidender Gedanke - Rechtfertigung ist, weil nicht machbare Sache, allein Angelegenheit Gottes - in Gal gerade mit der Kategorie des Quantitativen präludiert. Mehr noch: Wenn Paulus in Gal auch offensichtlich antinomistisch argumentierte, so geschah dies, so paradox es auf den ersten Blick erscheinen mag, letzten Endes aus einer Grundüberzeugung, die dem, was eine im Sinne des Alten Testamentes richtig verstandene Torah gewollt hatte, gar nicht so fern stand. Auf jeden Fall ist die I n t e n t i o n des Paulus auch gut alttestamentlich. Denn der Torah - das läßt sich wohl sagen trotz aller Problematik, von d e r Torah zu sprechen - ging es ja gerade nicht um nomistische Einstellung und nomistisches Verhalten. Somit ist es also möglich, ausgerechnet jene Schrift, die innerhalb des Neuen Testaments das antinomistischste Gewand trägt, als Anwalt einer recht verstandenen Torah zu verstehen.[141] Aber eben: In Gal sah Paulus in der Kundgabe des Engelgesetzes gerade noch nicht die Intention eines recht verstandenen Gottesgesetzes. Der in beiden Briefen begegnende Gedanke, daß Gott nomos und hamartia in seine Heilsintention integriert, geschieht jeweils in unterschiedlicher Explikation. In Gal bediente sich der Apostel der hochmythologischen Vorstellung vom Engelgesetz. In Röm bedarf er dieses Mythos nicht mehr. Er kann nun, um sein theologisches Anliegen, das bereits in Gal deutlich wurde, durchzuhalten, den nomos als nomos Gottes seiner Rechtfertigungstheologie integrieren. Nicht provoziert nun das Engelgesetz die Sündentaten, die parabaseis, vielmehr bringt nun das Gottesgesetz dem Sünder die Sünde, die hamartia, zum Bewußtsein.

2.4. Die Erfüllung der Torah

In der Paulusliteratur wird Röm 13,8-10 immer wieder als voll inhaltliche Parallele zu Gal 5,14 herangezogen. Die bisherigen Darlegungen lassen jedoch vermuten, daß beide Stellen in beachtlicher Weise divergieren. Daß diese Divergenz eine totale sei, wird man allerdings nicht erwarten. Eher wird man damit zu rechnen haben, daß Röm 13,8-10 eine Weiterentwicklung des in Gal geäußerten Gedankens ist, und zwar so, daß ein Gegenüber von Torah und demjenigen Gesetz, das für den Christen gilt, nicht mehr vorliegt.

Zunächst ist offensichtlich, daß der für Gal dominante Gedanke vom Gegensatz des quantitativ gefaßten Gesetzes, das eine numerisch vollständige Befolgung verlangt, und des von seinem Inhalt her qualitativ bestimmten Gesetzes, das eine neue Art von "Ganzheit" erfordert, in Röm nicht mehr geäußert wird. Die Argumentation, die Gal 5,3 von Gal 3,10 her verstehen läßt, klingt in Röm überhaupt nicht mehr an. Die Kategorie des "Ganzen" spielt in dieser Hinsicht für Röm keine Rolle mehr. Zwar ist auch Röm 13,8 -10 von "erfüllen" die Rede; das Verb πληρόω ist für diese Stelle genau so konstitutiv wie für Gal 5,14. Des weiteren wird das levitische Liebesgebot Lev 19,18 wie in Gal λόγος genannt. Entscheidend ist aber, daß Paulus jetzt die Wendung "das 'ganze' Gesetz" nicht mehr bringt. Halten wir also fest: Eine Kontrastierung von "das ganze Gesetz (des Mose)" und "das 'ganze' Gesetz (für den Christen)" gibt es in Röm nicht. Eine solche Kontrastierung würde auch dem Gesamtargumentationsduktes dieses paulinischen Schreibens widersprechen. Sie hätte im gedanklichen Aufbau des Briefes keinen Ort, sie gäbe im Sinngefüge des Briefes keinen Sinn und wäre somit sinn-los und unverständlich.

Aus der Trias von Gal 5,14 - das ganze Gesetz, erfüllen, Gebot der Nächstenliebe - ist also unbestreitbar das Element ὁ πᾶς νόμος durch νόμος ersetzt worden, und zwar im Sinne von Torah. Jetzt geht es wirklich um die Erfüllung der mosaischen Torah! "Wer den Nächsten

liebt, hat die Torah erfüllt."[142] Mit Recht schreibt Käsemann: "Man hätte nie bestreiten dürfen, daß wirklich von der Torah gesprochen wird (gegen Spicq...; Sanday-Headlem...)."[143] Nach Käsemann liegt nun das wirkliche Problem darin, daß keinerlei Polemik gegen den nomos vorliegt.[144]
D a ß keine solche Polemik vorliegt, ist deutlich. Jedoch dürfte, wenn unsere bisherigen Überlegungen zutreffen, darin kein wirkliches Problem bestehen. Im Gegenteil, das hier deutliche Fehlen einer Polemik gegen die
Torah war zu erwarten. Doch ist der Text nicht ganz so unproblematisch,
wie es auf den ersten Blick vielleicht scheinen mag. Daß nämlich nun nicht
mehr das Gesetz auf eine einzige Bestimmung inhaltlich reduziert wird,
daß es vielmehr Paulus darauf ankommt zu zeigen, daß der Logos der Nächstenliebe die anderen Gebote "zusammenfaßt" (ἀνακεφαλαιοῦται), liegt
ganz auf der Linie, wie Röm 2, 17ff. der Verstoß der Juden gegen die Torah
verstanden wird, nämlich als Verstoß gegen die Torah als Ausdruck des
sittlichen Willens Gottes. Aber gerade darin liegt das Problem. Mag es
auch so aussehen, als sei Röm 13, 8-10 der für Gal so essentielle Gedanke
der Reduktion aufgegeben, weil nicht mehr wie dort ein einziges Gebot gegenüber einer Fülle von Geboten herausgestellt wird, so werden doch jetzt
lediglich die sog. sittlichen Gebote im Gebot der Nächstenliebe zusammen-
gefaßt. Das vor allem für die Priesterschrift so wesentliche Korpus leviti-
scher Reinheitsvorschriften ist übergangen.[145] Dem korrespondiert, daß
bereits im nächsten Kapitel die doppelte programmatische Aussage "nichts
ist durch sich selbst unrein" und "alles ist rein" (Röm 14, 14. 20) ganz in
der Nähe des revolutionären Ausspruchs Jesu Mk 7, 15[146] steht. Ob Paulus
dieses Wort als Ausspruch des vorösterlichen Jesus gekannt hat, ist umstritten. M. E. sollte man dies zumindest ernsthaft erwägen. Aber wie man sich
hier auch immer entscheidet, wichtig ist lediglich, d a ß Paulus inhaltlich
bei Mk 7, 15 steht und dies "überzeugt in dem Herrn Jesus" (Röm 14, 14)
sagt.[147] Im Blick auf Mk 7, 15 hat Käsemann die bekannte, inzwischen klas-
sisch gewordene Aussage getan: "Aber wer bestreitet, daß die Unreinheit
von außen auf den Menschen eindringt, trifft die Voraussetzungen und den
Wortlaut der Thora und die Autorität des Moses selbst... Er hebt die für
die gesamte Antike grundlegende Unterscheidung zwischen dem Temenos,
dem heiligen Bezirk, und der Profanität auf und kann sich deshalb den Sün-
dern zugesellen."[148] Zu Röm 14, 14 sagt er nun: "Die bleibende dogmatische
Bedeutung von 14a liegt darin, daß nicht nur die Frage reiner und verunrei-
nigender Speisen beantwortet, sondern der für die gesamte Antike grundlegende, bis heute nachwirkende Unterschied zwischen kultischer und profaner
Sphäre für den Christen aufgehoben wird."[149] Käsemann kann also mit nahezu denselben Worten über Paulus und über Jesus sprechen!

Die Frage, die sich dann aufdrängt, ist, wie Paulus so ungebrochen über die
Torah als Ausdruck des Willens Gottes sprechen kann, wie er dabei an keiner Stelle in Röm inhaltlich innerhalb der Torahbestimmungen differenziert,
dann aber plötzlich, freilich ohne den Kontext der Torah, wichtigste ihrer
Bestimmungen und damit zugleich eine Grundtendenz ihres Geistes bestrei-

tet. Die zitierten Sätze Röm 14, 14. 20 sind ja gerade nicht als Kritik von Torahaussagen geäußert! Also: In Röm 13, 8-10 trotz des gegenüber Gal neuen Gedankens vom Zusammenfassen der vielen Gebote in einem einzigen genau wie in Gal, wenn auch unausgesprochen, R e d u k t i o n innerhalb des mosaischen Gesetzes, ohne daß von Abrogation die Rede ist; dann aber in Kap. 14 A b r o g a t i o n der auf kultischer Anschauung beruhenden Gebote des mosaischen Gesetzes, ohne daß der Gedanke der Reduktion expressis verbis genannt wird, also ohne explizite Kritik an Geboten der T o - r a h . Obwohl Reduktion und Abrogation letzten Endes auf denselben Sachverhalt hinauslaufen, nämlich auf die Geltung bloß der "sittlichen" Gebote, hier genauer definiert als jene Gebote, die das Zueinander der Menschen regeln, und die Nichtgeltung der kultischen Gebote, obwohl also Reduktion und Abrogation lediglich die beiden sich ergänzenden Aspekte dieses einen Sachverhalts ausmachen, hat Paulus das Verhältnis von beiden in Röm nicht dargelegt. Beide Gedanken sind nicht in der Weise miteinander verbunden, daß sie in Koordination zueinander das eine Thema Torah behandeln - ganz abgesehen davon, daß das eschatologische Mahnwort Röm 13, 11-14 beide Abschnitte voneinander trennt. Vielmehr dürften die Verse über die E r f ü l - lung des Gesetzes und das Mahnwort als deren eschatologische Begründung den allgemeinen paränetischen Teil 12, 1ff. abschließen[150], um nun daraus die nötigen Konsequenzen für die Situation in der römischen Gemeinde zu ziehen: Trotz der Abrogation der kultischen Bestimmungen müssen diese Beachtung dann finden, wenn der Bruder, der sich an sie gebunden glaubt, an ihrer Nichtbeachtung Anstoß nimmt. Ein solches Verhalten fordert die L i e b e [150a], also jenes Gebot, das die Erfüllung der Torah ausmacht. Aber gerade die Selbstverständlichkeit, mit der Paulus 14, 14. 20 ausspricht - gegenüber denen, die doch das Gesetz kennen (7, 1)! -, läßt annehmen, daß es ihm 13, 8-10 n i c h t um K o n z e n t r a t i o n der gesamten Torah, s o n d e r n in der Tat um R e d u k t i o n ging. Denn die Liebe gerade als Summe des G e s e t z e s fordert ja im konkreten Fall eine Befolgung a u f g e h o b e n e r Gesetzesbestimmungen. Noch kürzer (und paradox!): Um der Erfüllung gerade des Gesetzes willen Verzicht auf vollzogene (!) Abrogation von Gesetzesbestimmungen - freilich nur im Einzelfall, wenn es um des Nächsten willen erforderlich ist. Dann aber kann man schwerlich sagen, Paulus habe bei seinen Erörterungen in Kap. 12 und 13 die Frage nach dem Verhältnis von Reduktion und Abrogation nicht vor Augen gehabt. Wohl aber hat er die Implikationen, die sich u n s als Fragen aufdrängen, nicht ausgesprochen - ein Tatbestand, der bei der Exegese paulinischer Schriften immer wieder auffällt. Als ein Beispiel für viele sei noch einmal an Gal 3, 10 erinnert: Paulus setzt einfach voraus, daß jeder sündigt; er sagt es aber nicht eigens (s. o.).

Hat aber Paulus die Außerkraftsetzung der kultischen Torahbestimmungen in Kap. 14 deutlich ausgesprochen, so geht er - wie Jesus - über den im zeitgenössischen Judentum geäußerten Gedanken der Konzentration der Torah hinaus. Diese Konzentration, wie sie z. B. Mt 22, 34-40 (dort allerdings als D o p p e l gebot der Liebe), also auch im Neuen Testament, zum Ausdruck gebracht wird, ist ja nichts spezifisch Christliches. Trotz des Einspruchs von Neusner gegen die Authentizität des Logions von Hillel, nach dem die negativ formulierte Goldene Regel die g a n z e Torah in nuce ausmacht, alle anderen Gebote aber nur deren Erläuterung seien (Schab 31a), ist m. E. daran festzuhalten, daß bereits vor Jesus dieser Gedanke eindeutig ausgesprochen wurde.[151] Und daß in der Grundschrift der TestPatr das Liebesgebot als zentrales Gebot des Gesetzes gesehen wird, daß also bereits hier jene Konzentration erfolgt ist, dürfte ebenfalls unbestreitbar sein, einerlei, wie man im einzelnen die literarkritischen Ergebnisse von Jürgen Bekker beurteilt.[152] Andererseits findet sich jedoch im damaligen jüdischen Schrifttum nicht der Gedanke, daß die sittlichen Gebote gegen die kultischen ausgespielt werden, wie dies etwa Klaus Berger nachzuweisen versucht.[153]

Typisch ist Ben Sira. Johannes Marböck weist darauf hin, daß gerade in zusammenfassenden Formulierungen das Verhalten zum Nächsten genannt wird (Sir 17, 14; 28, 6), während typisch israelitische Gesetze wie Sabbat-, Speise- und Reinheitsvorschriften wie auch Polemik gegen Götzendienst bei ihm nicht begegnen.[154] Trotzdem sei Ben Siras eigenstes Anliegen der Weiterbestand und die Aufrechterhaltung des sadokitischen Priestertums bzw. der priesterlichen Theokratie.[155] Wer aber die Sache des Priestertums so unübersehbar auf seine Fahne geschrieben hat, wird, so sehr er auch im sittlichen Gebot eine Essentiale des Gesetzes erblickt, niemals bewußt gegen die kultischen Vorschriften vorgehen.

Es wird also bei dem bleiben müssen, was Hengel gegen Berger einwendet: Wir "finden ... weder im vorchristlichen Diasporajudentum noch erst recht in Palästina eine echte, d. h. religiös motivierte, g r u n d s ä t z l i c h e innerjüdische Gesetzeskritik, die etwa das ganze Ritualgebot ablehnte und sich nur auf die sittlichen Gebote konzentrierte."[156] Trifft dies zu, dann haben Jesus und Paulus in der Tat einen n e u e n Gedanken gegenüber ihrer religionsgeschichtlichen jüdischen Umwelt ausgesprochen. Dieses Urteil über Jesus und Paulus bedeutet nicht das Ignorieren jener hellenistischen Bestrebungen, die im vormakkabäischen Jerusalem dem Syrerkönig Antiochus IV. vorgearbeitet haben, indem sie sich gegen Beschneidung, Ritualgesetz usw. gewandt haben.[157] Denn im Gegensatz zu Jesus und Paulus nahmen diese Kreise Gott nicht in seiner fordernden Heiligkeit ernst, ihnen ging es nicht um den Gott Israels. Hingegen wollten Jesus und Paulus keine spöttische Aufklärung treiben.

Könnte man aber in dem paulinischen Urteil Röm 14, 14 "nichts ist durch sich selbst unrein" nicht doch noch eine Abschwächung gegenüber der eindeutigen Aussage Jesu erblicken? Man könnte ja den Ton auf δι' ἑαυτοῦ legen: Wenn etwas unrein ist, dann aber nicht durch sich selbst. Damit wäre nämlich nur jenes Unrein-Sein ausgeschlossen, das diese Qualität in seinem Sein als solchem hat. Diesem Unrein-Sein stände jenes andere entgegen, das in dem bekannten Satz des Rabban Jochanan ben Sakkai artikuliert ist: "Bei eurem Leben, nicht der Tote verunreinigt und nicht das Wasser macht rein. Aber es besteht eine Verordnung des Königs aller Könige; Gott hat gesagt: Eine Satzung habe ich festgesetzt, eine Verordnung habe ich angeordnet; kein Mensch ist berechtigt, meine Verordnung zu übertreten; denn es heißt: Dies ist eine Satzung der Torah, die der Herr gegeben hat." (Pesiqta 40b)[158] Aber die Alternative unrein bzw. rein durch sich selbst - unrein bzw. rein durch Gottes Verordnung ist anachronistisch. Für die priesterliche Gesetzgebung des Alten Testaments ist eine solche Fragestellung unangemessen, weil sie außerhalb jenes Denkens liegt. Und was Paulus angeht, so muß man sehen, daß auch er d i e s e Alternative gar nicht sieht. Schon allein der Sachverhalt, daß v. 20 den Satz "alles ist rein" ohne jene "Einschränkung" von v. 14 bringt, sollte zu denken geben. Paulus geht es in Wirklichkeit um eine ganz andere Alternative: unrein a n s i c h - unrein f ü r j e - m a n d e n. Und in dieser Hinsicht schränkt Paulus in der Tat ein. Otto Michel sagt mit Recht: "Trotz dieser grundsätzlichen Übereinstimmung (sc. mit Mk 7, 15) schränkt der Apostel die Gültigkeit dieser These ein. An und für sich ist keine Speise unrein, wohl aber wird sie es durch den, der sie für unrein hält."[159] Diese Einschränkung will aber nicht die grundsätzliche Außerkraftsetzung kultischer Gesetzgebung rückgängig machen. Worum es Paulus geht, ist sein t h e o l o g i s c h e s D e n k e n v o m j e b e t r o f f e - n e n M e n s c h e n h e r. Er denkt ja nicht von einem "objektiven" Dogma aus. So fügt er bekanntlich in Röm 3, 25 in die übernommene dogmatische Aussage das störende "durch den Glauben" ein - für ihn gerade nicht störend, sondern dringend notwendig. So sind auch die Weltelemente zwar an sich schwache und arme Elemente, sie sind in Wirklichkeit gar keine Götter (Gal 4, 8f.). Aber f ü r d e n, der sich unter die Torah begibt, sind sie dennoch versklavende Mächte. Indem man an sie bzw. an das mit ihnen in Funktionseinheit stehende Gesetz glaubt, w e r d e n sie zur grausamen und furchtbaren Macht. Hier zeigt sich das e x i s t e n t i a l e Denken des Paulus: Seine theologischen Aussagen sind grundsätzlich im Koordinatensystem des "für den Glaubenden/für den Nichtglaubenden" gemacht. So unterschiedlich auch selbst in inhaltlicher Hinsicht die einzelnen Briefe sein mögen - die existentiale Struktur seines theologischen Denkens bleibt erhalten. Um noch einmal auf Jochanan ben Sakkai zurückzukommen: Nachdem einmal durch die christliche Theologie und namentlich durch die des Paulus der Gedanke "unrein durch sich selbst" ausgesprochen worden ist, ist eine rabbinische Reaktion in jenem oben zitierten Wort denkbar. Nun ist jedoch das Alternativeleme "rein durch sich selbst" in eine neue Alternative gestellt, nämlich: "rein/unrein durch sich selbst - rein/unrein durch Verordnung Gottes". Diese Alternative ist als polemische Formel, als polemische Absetzung bestens verstehbar.

3. VERDICHTUNG

Bisher entsprachen sich die einzelnen Unterabschnitte der Abschnitte 1. und 2. Dieser Aufbau der Studie wurde gewählt, um möglichst übersichtlich zu machen, wie die theologische Entwicklung des Paulus von Gal zu Röm vor sich gegangen ist. Im Verlauf der Darstellung wurde Entscheidendes, wurde Wesentliches bereits gesagt. Haben wir aber im Prozeß der Darstellung jenes Stadium erreicht, in dem Wesentliches schon ausgesprochen ist, so heißt das nicht, daß dieses Wesentliche nicht in vertiefender, ver-dichtender Weise expliziert werden könnte. So soll in einem dritten Abschnitt das bisher gewonnene Ergebnis durch noch genaueres Hinhören und durch noch schärferes Lesen in und zwischen den Zeilen fundiert werden. Ich hoffe, daß es dabei gelungen ist, der Gefahr einer Überinterpretation aus dem Wege zu gehen.

3.1. Sich-Rühmen und Ruhmverzicht

Daß Paulus eine theologische Entwicklung durchgemacht hat, läßt sich auch daran ablesen, wie er die Thematik des Sich-Rühmens bzw. des Ruhms in unterschiedlicher Weise in seinen Briefen behandelt. Das ist für unsere Frage insofern von besonderer Bedeutung, als diese Thematik eng mit der des Gesetzes verbunden ist. Käsemann hat zu Recht herausgestellt, daß das Verb "sich rühmen" ein Schlüsselwort paulinischer Theologie ist.[1] Das gilt selbstredend auch für die entsprechenden Substantive.

3.1.1. Sich-Rühmen in Gal

Für Paulus ist Ruhmverzicht ein entscheidendes Charakteristikum christlicher Existenz - genauer: der Verzicht des Sich-Rühmens der eigenen Werke vor Gott. Diese ins Zentrum der paulinischen Theolgie hineinreichende Aussage gilt unbestreitbar für Röm. Trifft sie aber auch für Gal zu?

Zunächst fällt auf, daß in Gal das Verb $\varkappa\alpha\upsilon\chi\acute{\alpha}o\mu\alpha\iota$ nur zweimal (6,13.14) und das Substantiv $\varkappa\alpha\acute{\upsilon}\chi\eta\mu\alpha$ (= Ruhm, Gegenstand des Sich-Rühmens bzw. berechtigte Voraussetzung für ein Sich-Rühmen) nur einmal (6,4) vorkommen. Im gesamten ersten polemischen Teil des Briefes, in dem das mosaische Gesetz als Bereich der Unfreiheit deklariert wird, findet sich das Ruhmmotiv nicht. Nur im letzten Kapitel läßt Paulus es anklingen. Dann aber sieht es nicht danach aus, als hätten die Nachrichten, die Paulus aus den galati-

schen Gemeinden erreichten, davon gesprochen, daß die die Beschneidung
fordernden Gegner des Apostels oder gar die Gemeinden selbst sich der vollbrachten Gesetzeswerke oder auch nur das Besitzes des Gesetzes gerühmt
hätten.[2] Wie führt nun Paulus die Ruhm-Thematik in Gal ein?

Versuchen wir zunächst, den entscheidenden Vers Gal 6,4 aus seinem näheren Zusammenhang zu verstehen. Wir befinden uns im paränetischen
Teil des Briefes. Paulus spricht hier die Galater als solche an, die im
Geiste leben und also im Geiste wandeln sollen (5,25). In diesen galatischen
Gemeinden von Christen, die "vom Geiste getrieben" werden (5,18), gibt
es aber auch solche, die in einer Sündentat ($\H{\epsilon}\nu$ $\tau\iota\nu\iota$ $\pi\alpha\rho\alpha\pi\tau\acute{\omega}\mu\alpha\tau\iota$) an-
getroffen werden (6,1). Denen sollen die geistlichen Galater ($\acute{\upsilon}\mu\epsilon\tilde{\iota}\varsigma$ $o\acute{\iota}$
$\pi\nu\epsilon\upsilon\mu\alpha\tau\iota\kappa o\acute{\iota}$[3]) wieder auf den rechten Weg verhelfen, wobei der einzelne scharf aufpassen soll, daß nicht auch er in Versuchung falle (6,1).[4] Die
kritische Sicht auf sich selbst hat also den Zweck, nicht in ähnliche Schuld
zu geraten. Es sei eigens hervorgehoben, daß es bei dieser selbstkritischen
Sicht nicht darum geht, die eigene Sünde zu erkennen. So sehr es auch in
der Absicht des Paulus liegt, die Versuchlichkeit der Christen warnend vor
Augen zu stellen[5], so wenig will er also die "Pneumatiker" begangener Sündentaten beschuldigen. Die Ermahnung geht weiter mit den bekannten Worten, einer solle des anderen Lasten tragen, "so erfüllt ihr das Gesetz des
Christus" (6,2). Vorausgesetzt ist, daß j e d e r zu seinem Teil Lasten zu
tragen hat. Diese werden fast einmütig von den Kommentatoren als Sünde
interpretiert.[6] Mussner präzisiert sogar: "nicht irgendwelche, sondern
die Sünden, in die man geraten ist."[7] Er verweist dabei auf Andrea van
Dülmen, nach der sich die Deutung der Lasten vor allem aus dem vorhergehenden Vers ergibt, wo von der Sünde eines[8] Gemeindeglieds die Rede
ist. "Die Last liegt also in der Schwachheit, Versuchbarkeit, der ständi-
gen Gefahr und immer neuen Sünde des Menschen."[9] Nun sagt aber diese
Autorin nicht genau das gleiche wie Mussner. Denn er interpretiert Lasten
nur als eine bestimmte Art von Sünden. Van Dülmen dagegen nennt in einem Atemzug Versuchbarkeit und Sünde, also Disposition zur Sünde und Sünde selbst. (Wenn sie zugleich auch von Schwachheit spricht, so meint sie damit wohl auch die Disposition zur Sünde.)

Daß Paulus den Christen insofern zur Sünde disponiert sieht, als ja gerade
er Schauplatz des Kampfes von "Geist" und "Fleisch"[10] gegeneinander ist
(5,17), kann nicht bestritten werden und wird auch im allgemeinen nicht bestritten. Dieser Sachverhalt genügt aber allein schon, um von Lasten zu
sprechen. Wird nun in 6,1 der pneumatische Christ davor gewarnt, seiner
Versuchbarkeit nachzugeben, so ist er ja gerade als solcher angesprochen,
der Sünde n o c h   n i c h t getan hat. Dann aber ist es kaum wahrscheinlich,
daß schon im nächsten Vers Paulus j e d e m Christen Sündetaten unterstellt.[11] Vielmehr legt sich nahe anzunehmen, daß er hier sagen wollte:
Tragt euch gegenseitig als solche, die nur allzu leicht wegen ihrer Versuchbarkeit in Sünde geraten können; tragt euch aber selbst dann gegenseitig,
w e n n   ihr der Versuchung nachgegeben habt! Insofern kommt m.E. van

Dülmen der Intention des Paulus näher, wenn sie die Schwachheit, die Versuchbarkeit und die ständige Gefahr n e b e n der immer neuen Sünde nennt. Nur geht sie eben immer noch zu weit, wenn sie für jeden Christen neben der Disposition zur Sünde auch immer wieder neue Sündentaten grundsätzlich annimmt.

6, 3 fährt begründend fort: "Wenn nämlich jemand glaubt, etwas zu sein, obwohl er nichts ist, so betrügt er sich selbst." Schlier versteht diesen Satz so, ob j e d e r nichts wäre. "Niemand ist in Wahrheit etwas ... Und wenn er meint, etwas zu sein, obwohl er doch nichts ist, so täuscht er sich."[12] Anders Lipsius: Die Mahnung von v. 2 wird "durch den Hinweis darauf begründet, dass diejenigen, welche sich ohne Grund besser als andere und darum zum Richten berechtigt dünken, sich selbst in ihrem Urtheile täuschen ... Gemeint sind wieder solche, die, während sie das Gesetz Christi unerfüllt lassen, sich ihrer jüdischen Gesetzesgerechtigkeit rühmen. Diese dünken sich etwas (nämlich in sittlicher Hinsicht) zu sein, obwol sie doch nichts sind ..."[13] Nun ist zwar das Motiv, sich der Gerechtigkeit des mosaischen Gesetzes zu rühmen, gerade nicht hier ausgesprochen[14]. Aber auf jeden Fall ist richtig gesehen, daß in v. 3 n i c h t a l le g a l a t i s c h e n C h r i s t e n angesprochen sind. Paulus macht doch nur auf die mögliche Gefahr der Selbsttäuschung aufmerksam. Wollte man aber den Vers in inklusiver Weise so verstehen, als ob sich j e d e r Glaubende als v ö l l i g e s N i c h t s zu betrachten habe, so wird der Skopus von v. 4 sinnlos: der Gegensatz von Ruhm im Blick auf sich selbst und Ruhm im Blick auf andere. Das Argumentationsgefälle geht doch dahin, daß unbestreitbarer Ruhm n u r im Blick auf sich selbst bestehen kann, daß also hier nicht verglichen werden darf.[15] Daß der Blick auf andere zum Verlust des Ruhms führt ist doch nur dann eine sinnvolle Aussage, wenn bei Unterlassung des Blicks auf andere die Möglichkeit echten Ruhms besteht! D i e s e r echte Ruhm wird aber von Paulus zugestanden. In der Literatur wird diesem Sachverhalt weithin Rechnung getragen; die Erklärung dafür geschieht aber äußerst unterschiedlich. Da wir hier an einem entscheidenden Punkte unserer Überlegungen angelangt sind, soll die Literatur etwas breiter als üblich herangezogen werden, zumal ein Vergleich verschiedener Meinungen gerade hier äußerst aufschlußreich ist.

Nach Holsten geht Paulus davon aus, daß jeder aufgrund der Prüfung seines wirklichen Seins einen ihm zukommenden Ruhm habe, "ein etwas, dessen er sich als ausdruck seines wirklichen wertes rümen könne und dürfe". Diesen Ruhm hat er aber deshalb nur für sich allein, weil er bei der Prüfung finden wird, daß er seine ihm eigene, dem andern fehlende Schwäche hat. Folglich wird es mit dem Ruhm in bezug auf den andern sein Ende haben.[16] Also: Weil man eben andere spezifische Schwächen als der Mitchrist hat, soll man sich seiner - unbestreitbar vorhandenen! - Stärken, die dem andern fehlen, nicht rühmen. Stärken und Schwächen sind aber jeweils unterschiedlich verteilt. Dem entspricht, wenn Sieffert - der energisch hervorhebt, daß die Wendung "Ruhm haben" in v. 4 keinesfalls ironisch oder als Mimesis zu fassen ist[17] - meint, daß es nicht um den absoluten Ruhm gehe, welchen nach Röm 3,23(!)[18] keiner habe, sondern um den Ruhm (materies gloriandi) für die e i n z e l n e n F ä l l e , der Ergebnis der Prüfung ist.[19] Allerdings liegt insofern bei Sieffert eine gewisse Unstimmigkeit vor, als er die Wendung "sein eigenes Werk" v.4a als Gesamtheit der Handlungen faßt.[20] Wie kann er dann den Grund für ein berechtigtes Sich-Rühmen im jeweils nur einzelnen Fall gelegen sehen? Es zeigt sich somit bereits jetzt, daß sehr viel davon abhängt, wie "sein eigenes Werk" zu verstehen ist: Geht es dabei um das jeweils im konkreten Fall zur Debatte stehende Handeln oder den Menschen als ganzen, also um die Grundausrichtung seines Seins, insofern sie im Tun ihren Ausdruck findet? Die Kommentare stellen gerade an diesem Punkte eher Behauptungen auf als daß sie begründen.

Auch Oepke spricht, was den Anspruch auf Ruhm angeht, von einer "auffallende(n) positive(n) Wendung" in v.4. "Direkt ironisch ist sie nicht gemeint. Aber ein ernüchterndes 'gegebenenfalls' wird man zwischen den Zeilen lesen dürfen."[21] Danach windet sich Paulus in der Gedankenführung: Zwar Zugeständnis des Ruhms, aber doch nicht so recht eigentlich - zumal Paulus hier auch Rücksicht auf das allgemein menschliche Geltungsbedürfnis nehme. Letztlich geht es Oepke um den "Grundsatz der Selbstverantwortlichkeit". "Ein jeder soll an s e i n Lebenswerk u n m i t t e l b a r ... den h ö c h s t e n Maßstab anlegen."[22] Wichtig ist, daß hier "sein eigenes Werk" als Lebenswerk verstanden wird. Es steht aber, wie sich zeigt, in eigentümlichem Zwielicht. Oepke sagt nicht, daß es nichts ist, der Betreffende hat ja irgendwie Anspruch auf Ruhm - aber eben nur: irgendwie!

Diese Lösung kann so nicht befriedigen. Aber die entscheidenden Fragen, die den Zugang zum Verständnis dieser Verse eröffnen, haben sich inzwischen deutlich herausgestellt:

1. Gibt es nach Gal 6 echten Anspruch auf Ruhm? (Diese Frage ist inzwischen positiv beantwortet.)
2. Welcher Art ist dieser Ruhm?
3. Gründet dieser Ruhm in einzelnen Taten oder im gesamten Lebenswerk?

Auch Schlier gesteht echten Ruhm zu, und zwar für "das gesamte Wirken des Menschen im jeweiligen Fall".[23] Dafür, daß die kritische Gewissensprüfung den Ruhm nur im Blick auf sich selbst, nicht aber im Blick auf andere hat, vermutet er als "verborgene Begründung": Der Blick auf den anderen schließt das Vergleichen und das Vergleichen schließt die meßbare eigene Leistung ein.[24] Dürfen wir so umschreiben: Der vom Christen geforderten Qualität des Handelns ist der quantitative Maßstab unangemessen? Dieser Gedanke hätte freilich in Gal seine inhaltlichen Entsprechung.[25] Aber ist er an dieser Stelle wirklich gemeint? Wichtiger ist wohl für Schlier die seiner Meinung nach diesen Versen zugrunde liegende Auffassung des Paulus, nach der der Ruhm, den der Glaubende wegen seines Werkes tatsächlich hat, letztlich auf G o t t e s Werk und der Gnade Christi beruht. Der von Paulus

geforderte prüfende Blick auf sich selbst läßt diese Gnade erkennen, die
für Tun und Leben gewährt wird.[26] Aber gerade dieser Gedanke läßt sich
aus 6, 1ff. nicht erheben. Er ist von Schlier in den Text eingetragen worden. Schlier wird zwar dem Sachverhalt gerecht, daß nach 6, 4 ein echter
Anspruch auf Ruhm besteht. Da ihm aber dies theologisch irgendwie un-
heimlich zu sein scheint, hilft er sich mit dem Ausweg der Gnade. Er liest
also den Text unter einem textfremden dogmatischen Vor-Urteil. Auf diese
Weise bekommt er auch das Verhältnis von v. 3 zu v. 4 nicht in den Griff. Indem er ähnlich die Aussage von v 3, in dem derjenige, der nichts ist, aufge-
fordert wird, sich nicht selbst zu betrügen, auf j e d e n [27] ausweitet, bezieht er sich faktisch auf den Menschen außerhalb der Gnade Christi. Das
wird auch daran deutlich, daß er das Konzil von Orange zitiert: "Nemo d e
s u o (!) habet nisi mendacium et peccatum.[28]" In v. 4 geht es aber nach
Schlier um den Ruhm, den der C h r i s t i aufgrund der Gnade Christi besitzt. Ein solcher Übergang aber vom Sein außerhalb der Gnade in v. 3 zum
Sein in der Gnade in v. 4 ist vom Text her nicht gerechtfertigte Konstruktion. Auch v. 3 wendet sich an Christen, die sich als "pneumatikoi" verstehen und verstehen sollen. Die Exegese Schliers vermag also nicht zu überzeugen. Ihr Wahrheitsmoment liegt freilich darin, daß das "Werk" des Christen "Frucht des Geistes" (5, 22) ist, also nicht als "de suo" gesehen werden kann. Aber das schließt nach Paulus die Verantwortlichkeit des Christen
gerade nicht aus. Nach 5, 25 fordert er diejenigen, die kraft des pneuma leben, auf, auch in eigener Verantwortlichkeit im pneuma zu wandeln.

Schauen wir nun auf den jüngsten Gal-Kommentar, den von Mussner: Bei
der Prüfung "des eigenen Werkes" kommt ein Doppeltes an den Tag: Entweder ist dieses "Werk" - Mussner versteht darunter das gesamte Wirken
des Menschen[29] - böse und Sünde oder durch die Gnade des Herrn gut.[30]
Die Anlehnung an Schlier ist deutlich. Allerdings unterscheidet sich Mussner in auffälliger Weise von allen bisher referierten Exegeten. Er betrachtet den Abschnitt Gal 5, 26-6, 5 als einen zusammenhängenden Komplex, der
mit Recht überschrieben werden könne: Warnung vor dem Streben nach eit-
lem Ruhm, κενοδοξία.[31] Es ist eben dieser Zusammenhang, in dem die
Warnung von v. 4 steht: Jeder prüfe sein eigenes Werk! Dessen strenge Prüfung kann dann ergeben, "daß es gut ist und vor Gott bestehen kann". Dann "mag
das ein Anlaß für den Prüfenden zur 'Rühmung mit Blick auf sich allein'...
sein."[32] Das ist deutlich, ja eindeutig formuliert. Nur fragt es sich dann,
ob die weitere Argumentation Mussners schlüssig ist. Er läßt zunächst für
das Futur "er wird Ruhm haben" zwei Interpretationsmöglichkeiten offen:

1. Es ist logisches Futur. Dann kommt hier nicht, wie manche Ausleger
meinen, bittere Ironie des Apostels zum Ausdruck, sondern viel eher tiefe Resignation: "Leider zeigt eine ehrliche Selbstprüfung, daß 'das eigene
Werk' m e i s t mit Sünde behaftet ist, so daß jegliches Sich-rühmen nur
κενοδοξία ist."[33] Es ist aber zu fragen, inwiefern die Argumentation,
nach der eben n i c h t g r u n d s ä t z l i c h j e d e s eigene Werk mit Sünde

behaftet ist ("meist"!), die Wendung "Sich-Rühmen mit Blick auf sich selbst" als Ausdruck tiefer Resignation qualifiziert. Auf jeden Fall impliziert doch diese Auslegung, auch wenn Mussner es nicht ausdrücklich sagt, daß Paulus mit Christen, und seien es auch nur sehr wenige, rechnet, deren Werk in der Tat vor einer strengen Prüfung besteht - wie dies auch zu Beginn der Auslegung von v. 4 gesagt ist!

2. Für wahrscheinlicher hält Mussner aber, daß es sich um ein eschatologisches Futur handle: Wenn das eigene Werk vor dem kritischen Blick des Gewissens besteht, dann wird der Betreffende "vor dem kommenden Gericht Gottes[34] einen Gegenstand seines Rühmens haben". Dann aber müsse die Aussage ironisch verstanden werden. Die Begründung, die Mussner gibt, lautet: "Eine ehrliche Selbstprüfung ergibt, daß kein Gegenstand des Sichrühmens für das kommende Gericht bleibt!"[35] Dabei beruft er sich auf Bultmann: "Durch den Glauben ist j e d e r Selbstruhm preisgegeben; aber auch für den im Glauben Stehenden kann sich nicht eine neue Möglichkeit des Selbstruhms eröffnen..."[36] Was aber soll h i e r die Berufung auf Bultmann? In dem zitierten Abschnitt des ThWNT hat dieser sich bezeichnenderweise nicht auf Gal 6, 4 berufen.[37] Ihm geht es dort auch gar nicht um das spezifische Aussagegefälle in Gal 6, 1ff., sondern um eine globale Darstellung der christlichen Grundhaltung zum Ruhm aus der Perspektive des Paulus. Aber die h i e r zu verhandelnde Frage ist ja gerade, ob Gal 6, 4 bereits im Horizont der in Röm gemachten Aussagen über das Sich-Rühmen gedacht ist! Doch einmal abgesehen davon, daß Gal 6, 4 durch Mussner von Röm her ausgelegt ist: Wenn dieser erklärt, daß gemäß dem anzunehmenden eschatologischen Futur "er wird haben" k e i n Gegenstand des Sich-Rühmens für das Gericht bleibt, so legt sich notwendig die Frage nahe, wie er zuvor[38] einzuräumen vermochte, daß "eine strenge Prüfung" vor dem Gewissen das eigene Werk als gut erweisen kann, dann aber[39] "eine ehrliche Selbstprüfung" das Gegenteil ergibt. Was ist der Unterschied zwischen strenger und ehrlicher Selbstprüfung?

Fraglich ist auch, ob 6, 5 bedeutet: Selbstruhm ist vor Gott ausgeschlossen, weil jeder die Last der eigenen Sünde (φορτίον) zu tragen hat.[40] Hätte Mussner jedoch damit Recht und würde auch des weiteren das Futur in diesem Vers auf das eschatologische Gericht hinweisen, so wäre unser Verständnis von 6, 3f. in der Tat fraglich. Würde dann nicht der "Ruhm" von v. 4 in einer derartigen Weise relativiert, daß Mussners kategorische Feststellung "Selbstruhm ist vor Gott ausgeschlossen" nun doch als Resumee der paulinischen Argumentation 5, 26-6, 5 an Wahrscheinlichkeit gewönne? Immerhin ist v. 5 Begründung des zuvor Gesagten (γάρ!). Und gerade in v. 5 heißt es: "Denn j e d e r wird seine eigene Last tragen."

Nun ist es allerdings nicht ausgemacht, daß φορτίον Last im Sinne von Sündenlast bedeutet. Schon bei der Exegese von v. 2 stellte sich heraus, daß die Lasten (βάρη), die man einander tragen soll, nicht grundsätzlich die Sündentaten meinen müssen. Dann ist es aber auch hier nicht zwingend, zu schließen, daß φορτίον Sündenlast bedeutet. So interpretiert Schlier die-

sen Begriff als das "Werk" (ἔργον), für das der einzelne verantwortlich ist.[41] Ähnlich urteilt Konrad Weiss, der 2 Kor 10, 12ff. und 1 Kor
3, 10-15; 4, 5 zur Auslegung von Gal 6, 5 heranzieht: "φορτίον ist dann
die Leistung, das Werk, das jeder zur Beurteilung ins Gericht
mitbringen wird."[42] Dann kann das "Werk" durch Sünde entstellt sein,
muß es aber nicht.

Diese Exegese bestätigt sich, wenn man fragt, was denn nun der v. 5 begründen soll. Was ist, anders gefragt, das tertium comparationis zwischen
v. 4 und v. 5? In v. 4 wird der Leser auf sein eigenes Werk angesprochen;
dieses allein ist Kriterium dafür, ob ihm Ruhm zukommt. Nicht durch Vergleich mit anderen ist dies festzustellen, sondern nur - so dürfen wir wohl
interpretieren - durch Vergleich des je eigenen "Werks" mit der Forderung, die an den Christen ergeht (5, 14). In v. 5 geschieht dann die Begründung für die kritische Hinwendung auf sich selbst: Prüfe dich selbst mit
kritischem Maßstab; denn dein Werk allein ist's, wodurch du im Gericht bestehen wirst - oder eben nicht! Sei kritisch gegenüber deinem Werk,
damit du nicht die Krisis Gottes verfehlst! Wahrscheinlich hat Paulus anstelle des Begriffs "Werk" in v. 5 den der "Last" gewählt, weil er - in der
für ihn typischen verkürzten Redeweise - zum Ausdruck bringen konnte:
Denn du hast vielleicht dein Werk als Last vor Gott zu bringen. Immerhin
ist ja der, dessen Christsein nicht ohne Sündentaten abging, nicht unbedingt
verloren; fordert doch Paulus die Galater auf, einen solchen "zurechtzu-
bringen" (6, 1: καταρτίζετε). Dann aber dürfte das tertium comparationis der beiden Verse Gal 6, 4 und 6, 5, um mit Oepke zu sprechen, die
Selbstverantwortlichkeit sein[43], aus der niemand entlassen wird. Insofern
besteht auch kein Widerspruch zwischen v. 2 und v. 5: v. 2 bezieht sich auf
das tägliche Miteinander, v. 5 auf das eschatologische Gericht.[44]

Ist aber in dem eben dargelegten Sinne vom "eigenen Werk" die Rede, so
dürfte es sich wohl nahelegen, dieses mit Oepke, Schlier (?), van Dülmen
und Mussner als das gesamte Lebenswerk zu verstehen und nicht, wie Holsten, Lipsius und Sieffert vorschlagen, als Resultat des Verhaltens im einzelnen Fall. Bedenkt man des weiteren, daß Paulus die sittlichen Verpflich-
tungen des Christen in dem einen Wort der Nächstenliebe ausgesprochen
sieht, das für diesen "das ganze Gesetz" ausmacht (5, 14), bedenkt man also, daß dieses Gesetzesverständnis den Blick auf den Menschen als ganzen impliziert, so verstärkt sich die Vermutung, daß der Begriff "Werk"
tatsächlich die Grundhaltung, die Grundausrichtung des Seins des Christen
meint, die sich in seinem Tun als ganzem ausdrückt. Die Gegenüberstellung von den vielen Werken des mosaischen Gesetzes und dem einen Werk
des Christen würde sich bestens in das Denkgefälle des Gal, wie wir ihn
verstanden haben, einfügen.

In der Darstellung der einzelnen Exegese von Gal 6, 1-5 bzw. 5, 26-6, 5 und
der Auseinandersetzung mit ihnen ist also Wesentliches im Verständnis dieses Abschnitts deutlich geworden. Es zeigte sich, daß Paulus einen echten

Anspruch des Christen auf Ruhm aufgrund eines gerichtsrelevanten Lebenswerkes kennt. Freilich bringt er diesen Gedanken nicht als intendierte Spit-
zenaussage, sondern l e d i g l i c h im Zuge der Darlegungen, wie sich Christen zueinander zu verhalten haben. Im Rahmen dieses Argumentationsduk-
tus bringt er allerdings eindeutig zum Ausdruck, daß er zwar nicht für ab-
solvierte Gesetzeswerke, wohl aber für ein als "Werk" verstandenes Chri-
stenleben einen Anspruch auf Ruhm vor dem endgültigen Gerichte Gottes
annimmt. Nicht für Paulus, der ja hier nur einen Randgedanken bringt, wohl
aber für uns, die wir fragen, ob nicht eben auch eine en passant gemachte
Äußerung für uns Wichtiges verrät, ist demnach Gal 6, 5 von eminenter Wichtigkeit. Wiederum in der für den Apostel charakteristischen sprachlichen
Überfrachtung wird in e i n e m Satz eine doppelte Aussagespitze artikuliert:

1. E r s t d a n n, wenn einer sein Lebenswerk genau prüft und anläßlich dieser wirklich kritischen Beurteilung zu einem positiven Ergebnis kommt[45],
hat er Anspruch auf Ruhm für das eschatologische Gericht (Ton auf τότε).

2. Selbst bei einem positiven Ergebnis anläßlich einer möglichst strengen
Prüfung des eigenen Lebenswerkes gilt der Anspruch auf Ruhm n u r im
Blick auf sich selbst (Ton auf μόνον).

+

Nun wird jedoch in Gal die Ruhm-Thematik in dem eigenhändigen Abschluß
des Briefes noch einmal, und zwar in antithetischer Weise aufgegriffen.
Die judenchristlichen Agitatoren fordern die Beschneidung von den heidenchristlichen Galatern[46], um sich mit deren "Fleisch" (ἐν τῇ ὑμετέρα
σαρκί) zu rühmen (6, 13). Ob dies historisch zutrifft, ist für die Ruhmpro-
blematik in Gal von geringer Relevanz, so daß wir diese Frage ausklammern können. Wir können auch übergehen, ob die Agitatoren, wie 6, 12
sagt, ihrerseits unter Druck standen[47] oder ob Paulus ihnen dies - weil
er in seinem Horizont gemäß seinen Erfahrungen und gemäß seinem Asso-
ziationsmechanismus sich die Dinge eben so vorstellte - nur "unterstellte"[48]. Wichtig für uns ist aber, daß Paulus als ehemaliger Pharisäer, mit
den Fragen der Judenmission wohl vertraut und vielleicht sogar selber vor
seiner Berufung Judenmissionar (5, 11), das erfolgreiche Bemühen um die
Beschneidung anderer als eine aus jüdischer Perspektive legitime Berechtigung zum Sich-Rühmen verstehen kann. Er muß ein derartiges Bemühen
geradezu als den Erwerb eines Ruhmestitels verstehen, kraft dessen man
vor jüdischer Verfolgung sicher war. Denn nun konnte man den Juden gegenüber geschickt argumentieren: Ihr dürft uns nicht verfolgen, denn wir
haben Israel größer gemacht, wir haben nämlich für Israel Proselyten gewonnen - daß diese nun auch noch an Jesus von Nazareth als den Messias
glauben, braucht euch unter d i e s e n Umständen nicht mehr zu beunruhi-
gen. Paulus will also vor den Augen der betroffenen Galater die e i g e n t -
l i c h e Intention der Störenfriede aufdecken: Die euch zur Beschneidung
zwingen wollen sind keine Prediger, sondern üble Agitatoren; denn die von

ihnen genannte Absicht, euer Heil zu sichern, ist nur Vorwand. In Wirklichkeit wollen sie sich in jüdischen Augen durch Proselytenmacherei, sprich: Beschneidungsforderung, Ruhm verschaffen, um so ihrer eigenen Verfolgung zu entgehen (6, 12). Ihre Beschneidungsforderung hat also nur Alibifunktion. Ihnen liegt in Wahrheit gar nichts an euch, den galatischen Christen. Ihr seid nur Mittel zum Zweck. Die Agitatoren sagen: "Wir wollen euer Heil vor Gott" - sie meinen: "Wir wollen unser Heil vor den Menschen." (Am Rande gefragt: Will die Wendung "sie halten das Gesetz nicht" (v. 13a) neben seinem präzisen Sinn der tatsächlichen Nichterfüllung des vom Gesetz Gebotenen (3, 10!) vielleicht sogar noch besagen: Ihnen liegt in Wirklichkeit nichts am Gesetz? Das wäre möglich, wenn Paulus in ihnen solche Judenchristen sieht, denen er unterstellt, sie hätten einst auf der Synode in Jerusalem seiner Theologie von der Heilsunfähigkeit des Gesetzes zugestimmt[49]. Doch kann dies nicht mit Sicherheit gesagt werden. Auf jeden Fall aber: Paulus will die wahren Interessen dieser Leute offenkundig machen.)

Gehen wir aber mit dieser Interpretation nicht zu weit? Will Paulus wirklich die Predigt seiner Gegner als den Gipfel der Heuchelei diffamieren? Immerhin spricht dafür zunächst 6, 12: "Sie zwingen euch zur Beschneidung, nur ($\mu\acute{o}\nu o\nu$) damit sie nicht aufgrund ihrer Predigt vom Kreuz Jesu Christi[50] verfolgt werden."[51] Paulus behauptet also, daß es diesen Leuten einzig und allein um diesen niedrigen Beweggrund geht. Freilich kann man sich zunächst fragen, ob die exklusive Formulierung nicht eine rhetorische Übertreibung ist. Vor allem aber gibt zu denken, daß Paulus, wenn er wirklich als die entscheidende Absicht der die Beschneidung fordernden Agitatoren deren eigenes Ungeschorenbleiben behaupten wollte, mit seiner Polemik in 6, 11ff. in eine völlig andere Richtung zielte als im Gesamttenor des Gal! Dort geht es ja darum, daß den Galatern klargemacht werden soll, daß sich die Anhänger der Gesetzesreligion über sich selbst täuschen. Paulus treibt hier, wie wir gesehen haben, ein Stück "Ideologiekritik", in der er unbewußte, vor sich selbst verdeckte Interessen offenlegt. Er "entlarvt" die Intentionen, die den Gesetzesfrommen in seinem Handeln und Urteilen bestimmen, ohne daß dieser sie und somit sich selbst durchschaut. Im Zusatz des Briefes 6, 11ff. hingegen geht es nicht um das Geschäft der "Ideologiekritik"; denn die hier Angegriffenen wissen ja nur zu genau, was sie tun. Man braucht nicht ihnen die Augen über sich selbst zu öffnen; nein, die anderen, in unserem Falle die Galater, sind es, die erkennen müssen, welch unredlichen Egoisten sie auf den Leim kriechen. Somit geht es in dem letzten Abschnitt des Gal nicht mehr um den Aufweis des wahren Charakters der Gesetzesreligion, sondern um die Demaskierung solcher, die die Gesetzesreligion zu ihrem persönlichen Vorteil mißbrauchen.

Dann aber ist es in der Tat fraglich, ob die Absicht des Paulus in 6, 11ff. wirklich darin bestand, die Prediger der Beschneidung als bloß opportunistische Vertreter der Gesetzesreligion zu entlarven, denen im Grunde am

Gesetz selbst nichts liegt. Fast gerät ja unter der Hand die Offenlegung eines solchen Mißbrauchs des Gesetzes zu dessen Apologie! Es wäre aber dann zu fragen, ob nicht Paulus durch die Überzeichnung seiner Gegner[52] in der Hitze des Gefechts zu weit gegangen ist, so weit nämlich, daß ihm dabei entging, wie er durch Überpolemik seiner eigentlichen, der theologischen Polemik schadet, wie er durch persönliche Diffamierung seiner theologischen Intention selbst die Spitze abbricht. Kurz, wie ihm in der Emotion die Klarheit der Argumentation entgleitet. Zu fragen wäre jedoch, ob sich nicht hinter der unausgeglichenen Argumentation des Paulus die Überzeugung verbirgt, nach der es an der Gesetzesreligion als solcher liegt, daß ihre Vertreter unmerklich in ein Verhalten abrutschen, in dem sie das Gesetz auch anderen gegenüber in egoistischer Weise, und zwar diesmal bewußt, mißbrauchen? Dies wäre dann um so eher anzunehmen, wenn die Prediger der Beschneidung nicht, wie Lietzmann annahm, Heidenchristen waren, sondern Judenchristen, deren letzte Motive - auch nach Paulus! - in ihrem Verwurzeltsein in der Torah zu suchen sind. Das Handeln dieser Leute wäre dann von einer eigentümlichen Mischung bewußter und unbewußter Intentionen her bestimmt.

Haben wir mit der zuletzt dargelegten Auffassung recht, so versteht Paulus das Sich-Rühmen seiner Gegner nicht nur als taktisches Verhalten den Juden gegenüber. Dann sind vielmehr taktisches Verhalten und selbstbewußtes Sich-Rühmen eng miteinander verflochten. Dann stellt auch Paulus in v. 14 dem einem Christen angemessenen Sich-Rühmen "im Kreuze unseres Herrn Jesus Christus" nicht nur ein taktisches Sich-Rühmen jüdischer Denkart entgegen. Paulus will dann sagen - andernfalls würde das Verhältnis von v. 14 zu v. 13 unverständlich -: Man soll sich nicht dessen rühmen, was man für das Gesetz getan hat; denn das ist als bloß äußerlich Erreichtes nur "Fleisch". Man soll sich - und darin liegt die Paradoxie - des Kreuzes rühmen, "sich" also dessen rühmen, was gerade nicht Produkt eigenen Schaffens ist. Mussner sagt dies sehr schön: "Die Gegner rühmen sich einer Sache ihres Erfolgs, der Apostel dagegen rühmt sich paradoxerweise einer Sache, die völlig unabhängig von ihm in die Welt gekommen ist ..."[53] Die Juden rühmen sich des Heils der eigenen Aktivität, die Christen rühmen sich des Heils der göttlichen Aktivität. Durch das Kreuz, also durch Gottes Erlösungshandeln[54], ist dem Paulus die Welt gekreuzigt und er der Welt. Die Welt ist aber gerade symbolisiert durch das Gesetz. So ist dem Paulus das Gesetz gekreuzigt und er dem Gesetz. Er ist tot für das Gesetz. Er ist nun "eine neue Schöpfung" (6, 15), als die er also, tot für das Gesetz, für Gott lebt (2, 19).[55]

Vermag 6, 12-14 Licht auf 6, 1-5 (bzw. 5, 26-6, 5) zu werfen? Dort zeigte sich ja die Möglichkeit eines echten Ruhmanspruchs aufgrund des je eigenen "Werks". Dieser Ruhm - so ergab unsere Exegese - ist nicht grundsätzlich durch eigenes Versagen relativiert, doch kann dies im einzelnen Fall so sein. Die Relativierung des Ruhms, auf die in diesem Abschnitt abgezweckt wird, besteht nur im Verbot des Vergleichs mit anderen: der

Ruhm des eigenen Werks ist hinfällig, sobald er diesen anderen gegenüber ausgespielt wird. Dagegen wird in 6, 12-14 vom Ruhm nur in der paradoxen Weise des Sich-Rühmens aufgrund dessen, was gerade nicht eigenes Werk ist, gesprochen. Wird aber dadurch nicht das zuvor eingeräumte Zugeständnis eines Ruhms aufgrund des je eigenen Werks letzten Endes paralysiert, etwa in dem Sinne: solange man noch aus der kleinkarierten Perspektive des je eigenen Werkes urteilt, mag man halt einen "echten" Ruhmestitel konzedieren? Sobald man aber, wie es für Christen eigentlich selbstverständlich sein sollte, aus der Perspektive des Erlösungshandeln Gottes in Christus urteilt, wird die Behauptung des je eigenen Ruhms zur Farce und zum lächerlichen Schauspiel?

Aber gerade so darf man die beiden Stellen aus Gal 6 nicht miteinander vergleichen. Denn bei einem solchen Verfahren wird unter der Hand beiden Aussagen eine gemeinsame Blick-Richtung unterschoben. Diese besteht aber nicht. 6, 1-6 wird ein falsches Sich-Rühmen im Blick auf das Tun anderer, im überheblichen Blick also, aufgedeckt, 6, 12-14 jedoch wird einem falschen Sich-Rühmen des "Erfolgs" in der alten und illusionären "Heils"-Ordnung das echte Sich-Rühmen aufgrund des wirklichen Heilshandelns, das allein Gottes Sache ist, gegenübergestellt. Das tertium comparationis beider Fragestellungen ist also lediglich der Ruhm als solcher, wobei unbedingt zu beachten ist, daß es 6, 4 um den vor Gott[56] geltenden Ruhm geht, der gerade nicht anderen gegenüber ausgespielt werden darf, während es sich 6, 13f. um den Akt des Sich-Rühmens vor anderen handelt, insofern der Grund das Erlöst-Sein entweder in eigener Aktivität oder im Handeln Gottes ist.

Überblicken wir auf diese Weise all das, was in Gal über die Ruhm-Thematik zum Ausdruck gebracht worden ist, so zeigt sich, daß die spätere Aussage des Apostels, wonach der Ruhmverzicht vor Gott wesenhaft zum Selbstverständnis des an Christus Glaubenden gehört, in diesem Briefe noch nicht ausgesprochen ist.

3.1.2. Sich-Rühmen in 1 und 2 Kor

1 Kor 1, 29 ist ein absolutes Verbot sich zu rühmen ausgesprochen: Keiner ($\mu\grave{\eta}$ ... $\pi\tilde{\alpha}\sigma\alpha$ $\sigma\acute{\alpha}\rho\xi$) soll sich vor Gott rühmen. Ist hier nun endlich der Gal 6, 14 positiv ausgesprochene Gedanke, sich nur des Kreuzes zu rühmen, durch seine negative Formulierung dahingehend expliziert, daß ein Sich-Rühmen menschlicher Qualitäten, was immer sie auch sein mögen, grundsätzlich vor Gott verboten ist? Daß in 1 Kor 1, 29-31 Gal 6, 14 theologisch weiterentwickelt ist, dürfte dann einsichtig sein, wenn man Gal chronologisch vor 1 Kor ansetzt.[57] Geschieht diese Weiterentwicklung aber wirklich so, daß nun auch das, was in der Terminologie von Gal 6, 4 "Werk" heißt, der Sache nach in das Ruhmverbot einbezogen wird?

Der Zusammenhang, in dem Paulus so prinzipiell den Ruhmverzicht verlangt, ist die Polemik gegen die Forderung der korinthischen "Griechen" nach Weisheit (1, 22). Die menschliche Weisheit ist aber für Paulus symptomatischer Ausdruck jeglicher irdischer Qualitäten, aufgrund deren man vor Gott den Anspruch auf Ruhm stellen könnte. Es ist zwar 1, 18-31 nicht direkt ausgesprochen, daß zu diesen irdischen Qualitäten auch das sittliche Verhalten gehört. Aber angesichts des Insistierens auf der Predigt vom gekreuzigten Christus (1, 23; vgl. 2, 2), der für uns zur Gerechtigkeit, Heiligkeit und Erlösung geworden ist (1, 30)[58], liegt es nahe, dies anzunehmen. Wir besitzen nämlich, wie Conzelmann herausstellt, Gottes Weisheit "in Christus" als "fremde"[59]; also besitzen wir, da 1, 30 Gerechtigkeit und Heiligkeit die fremde Weisheit explizieren, n u r "fremde" Gerechtigkeit und Heiligkeit (Heiligkeit als Synonym für sittliches Verhalten).[60] So dürfte dann das "Zitat" aus Jer 9, 22[61] zu paraphrasieren sein: Wer sich rühmt, der tue es in Christus als seiner fremden Gerechtigkeit und fremden Heiligkeit. Daß der Christ als das, was er vor Gott gilt, sich g a n z dessen Heilshandeln verdankt, ist also Tenor der gesamten Argumentation dieses Abschnitts.

Will Paulus somit auch den Ruhm des aufgrund der f r e m d e n Gerechtigkeit und Heiligkeit vollbrachten "Werkes" als illegitim ausschließen? Für diese Auffassung kann man nicht v. 29 anführen; denn hier geht es um die Abwertung jener menschlichen Qualitäten, die außerhalb des Bereiches "in Christus" vorweisbar sind. Insofern darf man vielleicht die Wendung "kein Fleisch" im strengen Sinne des Wortes verstehen: Keiner soll sich, insofern er nur Fleisch ist, vor Gott rühmen.[62] M. a. W., rühmen kann sich keiner, der sich noch im Bereich "des Fleisches" aufhält, sondern nur der, der schon im entgegengesetzten Bereich lebt, nämlich "in Christus". Das Jer-Zitat wäre dann zu interpretieren: Wer sich rühmt, der tue es als "in Christus" Befindlicher.

Demnach liegt im Gefälle der Argumentation von 1, 26-31 die Tendenz, daß, wer sich "i n Christus" rühmt, sich allein dessen rühmt, was das In-Christus-Sein konstituiert, nämlich des a l l e i n i g e n Heilshandelns Gottes. Somit wäre hier die Frage nach dem "Werk", das der Glaubende "in Christus" als im Bereich f r e m d e r Gerechtigkeit und Heiligkeit tut, geradezu deplaziert. Aber noch ist die Frage nach dem Ruhm des "Werkes" nicht grundsätzlich disqualifiziert (s. 1 Kor 3, 13ff.; vgl. auch 2 Kor 5, 10!). Das geschieht erst, wie noch zu zeigen ist, in Röm.

Die dialektischen Aussagen des Paulus im "Vierkapitelbrief" (2 Kor 10ff.) und vor allem in der dortigen Narrenrede karikieren und ironisieren die Ruhmsucht der paulinischen Gegner in Korinth. Aber das Thema, das hier abgehandelt wird, ist ja gar nicht, um mit Bultmann zu sprechen, "die christliche Grundhaltung zum Ruhm", sondern "der a p o s t o l i s c h e Selbstruhm".[63] Sicherlich gehen beide Fragestellungen ineinander über (was übrigens an Bultmanns ThWNT-Artikel sehr deutlich wird!); dennoch können wir hier, ohne Wesentliches zu übergehen, auf eine weitere Behandlung von

2 Kor 10ff. verzichten.[64] Auch die übrigen Stellen, an denen es um den apostolischen Selbstruhm geht, sollen hier unberücksichtigt bleiben.[65]

3.1.3. Sich-Rühmen in Röm

Das Thema "Sich-Rühmen, Ruhm" dominiert in Kap. 2-4. Es erscheint, wie
man keinesfalls übersehen darf, dort nur in jeweils polemischem Kontext. Zunächst wird herausgestellt: Der Jude rühmt sich des Besitzes
des mosaischen Gesetzes (2, 23). Sein darauf gegründetes Sich-Rühmen Gottes ist aber dadurch pervertiert, daß er auf dem vermeintlichen Besitz des
Gesetzes "ausruht" (2, 17)[66] - daß es auch ein echtes Sich-Rühmen Gottes
gibt, zeigt 5, 11! -; der angenommene Besitz ist nämlich in Wirklichkeit il-
lusionär, ist Besitzlosigkeit, da auch der Jude und gerade der Jude gegen
das Gesetz verstößt (2, 21ff.) und so auch ihm - wie dem verrufenen Heiden
von Kap. 1! - die Herrlichkeit Gottes fehlt (3, 23). Der Besitz hat sich in
nichts aufgelöst, weil das Gesetz nur dann etwas ist, wenn es getan wird
(2, 25). Dann freilich schenkt es sogar Leben (7, 10; 10, 5).
Rühmt sich der Jude nur, das Gesetz zu besitzen? Oder rühmt er sich auch,
das Gesetz getan zu haben? Nach dem Zusammenhang von 2, 1-3, 18 ist jedenfalls nicht die Rede davon, daß er stolz darauf sei, das Gesetz getan zu
haben. Der Vorwurf des Apostels geht vielmehr ganz dahin, daß - so bereits Lipsius - der Jude auf dem mosaischen Gesetz ausruht, gleich als ob
schon der bloße Besitz desselben ein Verdienst wäre.[67] Dann erhebt aber
Paulus an dieser Stelle gerade nicht den Vorwurf der Werkgerechtigkeit!

Vielleicht läßt sich dies noch weiter an 2, 25-29 erhärten. Dort wird nämlich - im Zusammenhang mit der Gesetzesfrage! - die Beschneidung thematisiert. 2, 25 hat, wie Michel richtig sieht, die Form einer These: Die
Beschneidung nutzt dann (aber auch nur dann!), wenn du das Gesetz tust.[68]
Auch die Beschneidung kann ja - wie das Gesetz - als "Besitz" verstanden
und das heißt mißverstanden werden. Zu paraphrasieren wäre also: Du,
der du dich als Jude, dessen Judesein ausgezeichnet ist durch Beschneidung
und Gesetz, deines Heils aufgrund eben dieses deines "Besitzes" sicher
wähnst, du hast vergessen, daß es gerade die Beschneidung ist, die auf das
Tun des ganzen Gesetzes drängt (vgl. Gal. 5, 3; dort zeigte sich das bereits
vorchristliche Beschneidungsverständnis des Paulus: Beschneidung ist dem
Wesen nach Verpflichtung zur totalen[69] Torahobödienz!). Kannte bereits
Paulus den ExR 19 (81c) ausgesprochenen rabbinischen Grundsatz "Beschnit-
tene fahren nicht hinab in den Gehinnom"?[70] Als Polemik gegen diesen
Grundsatz würde die Argumentation 2, 17-29, vor allem 2, 25-29, sicherlich
an Profil gewinnen und so profiliert noch verständlicher werden. Dem steht
freilich gegenüber, daß Paulus von einem anderen rabbinischen Beschneidungsverständnis herkommt, nämlich jenem, das sich in der genannten Stelle Gal 5, 3 widerspiegelt. Hätte also Paulus den erst in späterer Zeit nach-

weisbaren Grundsatz aus ExR 19 als r a b b i n i s c h e n Grundsatz bereits
gekannt, so wäre seine Polemik gegen ihn wiederum von einem rabbinischen
Prinzip aus formuliert. Paulus hätte also in Röm 2 nur ein innerrabbini-
sches Streitgespräch geführt. Obwohl also Paulus das g a n z e Judentum
hat treffen wollen, hätte er eine lediglich für einen Teilbereich des Judentums zutreffende Einstellung angegriffen. Von daher erscheint es mir zwar
nicht unmöglich, aber wenig wahrscheinlich, daß Paulus jenen Grundsatz gekannt hat.[71] Dann aber ist 2, 25, obwohl in lehrhaftem Tone und in der Form
einer These geschrieben, nicht eine These, die sich gegen eine bestimmte
rabbinische Anschauung wendet.[72] Die Absicht des Paulus dürfte also am
ehesten so richtig verstanden sein: Die Tatsache, daß die Torah Israel gegeben worden ist, verführte und verführt dieses dazu, sie als "Besitz" zu
mißbrauchen. Paulus prangert demnach nicht ein Sich-Rühmen mit Gesetz-
z e s w e r k e n an, sondern gerade umgekehrt ein Sich-Rühmen mit dem Besitz des Gesetzes o h n e Gesetzeswerke.[73] In den gängigen Kommentaren
wird allerdings dieser Gegensatz nicht in der nötigen Schärfe zum Ausdruck
gebracht.

Ehe Paulus wieder auf das Thema des Sich-Rühmens zu sprechen kommt
(3, 27-4, 2), wird die Anklage gegen d e n Juden, in der ja bereits das ge-
neralisierende Moment enthalten ist, zur expliziten Feststellung der aus-
nahmslosen Sündhaftigkeit a l l e r Juden (und Heiden) präzisiert. Dabei
heißt es aber: Wir haben zuvor (d. h. in unserer Beweisführung ab 1, 18ff.[74])
alle beschuldigt, unter der Macht der Sünde[75] zu stehen: alle Juden und alle Heiden (3, 9). Es fällt auf, daß in dieser zusammenfassenden Anklage
die Rede ist vom Sein unter der Sünden m a c h t , nicht aber von den eigenen
zu verantwortenden Sündentaten. Daß Paulus also da, wo er im Rückblick
auf seine bisherige Argumentation mit der persönlichen Schuld[76] die Sünde auch als Macht einführt (hier zum ersten Mal in Röm "Sünde" im theologisch qualifizierten Singular[77]), läßt die Frage nach der N o t w e n d i g k e i t
oder Unumgänglichkeit des Sündigen aufkommen: Der Mensch lebt in einer
Welt, die die Welt der Sünde ist. Sein "In-der-Welt-Sein" ist geradezu als
In-der-Sünde-Sein gefaßt.[78] Kommt hier schon etwas von der Dialektik
Schuld-Verhängnis zur Sprache, wie es dann deutlich 5, 12 geschieht?

Begründet wird das unter Anklage gestellte Sein unter der hamartia durch
Zitate aus dem Alten Testament. Nur, in diesen Zitaten geht es wiederum
lediglich um das D a ß des Schuldig-Seins aller, nicht aber um den Nachweis der Existenz u n t e r der Sünde und auch nicht um den Nachweis, daß
der Mensch aus eigener Kraft aus dem Kraftfeld dieser Sünde nicht heraus-
gelangen kann. So verwundert es, daß Paulus unmittelbar im Anschluß daran erklären kann, durch Gesetzes w e r k e werde kein einziger vor Gott
gerecht (3, 20). Will er also in 3, 20, wie es schon vorher (3, 9) der Singular "Sünde" vermuten läßt, m e h r sagen als ein bloß faktisches Versagen
durch Unterlassen der Gesetzeswerke? Klingt hier nun zum ersten Mal der
Gedanke der in sich unmöglichen W e r k g e r e c h t i g k e i t an - zumal Paulus
fortfährt: D e n n durch das Gesetz geschieht (nur) Erkenntnis der hamartia (wieder Singular![79])?

Es folgt der für den Aufbau des Röm so wichtige Abschnitt 3,21-26, in dem die Gerechtigkeit Gottes als Glaubens- und Gnadengerechtigkeit des ge - rechten Gottes in begrifflich verdichteter Aussage dargelegt wird. In die- sem, wenn man so will, dogmatischen Passus, der mit theologischen Spe- zialbegriffen geradezu überfrachtet ist und der sein spezielles Gepräge da- durch erhält, daß objektivierende Termini aus der überkommenen Tradition von Paulus in spezifischer Art (Betonung des Glaubensmoments) interpre- tiert sind[80], findet sich bezeichnenderweise die Ruhmpolemik nicht. Der in 3,21-26 zu vernehmende, schwer zu überhörende feierliche Ton bricht aber in v.27 abrupt ab. Der sog. Diatribe-Stil bringt nun Bewegung, um nicht zu sagen, Hektik in das Folgende.

Und sofort auch (3,27a) stellt Paulus die "triumphirende Frage"[81]: "Wo bleibt denn nun noch die Möglichkeit für den Juden, sich zu rühmen?" mit der so lapidaren Antwort: "Sie ist ausgeschlossen!" Es sieht fast so aus, als habe der Apostel den dogmatischen Abschnitt eigens nur deshalb ge- bracht, um dadurch um so wirkungsvoller die Frage nach dem Sich-Rüh- men stellen zu können - also dogmatische Darlegung im Dienst der Pole- mik! W a s aber ist nun ausgeschlossen: die Möglichkeit, sich des Besit- zes des Gesetzes oder sich der vollbrachten Gesetzeswerke zu rühmen? Dies ist die kardinale Frage, die sich nach den bisherigen Überlegungen mit Notwendigkeit stellt.

Paulus selbst interpretiert seine kurze und bündige Antwort, indem er 3,27b durch eine erneute Frage den Gedankengang weitertreibt: "Durch welches Gesetz?" Genauer übersetzt müßte διὰ ποίου νόμου; lauten: "Durch welche Art von Gesetz?" Also: Wie muß das (ein) Gesetz beschaffen sein, so d a ß (konsekutiv!, also n i c h t in finalem Sinne "d a m i t") durch die- ses die Möglichkeit des Sich-Rühmens grundsätzlich ausgeschlossen ist? Die in typisch paulinischer Weise gestrafft formulierte und deshalb so inter- pretationsbedürftige Antwort auf diese erneute Frage nennt das "Gesetz des Glaubens", das dem "Gesetz der Werke" entgegengesetzt wird. Meist wird der Begriff "Gesetz" in der Wendung "Gesetz des Glaubens" nur im uneigent- lichen Sinne verstanden, etwa als Ordnung oder Norm, vielleicht noch spe- zieller als Heilsordnung.[82] Seit G.Friedrichs Aufsatz "Das Gesetz des Glau- bens Röm 3,27"[83] ist diese Interpretation aber umstritten. Friedrich ver- steht nämlich das Gesetz des Glaubens als das mosaische Gesetz, insofern es den Glauben verkündigt: "Das Gesetz des Glaubens Röm. 3,27 ist das Ge- setz, das die Glaubensgerechtigkeit bezeugt Röm. 3,21."[84] Inzwischen ha- ben sich auch andere Exegeten dieser Auffassung, wenn auch mit geringfü- giger Modifikation, angeschlossen.[85]

Wie das "Gesetz des Glaubens" unseres Erachtens zu verstehen ist, soll erst in Abschnitt 3.3. dieser Untersuchung beantwortet werden. Lassen wir hier diese Frage noch offen und versuchen wir eine Interpretation von 3,27 im Zusammenhang des Kontextes, die auf den präzisen Sinn der umstritte- nen Wendung noch nicht angewiesen ist. Paulus erklärt also, das Sich-Rüh- men bzw. der Selbstruhm sei durch jenen nomos ausgeschlossen, den man

angemessenerweise als nomos des Glaubens bezeichnet. Zugespitzter formuliert: Nur durch das Gesetz des Glaubens ist der Selbstruhm ausgeschlossen und daher auf keinen Fall durch das "Gesetz der Werke". Mag auch umstritten sein, wie man "Gesetz des Glaubens" zu fassen hat, so ist man sich
doch weithin einig, daß das "Gesetz der Werke" die Torah meint. Da aber
Paulus hier das mosaische Gesetz durch die für ihn singuläre Wendung "Gesetz der Werke" bezeichnet, ist anzunehmen, daß er es unter einem ganz
bestimmten Gesichtswinkel gesehen haben will. Gewöhnlich spricht er von
den "Werken des Gesetzes" (6mal in Gal: 2,16; 3,2.5.10; 2mal in Röm:
3,20.28). Nun ist aber - linguistisch gesprochen - die Umstellung von Funk-
tor und Argument in Röm 3,27 sicherlich auch durch die Fragestellung
"Durch was für ein Gesetz?" mit veranlaßt. Dennoch dürfte mit höchster
Wahrscheinlichkeit anzunehmen sein, daß die durch die Umstellung des
Semantems erfolgte Änderung des inhaltlichen Gefälles vom Autor intendiert war: Unter welcher Perspektive Paulus das mosaische Gesetz an
d i e s e r Stelle der Argumentation gesehen haben will, bringt er durch den
bestimmenden Genitiv "der Werke" zum Ausdruck. M.a.W., wenn Paulus
h i e r das Gesetz als "Gesetz der Werke" bezeichnet, dann will er sagen,
daß der Selbstruhm, insofern das Gesetz unter der Perspektive "der Werke"
gesehen wird, nicht ausgeschlossen ist. Und man darf sicher noch einen
Schritt weitergehen: Das Gesetz ist für den, aber auch nur für den, der
es als "Gesetz der Werke" nimmt, n o t w e n d i g auf Selbstruhm aus.

Dies erhellt auch aus dem Zusammenhang der Verse 27 und 28. Denn v.28 fun-
giert ja als Begründung von v.27: "Unser theologisches Urteil ($\lambda o \gamma \iota \zeta \acute{o} \mu \epsilon \theta \alpha$,
äußerster Nachdruck auf der Aussage!) lautet nämlich: Der Mensch wird ge-
rechtfertigt durch den Glauben - also ohne die Werke des Gesetzes!" Wenn
es aber danach die Glaubensgerechtigkeit als die vor Gott geltende Gerechtigkeit ist, die mit Selbstruhm inkompatibel ist, dann kann dies doch von
der m i t t e l s der Werke i n t e n d i e r t e n Gerechtigkeit gerade nicht gelten!
Das ist auch von der Sache her einsichtig. Denn wenn das Gesetz definiert
ist als eine Summe von Geboten, die kraft ihrer Befolgung den Menschen
gerecht machen, und wenn des weiteren Gerecht-Sein bedeutet Gerecht-
Sein vor Gott, dann geht es doch gerade darum, daß der das Gesetz so verstehende Mensch seine vollbrachten Werke vor Gott geltend macht. Mehr
noch: Er ist sogar darauf angewiesen, er muß sie vor Gott geltend machen!
Das aber heißt nichts anderes als sich vor Gott rühmen! Ist W e r k g e r e c h -
t i g k e i t legitim - und das meint ja jene Auffassung, die das Gesetz als
"Gesetz der Werke" begreift -, dann i m p l i z i e r t sie die L e g i t i m i t ä t
d e s S e l b s t r u h m s , ja geradezu die Pflicht zum legitimen Selbstruhm:
Siehe, o Gott, hier sind meine gerechten Werke! Siehe, hier bin ich in meinen gerechten Werken, wie du sie vor dich zu stellen befohlen hast! Siehe,
hier bin ich als Verwirklichung meiner Werke! Hier sind meine Werke a l s
mein gerechtes Ich![86]

Paulus denkt von der neuen Heilsordnung aus. In i h r gilt das theologische
Urteil von v.28. Darf aber dann von diesem Vers aus der Schluß gezogen

werden, daß die alte, auf der Werkgerechtigkeit beruhende Heilsordnung
in sich schlechter ist als die neue, die auf der Glaubensgerechtigkeit beruht? Wir müssen noch präziser formulieren. Denn so, wie die Frage artikuliert ist, trifft sie noch gar nicht exakt in die richtige Richtung. Gefragt
werden muß nämlich, ob - mag auch durch das νυνί von Röm 3, 21 ein zeitliches Moment für die Gesamtargumentation konstitutiv sein - es überhaupt
ganz korrekt ist, von einer im strengen Sinne des Begriffs n e u e n Heilsordnung zu sprechen. Ist nicht, wie ja schon die linguistische Verfremdung
der Torah zum "Gesetz der Werke" mit ihrem diffamierenden Zungenschlag
vermuten läßt, in 3, 28 bereits ein pervertiertes Verständnis der "alten"
Heilsordnung attackiert? Muß man dann nicht zwischen einer authentischen
"alten", einer pervertierten "alten" und einer - irgendwie mit der authentischen "alten" in Kontinuität stehenden - "neuen" Heilsordnung unterscheiden? Gründet denn die "alte" Heilsordnung wirklich auf jener Basis, die
nach 3, 27 als Werkgerechtigkeit zu betrachten ist? Lassen wir dies als Frage zunächst stehen, indem wir jetzt nur feststellen: Die genuine alte Heilsordnung des Gesetzes k a n n aufgrund der Darlegungen von Röm 1, 18-3, 28
so interpretiert werden, daß nach ihr ein Sich-Rühmen vollbrachter Gesetzeswerke gerade nicht ausgeschlossen, sondern sogar gefordert ist. Das
gälte für den Fall, daß die Wendung "Gesetz der Werke" einen Aspekt des
Gesetzes artikulierte, der w e s e n h a f t zu ihm gehört. Die Wendung "Gesetz der Werke" würde dann nicht den Mißbrauch der Torah sprachlich zum
Ausdruck bringen. Zwar spricht manches dafür, daß das "Gesetz der Werke" das pervertierte Gesetz meint - vor allem wäre bei dieser Interpretation die Schwierigkeit beseitigt, daß das heilige Gesetz Gottes (7, 12) notwendig den Selbstruhm fordert. Aber es gilt zunächst einmal festzuhalten, daß
aus dem Argumentationsduktes des Röm bis einschließlich 3, 28 eben nicht
mit Sicherheit hervorgeht, daß die Redeweise vom "Gesetz der Werke" den
abusus legis anklagt. Solange wir hier noch nicht ganz klar sehen, werden
wir (zumindest für Röm bis einschließlich 3, 2 8) erwägen müssen, was Ulrich Wilckens schreibt: "Das Urteil von Bultmann trifft jedenfalls auf Röm
1-3 nicht zu: 'Nicht erst die bösen Werke, die Übertretungen des Gesetzes,
sind es, die den Juden vor Gott verwerflich machen, sondern schon die Absicht, durch Gesetzeserfüllung vor Gott gerecht zu werden...'"[87]

Röm 3, 31 ist ein umstrittener Vers. Die Diskussion geht vor allem um die
Bedeutung von "wir stellen das Gesetz hin". So wichtig diese Frage auch
ist, so soll auch sie uns im jetzigen Zusammenhang weniger beschäftigen
(der Vers wird später im Zusammenhang mit der noch offenen Frage nach
der präzisen Bedeutung von "Gesetz des Glaubens" in 3, 27 Gegenstand einer
ausführlicheren Exegese sein). Hier sei nur gesagt, daß "Gesetz" in 3, 31
das mosaische Gesetz meint. Der Vers hat ja apologetischen Sinn. Gefragt
wird nämlich, ob die "neue" Heilsordnung das Gesetz, also das Prinzip der
"alten" Heilsordnung, abgetan hat. Darauf antwortet Paulus mit einem ent-
schiedenen Nein. Dieses wird in Röm 4 expliziert.[88]

Weithin ist anerkannt, daß der A b r a h a m - M i d r a s c h Röm 4 das
theologische Urteil 3, 28 begründen soll (d. h. also, der begründende Vers

3,28 ($\gamma\grave{\alpha}\rho$!) wird nun seinerseits wieder begründet). So fällt von Kap. 4
auch Licht auf 3,27 mit der Wendung "Gesetz der Werke". Könnte es sein,
daß wir bisher geäußerte exegetische Urteile aus der Perspektive von Röm
4 revidieren müssen? Immerhin gibt es ja, wie sich zeigte, in Röm 1-3
noch interpretationsoffene und interpretationsbedürftige Aussagen. Vor allem geht es um die entscheidende theologische Frage: Wenn die neue ("neue"
Heilsordnung mit ihrer Glaubensgerechtigkeit die alte ("alte"?) mit ihrer
Werkgerechtigkeit außer Geltung gesetzt hat - geschah das dann nur (wir
kennen die Frage bereits aus der Behandlung von Gal 3), weil alle Menschen
faktisch versagt haben oder weil die neue Heilsordnung der alten überlegen
und deshalb von Gott mit Absicht kraft der sündenentlarvenden Funktion des
Gesetzes herbeigeführt worden ist? Hat also Bultmann mit seinem von Wilckens abgelehnten Urteil, wonach der Mensch grundsätzlich nicht durch Gesetzeswerke das Heil erlangen soll[89], nicht doch recht, und zwar dann,
wenn wir nicht allein auf Röm 1-3 schauen, sondern Röm 4(ff.) miteinbezie-
hen? Anders formuliert: Ist eine isolierte Interpretation von Röm 1-3 von
vornherein deshalb ein Holzweg, weil das in diesen Kapiteln Gesagte von
Paulus nur im Zusammenhang der G e s a m t konzeption des Röm so formuliert werden konnte, m.a.W., weil also Röm 1-3 nur von Röm 4ff. her so
gesagt werden darf?

Paulus fragt, was "Abraham, unser Ahnherr dem Fleisches nach", gefunden habe (4,1). Auf das komplizierte textkritische Problem des Verses brauchen wir hier nicht einzugehen, da es für unsere Fragestellung wenig aus-
trägt. Für sie genügt, daß trotz des nicht mit Sicherheit zu rekonstruieren-
den Textes zu erkennen ist, daß Paulus nach der Bedeutung Abrahams fragt,
insofern dieser leiblicher Vorfahr des empirischen Israels ist.[90] Wichtiger
ist das Verständnis von v.2. Handelt es sich hier um einen Realis oder einen Irrealis?[91] Rechnet Paulus mit der Möglichkeit, daß Abraham zwar im
Rahmen der Werkgerechtigkeit gerecht wurde, dann aber diese Art von Gerechtigkeit ihm doch keinen Ruhm vor Gott einbrachte? Oder will er herausstellen, daß Abraham selbst dann, wenn er gerecht im Sinne der Werkgerechtigkeit gewesen wäre - was er aber in Wirklichkeit gar nicht war! -, diesen
Ruhm nicht vor Gott, sondern nur vor Menschen[92] hätte geltend machen
können? Daß sich nur die zweite Auffassung widerspruchslos in die übrigen
Darlegungen des Apostels einfügt, erhellt aus 3,9ff.: Paulus kann im Gel-
tungsbereich der Torah selbst Abraham keine Gerechtigkeit zubilligen; denn
keiner, also auch nicht Abraham, ist gerecht. Es ist anzunehmen, daß Paulus um die entgegengesetzte Ansicht der Synagoge wußte.[93] Um so mehr
wird wieder einmal deutlich, wie stark die Ruhm-Thematik im Röm pole-
misch bestimmt ist. Selbst der, so hält Paulus den Juden entgegen, von
dem ihr so Großes zu berichten wißt, selbst der ist, wie die Schrift erweist,
nicht werkgerecht.

Daß Abraham Sünder ist, geht aber auch aus 4,3ff. hervor. Nach Gen 15,6,
in Röm 4,3 zitiert, wurde er aus Glauben gerechtgesprochen; dieser Glaube wurde ihm zur Gerechtigkeit angerechnet. Nach 4,5 ist aber dieser Glau-

be qualifiziert als Glaube an den Gott, der ausgerechnet den Gottlosen gerechtspricht; d i e s e r Glaube und nur dieser Glaube ist es, der von Gott
zur Gerechtigkeit angerechnet wird (das Verb λογίζειν wird in v. 5 aus
v. 3 bzw. Gen 15,6 aufgegriffen!); dieser und nur dieser Glaube ist es, an
dem allein Abrahams Gerechtigkeit hängt. Und schließlich wird David bzw.
Ps 32, 1f. zitiert, wo die angerechnete Gerechtigkeit aufgrund der Rechtfertigung ohne Werke als die nichtangerechnete Sünde expliziert wird. Damit
ist, um mit Wilckens zu sprechen, Abraham indirekt als gerechtfertigter
S ü n d e r vorausgesetzt.[94] Mit Recht stellt er so pointiert heraus: Rechtfertigung aus Glauben heißt Rechtfertigung des F r e v l e r s , der aufgrund
von Gesetzeswerken nicht gerecht gemacht werden kann.[95] I s t aber, so
lautet jetzt die entscheidende t h e o l o g i s c h e Frage, das in 4, 3ff. in-
d i r e k t a u s g e s a g t e S ü n d e r - S e i n A b r a h a m s i d e n t i s c h m i t
s e i n e m D e f i z i t a n W e r k g e r e c h t i g k e i t , das aus 3, 9ff. erschlossen wurde?

Setzen wir noch einmal bei 4, 2 ein, weil hier schon die eigentliche Spitze
der paulinischen Argumentation erkenntlich wird: Selbst wenn ein Anspruch
Abrahams auf Ruhm vor Menschen bestanden hätte, selbst wenn er dem, was
die Werkgerechtigkeit erfordert, "gerecht" geworden wäre - vor Gott gälte
gerade das nicht! Jetzt auf einmal ist der neue, für jüdisches Denken revo-
lutionäre Gedanke, jetzt endlich ist Spezifisches der paulinischen Theologie
klar ausgesprochen: S e l b s t v o l l k o m m e n e W e r k g e r e c h t i g k e i t
i m R a h m e n d e r T o r a h b e d e u t e t n i c h t G e r e c h t i g k e i t v o r
G o t t ! Gut sagt Kuss: "Aber für ihn ist der Realis des Judentums von vornherein ein Irrealis, und zudem unterbricht er sich sofort und streicht in
n i c h t s t r e n g l o g i s c h e r G e d a n k e n f ü h r u n g das Ganze nochmals
durch: 'aber nicht vor Gott!' - es gibt überhaupt keinen menschlichen Selbstruhm vor Gott."[96] In der Tat, d i e s e Gedankenführung liegt nicht in der
Logik des zuvor Gesagten! Dieses "nicht vor Gott" hätte man nach allem
gerade nicht erwartet. In der Beweisführung von Kap. 1-3 ging es ja darum,
daß alle, auch die Juden, dem Anspruch des Gesetzes a l s des die Werke
fordernden Gesetzes nicht genügten, nicht aber ging es darum, daß die Erfüllung dieses Anspruchs als solche unzureichend ist. Ist nun die "nicht
streng logische Gedankenführung" unlogisch? Keinesfalls! Vielmehr ist
zu fragen: Auf welcher neuen Ebene diskutiert Paulus? Erinnern wir uns,
daß er 3, 27ff. von der neuen Heilsordnung aus denkt. Es wurde aber gerade
dort nicht deutlich, ob die neue Heilsordnung der alten qualitativ überlegen
ist oder ob es lediglich um eine "vikariierende Notlösung" geht.[97] Nun läßt
aber die Argumentation in 4, 2 schwerlich an Christus als Notlösung denken.
Denn in diesem Vers ist ja, wie sich soeben herausgestellt hat, die W e r k -
g e r e c h t i g k e i t a l s s o l c h e d i s q u a l i f i z i e r t ; also a u s g e r e c h -
n e t j e n e A u s g a n g s b a s i s s c h e i n t d i s q u a l i f i z i e r t z u s e i n ,
d i e e r s t d i e A r g u m e n t a t i o n i n R ö m 1 - 3 e r m ö g l i c h t e !

Nun könnte man die soeben vorgenommene Interpretation dadurch zu ent-
schärfen suchen, daß man 4, 2 so auffaßt: Wenn Abraham aufgrund von Gesetzeswerken gerecht geworden wäre, dürfte er sich trotz seiner dadurch

erworbenen Gerechtigkeit, die volle und wahre Gerechtigkeit ist, nicht vor
Gott rühmen; denn - man rühmt sich grundsätzlich nicht vor Gott! Das ge-
ziemt sich nicht für den Menschen, auch nicht für den gerechten Menschen.
Es ginge dann also in 4, 2 nicht um die Unmöglichkeit eines Ruhms vor Gott,
sondern um die Ungehörigkeit eines solchen Verhaltens. Gegen eine solch
m o r a l i s c h e V e r h a r m l o s u n g spricht aber zunächst, daß hier nicht
vom Sich-Rühmen (καύχησις), sondern vom Ruhm (καύχημα) die Rede
ist, von dem also, worauf sich ein Sich-Rühmen stützen könnte.[98] Vor allem
aber bleibt bei einer derartigen Auslegung die Schwierigkeit, daß v. 3 mit
dem Schriftzitat Gen 15, 6 den v. 2 begründet. Begründet wird also durch
das Theologumenon von der Rechtfertigung durch den Glauben an den den
S ü n d e r rechtfertigenden Gott (v. 2 im Zusammenhang mit v. 5), daß selbst
der werkgerechte Abraham - hätte es ihn gegeben! - nicht vor Gott Ruhm
hätte, d. h. nicht vor Gott gerecht gewesen wäre. Die Konsequenz ist aber
dann doch: S e l b s t d e r v o l l k o m m e n e M e n s c h - nochmals: gäbe
es ihn! doch es gibt ihn ja nicht! - i s t S ü n d e r ! Die moralische Auslegung von v. 2 ist also unmöglich. Dann bleibt nur: "Gerecht"-Sein aus Werken besagt nichts vor Gott. W e r a u s W e r k e n "g e r e c h t" i s t , i s t
n i c h t g e r e c h t . Auch darf man nicht έδικαιώθη im streng forensischen Sinne (wie dies etwa 3, 20 der Fall ist) verstehen. Das Wort darf keinesfalls ungebrochen mit "er ist gerechtgesprochen worden" übersetzt werden, wie ja überhaupt diese Passivform, die das passivum divinum für den
Leser assoziiert, gar nicht der Aussage v. 2 angemessen ist. Wenn Paulus
sie trotzdem bringt, dann doch wohl in ironisch verfremdender Absicht. Paulus "spielt" also einmal wieder mit seinen Begriffen. έδικαιώθη ist demnach in Anführungsstriche zu setzen. Denn was soll das Passiv angesichts
der Wendung "aus Werken", was soll es angesichts einer Aussage, die die
totale Aktivität des Menschen zum Ausdruck bringt! Wenn Abraham kraft
eigener Aktivität "gerechtgesprochen" wird, dann ist es eben nicht Gott,
der ihn gerechtspricht. Die Voraussetzung, die hier gemacht wird, ist freilich, daß Paulus das göttliche Gericht nicht als analytisches Urteil auffaßt.

Wer seine Gerechtigkeit als Gerechtigkeit aus Werken versteht, v e r s t e h t
s i c h als aus Werken Gerechten. Er versteht seine Existenz als gerechte,
weil aus eigenen Aktivitäten konstituiert. In seinem "beschränkten" (Schran-
ken gegenüber Gott!) Denkhorizont vermag er nur eine so konstruierte Gerechtigkeit als höchstmögliche Qualität von Gerechtigkeit zu begreifen. Diese Qualität ist als menschliche aber keine verdankte. Bei der Bestimmung
dessen, was als solche Qualität zu gelten hat, bleibt Gott ganz aus dem Spiel.
Wir erinnern uns, daß wir, wenn auch in anderer theologischer Terminologie, auf ähnliche Denkvoraussetzungen in Gal stießen. Auch in Röm also wieder: Paulus bestreitet energisch, daß das eigene Selbst als Homunculus verstanden werden darf. Wer sich in seiner Gerechtigkeit aus Werken definiert,
der hat sich selbst mißverstanden, weil er sich als eigenen Schöpfer verstehen will. Das eben ist der Kardinalfehler: Wer Gottes Gesetz und somit
Gottes heiligen Willen von der Werken her angeht, hat das G e s e t z G o t -

tes zum "Gesetz der Werke" pervertiert, indem er sich selbst
die Fesseln anlegt, sich vor Gott mit "Werken" produzieren und pro-stitu-
ieren zu müssen. Für diese Interpretation spricht u. a. auch, daß nach Röm
10, 3 die Juden die Gerechtigkeit Gottes mißverstehen (indem sie sich zugleich mißverstehen), was daraus ersichtlich ist, daß sie danach streben,
ihre eigene Gerechtigkeit entstehen zu lassen, hinzustellen (τὴν ἰδίαν
(δικαιοσύνην) ζητοῦντες στῆσαι).

Besteht die zuletzt vorgetragene Überlegung zu Recht, so besagt Röm 4, 3
im Blick auf 4, 2: Abraham wurde durch Gott gerechtfertigt, weil er erkannte, daß er nicht durch seine eigenen Werke, nicht durch seine eigenen Aktivitäten das werden kann, was er vor Gott sein soll: e i n s i c h G o t t v e r -
d a n k e n d e r M e n s c h. Er erkannte, daß Sünde vor allem darin besteht,
sich vor Gott aufzubauen. Paulus betrachtet also A b r a h a m i n d o p p e l -
t e r W e i s e a l s S ü n d e r: Er hat erstens die W e r k g e r e c h t i g k e i t
n i c h t e r f ü l l t und er hat zweitens w e r k g e r e c h t s e i n w o l l e n.
Indem er aber Gott glaubte, wurde ihm beides vergeben. Die Frage, ob das
4, 3ff. indirekt ausgesagte Sündersein Abrahams identisch sei mit seinem
Defizit an Werkgerechtigkeit, das aus 3, 9ff. erschlossen wurde, ist somit
zu verneinen.

Röm 4, 4f. bestätigt das bisherige Ergebnis.[99] Michel versteht denjenigen,
der seinen Lohn nach der Schuldigkeit empfängt, also den ἐργαζόμενος,
als Mensch, der sein Verhältnis zu Gott auf Werke stellt; wer jedoch eine
solche Einstellung ablehne, der μὴ ἐργαζόμενος, könne als Glaubender
und Begnadigter beschrieben werden.[100] Käsemann faßt ἐργάζεσθαι als
"mit Werken umgehen".[101] Beiden geht es darum herauszustellen, daß Paulus ein Verhältnis zu Gott als ein aus dem Interesse des Menschen erwach-
senes Rechtsverhältnis energisch ablehnt, ein Verhältnis nämlich, in dem
der Mensch durch seine Aktivitäten sein vor Gott geltendes Recht "setzt".
Vielleicht darf man sogar so zuspitzen: "Es liegt im Wesen der "Werke",
daß der "Werkende" (ἐργαζόμενος!) sich u n d s o m i t sein Verhältnis
zu Gott - nach Paulus gibt es kein Selbstverständnis, das nicht das coram
Deo impliziert! - als Summe von Werken versteht, mit denen er vor Gott
auftrumpft. Das "Gesetz der Werke" bedeutet, anthropologisch gefaßt, das
Selbstverständnis als "Werkender" und damit den Ausschluß der Selbstverständnisses als Sich-Gott-Verdankender. Daß hiermit der Begriff "Werke"
(bewußt Pluralform, um das quantitative Moment hervorzuheben) abwertend
gebraucht wird, geht aus der Argumentationsrichtung hervor. "Werke" bedeutet also nicht Tun des im Gesetz Gebotenen schlechthin, sondern das Tun
des Gebotenen a u s g a n z b e s t i m m t e r I n t e n t i o n: Ich will den Forderungen des Gesetzes nachkommen, damit i c h der dies Tuende bin, damit i c h das Leben, das das Gesetz immanent intendiert, erlange. Das
aber ist das radikale Übel: der egozentrische Gebrauch des Gesetzes als
Mißbrauch des Gesetzes in der Form der Werke und - greifen wir die schon
einmal verwendete Formulierung auf - seine Perversion zum "Gesetz der
Werke". Wer das Gesetz um des eigenen Lebens willen tut, tut dies in "Wer-

ken" und verfehlt also gerade so das Leben. Das Gesetz ist eben nur da le-
benschaffendes Gesetz, wo die Intention dessen, der es befolgt, nicht das
eigene Leben ist (vgl. Mk 8,35!). Das "Gesetz der Werke" ist dem-
entsprechend das "Gesetz" desjenigen, der das wahre Gesetz, nämlich
das Gesetz Gottes, pervertiert. Dann ist jedoch auch der Begriff Werkgerechtigkeit, bisher noch im relativ positiven Sinne aufgegriffen, als
contradictio in adiecto durchschaut: Wer durch Werke gerecht werden will,
wird nur "gerecht". Werkgerechtigkeit ist also nicht Gesetzesgerechtigkeit. So ist es wohl bezeichnend, daß in 2,17-29 der Begriff
"Werke" nicht vorkommt; denn der dort Angesprochene ist ja gar nicht auf
Werkgerechtigkeit aus. Und so ist es wohl auch bezeichnend, daß in 2,1ff.
dieser Begriff nur in dem Zitat aus Ps 62 erscheint, wo er dann freilich
nicht den präzisen Sinn besitzt wie in 3,27-4,2. Wir werden also Michel
recht geben müssen, wenn er, wie schon gesagt, in dem Begriff "Gesetz
der Werke" ein Verständnis des Gesetzes artikuliert sieht, das den Gehorsam in Einzelakte zerlegt und so den Willen Gottes mißversteht. Er erkennt
richtig, daß dem Gesetz der Werke auf seiten des Menschen die Werke des
Gesetzes entsprechen und so das jüdische Verständnis des Gesetzes (nach
Paulus!) notwendig den Selbstruhm des Menschen hervorruft.[102] Und auch
Bultmann hat das klar gesehen, wenn er schreibt: "Aber Paulus geht noch
sehr viel weiter; er sagt nicht nur, daß der Mensch durch Gesetzeswerke
nicht das Heil erlangen kann, sondern auch, daß er es gar nicht soll
... Der Weg der Gesetzeswerke und der Weg der Gnade und des Glaubens
sind Gegensätze, die sich ausschließen (Gl 2,15-21; Rm 4,4f. ...). Warum
aber ist das der Fall? Deshalb weil das Bemühen des Menschen,
durch Erfüllung des Gesetzes sein Heil zu gewinnen,
ihn nur in die Sünde hineinführt, ja im Grunde selber schon die Sünde
ist."[103] "Nicht allein und nicht erst die bösen Taten machen den Menschen
verwerflich vor Gott; sondern schon die Absicht, durch Gesetzeserfüllung
vor Gott gerecht zu werden, sein καύχημα zu haben, ist Sünde."[104] Der
Widerspruch von Wilckens gegen Bultmann ist also doch nicht gerechtfertigt.[105]

Von der Ablehnung der Werkgerechtigkeit als der Erfüllung des Gesetzes
um der eigenen Gerechtigkeit willen ist es kein weiter Weg mehr zur paradoxen Aussage des Paulus, daß wir uns der Hoffnung auf die Herrlichkeit
Gottes rühmen, dies aber gerade damit zusammenfällt, daß wir uns auch
der Drangsale rühmen (5,2f.).[106] Dieses dialektische Verhältnis von Sich-
der-Hoffnung-Rühmen und Sich-der-Gegenwartsdrangsale-Rühmen bestimmt
aber das Sich-Gottes-Rühmen des Glaubenden (5,11), das mit dem Sich-Gottes-Rühmen des Juden (2,17) nichts mehr außer dem Namen gemein hat.

Zurück noch einmal zu der Frage, ob durch die neue Heilsordnung der Glaubensgerechtigkeit die alte Heilsordnung der Werkgerechtigkeit abgelöst ist.
Die vorstehenden Überlegungen dürften gezeigt haben, daß das Schema alt
- neu nicht ungebrochen auf Röm 3,21-4,25 angewendet werden darf. Zweifellos gibt es durch das Christusgeschehen, signalisiert durch das νυνί in

3, 21, eine neue Heilsordnung. Und zweifellos ist in dieser Hinsicht die alte Heilsordnung abgelöst. Aber Paulus durchkreuzt dieses chronologische
Schema, indem er Abraham bereits als im vollen Sinne des Wortes gerechtfertigt ansieht. Günter Klein kann deshalb mit Recht sagen: "Soviel ist jedenfalls deutlich: Die Kontingenz Abrahams als einer Gestalt historischer
Vergangenheit spielt in diesen Versen (sc. 4, 3-8) keine Rolle, und Paulus
demonstriert hier an Abraham als an einem Modell einfach die Strukturele-
mente des Rechtfertigungsgeschehens. A l l e s , w a s i n V. 4 - 6 a l s
E x e g e s e d e r b e i d e n Z i t a t e a u s g e f ü h r t i s t , k ö n n t e o h -
n e w e i t e r e s a u f j e d e n h e u t e G l a u b e n d e n ü b e r t r a g e n w e r -
d e n ..."107 Nur darf dies nicht dahingehend verabsolutiert werden, daß
"die Geschichte Israels" als "radikal entheiligt und paganisiert" beurteilt
wird.108 Dagegen steht Röm 9, 4f. Eindimensionale Betrachtungsweise ist
dem dialektischen Denken in Röm nicht angemessen.

Dem Ineinander von "alter" und "neuer" Heilsordnung aufgrund des gemeinsamen Glaubens an den den Gottlosen rechtfertigenden Gott entspricht, daß
Paulus den aus der Tradition übernommenen Satz Röm 3, 25 nur mit der Interpretation "durch den Glauben" auszusprechen vermag - ein Indiz dafür,
daß Kreuz und Auferstehung Christi nur im Kontext des auch für Abraham
konstitutiven Glaubens theologisch verstanden werden dürfen.109 Sicherlich
denkt Paulus von dem radikal Neuen aus, das in Kreuz und Auferstehung
Wirklichkeit geworden ist (2 Kor 5, 17!). Sicherlich ist gerade aus der Perspektive dieses radikal Neuen der Mißbrauch des Gesetzes als des "Gesetzes der Werke" entlarvt. Aber genauso deutlich ist, daß die "neue" Heilsordnung in der Kontinuität der "alten" Heilsordnung steht, insofern letztere eben nicht auf Werkgerechtigkeit aus war (was Israel - t r o t z Abraham! - dann doch versuchte).

Schauen wir auch noch einmal zurück auf jene Formulierung, gemäß der
Röm 4, 2 die Werkgerechtigkeit disqualifiziert, also ausgerechnet jene Aus-
gangsbasis zu disqualifizieren scheint, die erst die Argumentation in Röm
1, 18-3, 20 ermöglichte. Bewußt wurde gesagt "zu disqualifizieren s c h e i n t".
Denn - um eine weitere Formulierung dieses Abschnitts aufzugreifen - in
der Argumentation des Paulus bis 3, 20 ging es ja nicht um Werkgerechtigkeit, sondern um Gesetzesgerechtigkeit. Bis Röm 3, 20 war nicht die Rede
davon, daß durch die Befolgung des vom Gesetz Gebotenen rechtfertigende
Werke eben um der Rechtfertigung willen intendiert werden sollten. Bei
der Argumentation ging es vielmehr um die konsekutive Sicht: Aus dem
Nichttun des Gebotenen ergibt sich als Konsequenz die Ungerechtigkeit.
Dann aber bedeutet Röm 3, 21-4, 25 keine sachliche Unstimmigkeit gegenüber der Beweisführung in 1, 18-3, 20 - mag auch bei allem esprit, mit dem
Paulus formuliert, letzte terminologische Ausgeglichenheit fehlen.

F a s s e n w i r z u s a m m e n : Der eigentümliche Gedankenfortschritt des
Paulus in Röm im Blick auf die Ruhm-Thematik läßt sich so gliedern:

1. Des Juden Sich-Gottes-Rühmen koinzidiert mit seinem Sich-des-Gesetzes-Rühmen. Weil er aber das Gesetz nicht hält, ist dieses Sich-Rühmen Sünde (2,17ff.).

2. Darüber hinaus irrt der Jude, weil er sich (angeblicher) Erfüllung der Gesetzeswerke rühmt. Wer nämlich das Gesetz Gottes als "Gesetz der Werke" begreift, pervertiert es. Die Forderungen des Gesetzes können nicht als "Werke" erfüllt werden. Wer das Gesetz mit der Absicht erfüllt, sich selbst gerecht zu machen, handelt egozentrisch und verspielt, um sein Leben zu gewinnen, eben dieses sein Leben.

3. Das Sich-Gottes-Rühmen des an Christus Glaubenden gipfelt im Sich-der-Drangsale-Rühmen. Es ist die totale Umkehrung der egozentrischen Ausrichtung des Sich-Rühmens der Gesetzeswerke.

Schauen wir zurück, so fällt auf, daß nicht das Sich-Rühmen als solches, nicht der Ruhm als solcher ausgeschlossen ist. Wahrscheinlich hat Käsemann richtig erkannt, daß Paulus in gut semitischer Denkweise den Ruhm als "Existential" menschlichen Daseins betrachtet hat (mit Schlatter und Kuss), nämlich als Ausdruck menschlicher Würde und Freiheit. "Gerade darum unterliegt er leicht der Perversion, sei es vom Gegenstand, sei es von der Art der Bekundung her. Wird nach paulinischer Anschauung Existenz durch den jeweiligen Herrn bestimmt, so äußert sich im Ruhm das tragende Existenzverständnis. Der Mensch spricht darin aus, wem er gehört."[110]

3.2. Gerechtigkeit Gottes und Gerechtigkeit

Wenn es im folgenden um die paulinische "Gerechtigkeit Gottes" geht, dann soll natürlich nicht die gesamte, so komplexe, oft diffus auseinanderlaufende Diskussion über diesen Begriff dargelegt werden. Gerade hier müssen wir der Versuchung widerstehen, uns in interessante Detailauseinandersetzungen einzulassen. Deshalb wird zu Beginn eine nur sehr grobe Skizze der Problemlage geboten.

Setzen wir bei Bultmann ein.[111] Er betrachtet δικαιοσύνη als forensischen Begriff. "Er meint nicht die ethische Qualität, überhaupt nicht eine Qualität der Person, sondern eine Relation; d.h. δικαιοσύνη hat die Person nicht für sich, sondern vor dem Forum, vor dem sie verantwortlich ist ..."[112] Zugleich ist diese Gerechtigkeit ein eschatologischer Begriff, da sie auf das Endgericht bezogen ist.[113] Im Unterschied zum Judentum hat sie aber trotzdem Gegenwartsbedeutung, da sie schon in der Gegenwart dem Menschen zugesprochen ist.[114] Ein weiterer Gegensatz zum

Judentum besteht hinsichtlich der Bedingung, an die Gottes freisprechendes Urteil gebunden ist: Als Gerechtigkeit G o t t e s wird sie ohne Werke des Gesetzes, vielmehr aus Glauben zugesprochen. Das heißt, sie ist reines Geschenk, da Glaube als radikaler Gegensatz zum Sich-Rühmen zu fassen ist.[115] Schließlich hat diese Gerechtigkeit ihren Ursprung in Gottes Gnade, der χάρις.[116] Fazit: "Eben deshalb heißt die δικαιοσύνη, weil sie einzig in Gottes χάρις ihren Grund hat, δικαιοσύνη θεοῦ, von Gott geschenkte, zugesprochene Gerechtigkeit (Rm 1, 17; 3, 21f. 26; 10, 3)."[117] Der Genitiv θεοῦ ist eindeutig durch Röm 10, 3 festgelegt: genitivus auctoris.[118]

Gegen diese Konzeption hat vor allem Ernst Käsemann energischen Widerspruch erhoben.[119] Ihm sei es völlig unmöglich zuzugeben, daß die Theologie und das Geschichtsbild des Paulus am Individuum orientiert seien. Gottesgerechtigkeit sei zwar Gabe, habe aber zugleich M a c h t c h a r a k - t e r . So sei Existenz bei Paulus jeweils durch denjenigen bestimmt, dem wir gehören. "Wenn in der Taufe E x i s t e n z w a n d e l erfolgt und Gottes Wort neue Schöpfung setzt, so besagt das nichts anderes als H e r r s c h a f t s - w e c h s e l ."[120]

Nun könnte man die weitere Literatur geradezu danach charakterisieren, ja klassifizieren, inwieweit sie jeweils, zumindest tendenziell, Bultmann oder Käsemann folgt.[121] Dabei geschehen weitere Präzisierungen, etwa wenn Stuhlmacher die These Käsemanns dadurch unterbauen will, daß er sich bemüht, die Formelhaftigkeit von δικαιοσύνη θεοῦ nachzuweisen: Paulus habe die "Gerechtigkeit Gottes" als Formel bereits übernommen.[122]

Von besonderer Wichtigkeit ist J. A. Zieslers 1972 erschienene Monographie "The Meaning of Righteousness in Paul, A Linguistic and Theological Enquiry". Er unterscheidet zwischen der Bedeutung des Verbs δικαιοῦν und der Nomina δικαιοσύνη und δίκαιος.[123] "If we take the verb as essentially relational or forensic, and the noun and the adjective as describing behaviour within relationship ..., we arrive at an exegesis which satisfies the concern of both traditional Catholicism and traditional Protestantism."[124] Ziesler dürfte die Diskussion ein gehöriges Stück weitergeführt haben.[125]

Eines fällt sofort auf: In Gal ist von δικαιοσύνη θεοῦ nicht die Rede. Das gleiche gilt für 1 Kor. Der schwer zu datierende Phil bringt nur die Wendung τὴν ἐκ θεοῦ δικαιοσύνην (3, 9). So ist also der späte 2 Kor der früheste Beleg für den paulinischen Gebrauch dieses Begriffs (2 Kor 5, 21). Wir sehen von der Frage ab, ob Paulus den ganzen Komplex 5, 19-21 aus einer Tradition übernimmt.[126] Für unsere Überlegungen ist jedoch wichtig, daß 2 Kor 5, 21 der Begriff "Gottesgerechtigkeit" nicht im präzis identischen Sinne wie in Röm gebraucht wird; denn - um mit der treffenden Charakterisierung durch Ernst Käsemann zu sprechen - der Begriff beschreibt 2 Kor 5, 21 "die Realität der erlösten Gemeinde", während er Röm

1, 17; 10, 3ff. "personifiziert als Macht erscheint".[127] Will man also das
Thema des Röm bestimmen als "Es ist das Evangelium, in dem sich die
Gerechtigkeit Gottes offenbart (hat)", so dürfte zu erwarten sein, daß damit das Thema des Gal eben noch nicht getroffen ist. Um hier klarer zu
sehen, empfiehlt es sich vielleicht, den gegenüber unserem bisherigen
Verfahren umgekehrten Weg einzuschlagen: Schauen wir diesmal zuerst
auf die theologischen Strukturen, in denen in Röm δικαιοσύνη θεοῦ
und δικαιοσύνη vorkommen, und blicken von dort dann zurück auf Gal.

Röm 1, 16f. könnte man auf folgende Weise paraphrasieren: "Ich bekenne
das Evangelium. Ist es doch die Präsens G o t t e s in seiner heilbringen-
den Macht für den, der glaubt, zuerst für den Juden, dann für den Griechen. Im E v a n g e l i u m nämlich offenbart sich Gott als der G e r e c h -
t e , d. h. als der, der den gerecht macht, dessen Existenz ganz im Glauben gegründet ist. Es steht ja geschrieben: Der aus Glauben Gerechte ist's,
der leben wird." Dem korrespondiert, was Käsemann sagt: "Das Evangelium ist ... die Epiphanie der eschatologischen Gottesmacht schlechthin."[128] Des weiteren wird man Käsemann zustimmen, wenn er die Gottesgerechtigkeit als Macht u n d Gabe versteht.[129] Zu fragen ist freilich,
was denn nun mit Macht gemeint ist. W a s vermag Gott? Was ist das pro-
prium seiner dynamis? Käsemann lehnt die vor allem von Lyonnet[130] vertretene Interpretation ab, wonach die Gottesgerechtigkeit als activitas Dei
salvificans zu sehen ist.[131] Vielmehr spreche die Wendung "Gottesgerechtigkeit" bei Paulus "von dem Gott, der die gefallene Welt in den Bereich
s e i n e s Rechts zurückholt, sei es im Zuspruch oder im Anspruch ... "[132]
Also nicht nur (im Sinne eines zu eng gefaßten Verständnisses dessen, was
forensisch meint) die Macht, den Menschen "bloß" gerechtzusprechen.[133]
Rechtfertigung und Heiligung fallen ja bei Paulus zusammen![134]

Trifft unsere Paraphrase von Röm 1, 16f. den von Paulus intendierten Sachverhalt, dann impliziert "Glaube" das rechte Verhalten gegenüber diesem
machtvollen Gott, der die Welt zu Seinem Recht zurückbringt. Dann ist dieses anspruchs-volle göttliche Recht determinativ für den Glauben des Christen. Immerhin betont Paulus bereits im Präskript des Briefes im Zusammenhang mit der betonten Hervorhebung seines Apostolats, also seiner
Sendung zum Evangelium G o t t e s , den Glaubensgehorsam (1, 5). Gott
als der hinsichtlich seines Rechtes Mächtige, Gott als Gerechtsprechen-
der = Gerechtmachender, Gott als der seine Gerechtigkeit, d. h. sich als
den Gerechten Offenbarenden (apokalyptischer Kontext!), Glaube als Gehorsam - das alles steht im selben Begriffsfeld. Dieser ganze Zusammenhang läßt bereits vermuten, daß Glaubensgehorsam mehr ist als bloß einer
Botschaft "Glauben schenken". Er läßt vermuten, daß der Glaubensgehorsam ein der "Gerechtigkeit Gottes" entsprechendes Handeln impliziert, also ein Handeln, von dem in irgendeiner Weise das Prädikat "gerecht" gilt
- selbstverständlich nicht im aristotelischen Sinne, wonach gerecht ist,
wer Gerechtes tut![135]

Diesen Überlegungen entspricht, daß Paulus die Gerechtigkeit Gottes, also
Gott als G e r e c h t e n , der Ungerechtigkeit der Menschen (ἀδικία) ge-

genüberstellt (3, 5f.). Als dieser Gerechte hat Gott an seiner Bundestreue gegenüber Israel (3, 3: τὴν πίστιν τοῦ θεοῦ) festgehalten.[136] Der ungerechte Mensch ist aber der Mensch der Treulosigkeit (3, 4: ἀπιστία).[137] Er ist Lügner (3, 7). Die Ungerechtigkeit, die hier im Kontext der Gerechtigkeit Gottes ausgesagt wird, ist also gerade jene Ungerechtigkeit, die aus dem Versagen an Gottes Gesetz gefolgert wird; sei es das Versagen des Juden an der mosaischen Torah, sei es das Versagen des Heiden, der sich selbst Gesetz ist (2, 14f.).[138] Dann aber ist die Gegenüberstellung von Gottes Gerechtigkeit und der Menschen Ungerechtigkeit ein Indiz dafür, daß im Sinne des Paulus Gottes Gerechtigkeit nicht völlig losgelöst vom gerechten, im Gesetz vorgeschriebenen Tun des Menschen gedacht werden kann. Ist Gott, wie der Leser von 3, 5 bereits aus 1, 17 weiß, der Gerecht-Machende, so dürfte bereits aus der für diesen Leser naheliegenden Kombination beider Stellen der Sinn von "Gerechtigkeit Gottes" (auch) als Überwindung der menschlichen Ungerechtigkeit, die doch gemäß der Argumentation von 1, 18ff., vor allem 2, 17ff., im ungerechten Tun besteht, zu vermuten sein, Es sei aber ausdrücklich betont, daß mit dieser Aussage keineswegs schon der Weg zu einer Interpretation des Röm im Sinne der Lehre vom tertius usus legis freigegeben ist![139]

Unmittelbar nach dem im forensischen Horizont ausgesagten theologischen Grundsatzurteil 3, 20 (δικαιοῦσθαι = gerechtgesprochen werden[140]) ist 3, 21 mit dem markanten Neuansatz νυνί von der Gerechtigkeit Gottes die Rede. Was programmatisch 1, 17 in positiver Weise formuliert wurde (Gerechtigkeit Gottes aus Glauben), wird jetzt nach der negativen Seite hin expliziert: Die Gerechtigkeit Gottes wird offenbar "ohne Gesetz", was nach dem Zusammenhang heißt: "ohne Gesetzeswerke". Daß Paulus hier nicht wie in 3, 20 von Gesetzeswerken spricht, ist wohl lediglich verursacht durch die gewollt paradoxe Gegenüberstellung: χωρὶς νόμου – ὑπὸ τοῦ νόμου. Der Meister der sprachlichen Nuance ist wieder einmal am Werke. 3, 21a läßt sich dann paraphrasieren: Ohne daß der Mensch Gesetzeswerke ins Spiel bringt, hat sich nun Gott als der Gerechtmachende offenbart. Das νυνί ... πεφανέρωται signalisiert den Einbruch des Eschatons in die Gegenwart und somit die Modifikation apokalyptischen Denkens mit Hilfe apokalyptischer Terminologie (πεφανέρωται als Äquivalent für ἀποκαλύπτεται; s. 1, 17f.).[141] Die positiv formulierte Aussage von 1, 17 wird jedoch sofort wieder in 3, 22 aufgegriffen: διὰ πίστεως (statt ἐκ πίστεως). 3, 24ff. wird Gottes Gerechtigkeit wieder als Gottes Handeln am Menschen herausgestellt. Obwohl bis einschließlich v. 26 eine versimmanente Interpretation das Verständnis dieser Verse im Sinne einer "rein" forensischen Imputativrechtfertigung nicht ausschließt, verbietet es sich aufgrund des weiteren Zusammenhangs. Der dogmatische Abschnitt 3, 21-26 bereitet ja die nun folgenden theologischen Spitzenaussagen 3, 27ff. einschließlich des Abraham-Schriftbeweises von Kap. 4 vor: Abraham, so stellten wir in Abschnitt 3.1. dieser Untersuchung fest, tut aufgrund seiner Rechtfertigung das vom Gesetz Gebotene so, daß er nicht einem "Gesetz der Werke" gehorcht. Er ist so der paradigmatisch Gerechtfertigte, für den Gerechtsprechung und Gerechtmachung koinzidieren. Treffen unsere Überlegungen über Röm 3, 27ff. 4, 1ff. zu, so zeigt der unmittelbare Anschluß 3, 21-4, 25 an das "forensic statement" (Ziesler) von 3, 20 wieder einmal sehr klar, wie wenig die Kategorie des Forensischen auf ein "bloß" deklaratorisches Moment - womöglich noch im Sinne des "Als ob"! - reduziert werden darf. Es ist geradezu durch die Eigenart der paulinischen Argumentationsweise die Frage provoziert, ob nicht die Verlagerung des endgültig entscheidenden Gerichtes Gottes in die Gegenwart des Christen hinein - also das, was später einmal Luther mit dem Begriff "Heilsgewißheit" zum Ausdruck bringt -, ob also nicht die Vergeschichtlichung des Gerichts Gottes dieses a u c h als Verwirklichung gerechten Tuns verstehen lassen will: Wenn Gott den Sünder rechtfertigt, dann wird Recht-Fertigung als gerechtes Tun des Menschen offenbar. "Gerechtigkeit Gottes" erhält somit inhaltliche Tiefendimension. Vom Gerechtfertigten her wäre dies so zu sagen: Es gehört zur Existenz des Gerecht g e s p r o c h e n e n, daß er ein in Gerechtigkeit Handelnder i s t. Isoliert man das forensische Geschehen, so bringt man es um seinen Sinn. Man theologisiert dann aus einer distanzierten Sicht ü b e r den gerechtsprechenden Gott und ü b e r den gerechtgesprochenen Menschen, wobei man Gottes Forum objektiviert. Begreift man aber ein verantwortungsvolles theologisches Reden vom Gericht Gottes als Reden aus betroffener Existenz, so kann es nur Reden aus solcher Existenz sein, die sich aus eigener Überzeugung vom gerechten Handeln nicht zu dispensieren vermag.

Von "Gerechtigkeit Gottes" ist in Röm sonst nur noch R ö m 1 0, 3 die Rede. Um ihr Verständnis an dieser Stelle zu erheben, ist ihr d o p p e l t e r B e z u g zu berücksichtigen. Sie ist zunächst der "eigenen Gerechtigkeit", d. h. der menschlichen Gerechtigkeit, genauer: dem vom Menschen gegenüber Gott in Anspruch genommenen Gerecht-Sein aufgrund eigener Aktivität in Gesetzeswerken kontrastiert. Somit meint sie in diesem engeren Kontext die Gerechtigkeit, die der Mensch als geschenkte Gerechtigkeit Gott v e r d a n k t. Vom Selbstverständnis des Glaubenden aus formuliert heißt das: Sie umschreibt den aus Glauben Gerechten, der sein Gerecht-Sein Gott verdankt, oder um es konkreter zu formulieren: der also sich als Gerechten Gott verdankt. "Gerechtigkeit Gottes" ist in diesem Vers aber auch auf das Verhalten der Juden bezogen. Diese haben sich ihr nicht untergeordnet (ὑπετάγησαν). Eine derartige Bestimmung des Begriffs "Gerechtigkeit Gottes" ist aber nahezu inkompatibel mit der Vorstellung "Gerecht-Sein-durch ... ". Unterzuordnen hat man sich dem, der die entsprechende Autorität hat. Indem aber hier von Autorität die Rede ist, ist das Begriffsfeld "Macht" genannt. Folglich ist die Gerechtigkeit Gottes in 10, 3 a u c h als Macht verstanden. Dabei kann wieder paraphrasiert werden: Die Juden haben sich nicht dem gerechten, sprich: gerechtmachenden Gott unterworfen. Es zeigt sich also, daß "Gerechtigkeit Gottes" auch in 10, 3 kein einlinig festzulegender Begriff ist.[142] Er beinhaltet vielmehr sowohl das

Sein des gerechtfertigten Menschen als des iustitiā alienā Existierenden
als auch - deutlich geworden am negativen Spiegelbild der Juden - die Relation des gerechtfertigten Menschen zum rechtfertigenden Gott. Denn das
Selbstverständnis des Gerechtfertigten ist das eines Menschen, der sich
als Gerechten durch Gott weiß u n d der sich deshalb dem gerechten Gott
"untertan" weiß. Es sei aber ausdrücklich gesagt, daß diese Division in
zwei Elemente eine nur begriffliche Division darstellt, daß also das Selbstverständnis natürlich nur e i n e s ist. Das aber heißt, wer sich mit der
G a b e der Gottesgerechtigkeit beschenkt weiß, weiß sich damit i n e i -
n e m von der M a c h t der Gottesgerechtigkeit bestimmt.

Stuhlmacher geht in seiner Interpretation von Röm 10,3 vom Gesamtkom-
plex Röm 9-11 aus. Diese Kapitel kreisen nach seiner Auffassung um das
Thema der Gerechtigkeit Gottes, verstanden als "Manifestation der eschatologischen Schöpfermacht Gottes".[143] Da der Ton in dieser Wendung auf
"eschatologisch" liegen dürfte, umschreibt sie exakt e i n e n Aspekt des
Begriffs. Stuhlmacher wird man auch beipflichten, wenn er 9,32b-10,2
als "gewissermaßen die heilsgeschichtliche Variante von Röm. 7,7ff." begreift.[144] Also: "10,3 faßt zusammen: Israel hat Gottes Rechts- bzw.
Schöpferwillen verfehlt ..., weil es bestrebt war, Gottes Schöpfermacht
die eigene δικαιοσύνη entgegenzusetzen."[145] Hier freilich wird, indem
statt vom eschatologischen Schöpferwillen vom Schöpferwillen schlechthin
gesprochen wird, zumindest möglicherweise eine Fehlinterpretation suggeriert. Wenn Stuhlmacher dann auch noch erklärt, der geläufigen Interpretation, Gerechtigkeit Gottes meine Röm 10,3 Gottes Gabe, sei dadurch ein
Teil Boden entzogen, weil es sich um das Schicksal von Völkerschaften handele und somit unsere Stelle auf keinen Fall individualistisch auszulegen
sei[146], so verkennt er ein Doppeltes:

1. In der Rechtfertigungstheologie des Paulus läßt sich nicht Individuelles
und Kollektives auseinanderdividieren. Beides greift ineinander über. Sicher wird im Zusammenhang der Kapitel 9-11 die Gerechtigkeit Gottes im
Blick auf die kollektive Größe Israel reflektiert. Doch ist gerade in 10,3
nicht der Singular "Israel" verwendet, sondern die 3. Person Plural. Damit
ist a u c h die Eigenverantwortung eines jeden einzelnen in Israel sprachlich zum Ausdruck gebracht - wie ja auch die Gesamtdarlegungen des Röm
ohne diesen individuellen Aspekt sinnlos würden. Gerade hier zeigt sich die
Fruchtbarkeit der richtig verstandenen existentialen Interpretation, die vom
In-Sein und vom In-der-Welt-Sein des Menschen ausgeht, also von ihrem
Grundansatz aus die Negation jeglicher individualistischen Betrachtungsweise ist.[147]

2. Der doppelte Aspekt der Gerechtigkeit Gottes, wie er oben herausgestellt wurde, kommt bei Stuhlmacher nicht zum Tragen. Gerade dieser doppelte Aspekt ist jedoch für Ernst Käsemann, für dessen Paulusinter-
pretation der Machtcharakter der Gottesgerechtigkeit so konstitutiv ist,
wesentlich. Im Blick auf Röm 10,3 sagt dieser: "In der eschatologischen
G a b e der Rechtfertigung tritt der G e b e r a l s H e r r und Schöpfer auf

den Plan."[148] Ist es doch Käsemann, der nicht müde wird, immer wieder von neuem zu betonen, daß Macht und Gabe kein echter Gegensatz sind![149] Dann aber läßt sich nicht mit Stuhlmacher sagen, daß im Gesamtzusammenhang der Kapitel 9-11 Gottes Gerechtigkeit nur (!) die sich als eschatologische Schöpfergewalt betätigende, die Geschichte und Geschicke lenkende Gottesmacht sein könne.[150]

F a s s e n w i r z u s a m m e n : "Gottes Gerechtigkeit" meint in Röm jene Gabe Gottes, die sich wesenhaft in ihrem Machtcharakter manifestiert. Für R ö m gilt im Blick auf die "Gerechtigkeit Gottes" auf jeden Fall, was Käsemann so treffend formuliert: "Für die Theologie des Apostels erfolgt Existenzwandel stets als Herrschaftswandel, also mit der Relation zu einem andern Herrn, und ist nichts anderes als der Eintritt in eine neue Relation. Was es um den Menschen ist, entscheidet sich daran, welchen Herrn er hat."[151] Entweder ist die hamartia des Menschen Herrn oder die Gerechtigkeit Gottes; entweder die von Paulus quasipersonifizierte Sündenmacht (5, 21) oder der gerechte, gerechtmachende Gott! Die hamartia soll uns aber nicht mehr beherrschen, weil wir, wie Paulus in einer zugespitzten Formulierung sagt, nicht mehr unter dem Gesetz, sondern unter der Gnade stehen (6, 14).

Läßt sich ähnliches nun auch von der "G e r e c h t i g k e i t" in Röm sagen? Zunächst sei hervorgehoben: Von δικαιοσύνη ohne den determinierenden Genitiv θεοῦ ist gerade im Kontext der Aussagen über die δικαιοσύνη θεοῦ die Rede. So meint bezeichnenderweise der Begriff "Gerechtigkeit" in Röm 4 die dem Abraham und folglich allen Glaubenden a n g e r e c h n e - t e Gerechtigkeit (das Verb λογίζεσθαι kommt in Kap. 4 in der Bedeutung "anrechnen" neunmal vor!). Hieß es 3, 21, daß die Gerechtigkeit G o t - t e s vom Gesetz und den Propheten bezeugt wird, so wird nun der Schriftbeweis im Blick auf die dem Glaubenden angerechnete Gerechtigkeit geführt. Das heißt aber, daß Paulus in Röm mit "G e r e c h t i g k e i t", zumindest in Kap. 4, die j e i n d i v i d u e l l e R e a l i s i e r u n g und K o n k r e t i s i e - r u n g d e r G o t t e s g e r e c h t i g k e i t meint. Läßt sich von diesem Sachverhalt her schließen, daß Gottesgerechtigkeit und Gerechtigkeit in Röm generell in dem Sinne zu unterscheiden sind, daß der Begriff "Gottesgerechtigkeit" den Gedanken der Macht impliziert, der Begriff "Gerechtigkeit" aber mehr das geschenkte Sein des Menschen, also die Gabe, zum Ausdruck bringt? Als Argument für diese Auffassung ließe sich 5, 17 anführen (οἱ τὴν περισσείαν τῆς χάριτος καὶ τῆς δωρεᾶς τῆς δικαιοσύνης λαμβάνοντες!). Doch bringt Paulus dann in Kap. 6 Aussagen über die Gerechtigkeit, die auch sie eindeutig als "Macht" verstehen lassen.

Nun könnte man zwar zunächst 6, 13 so exegesieren, daß man darauf hinweist, wie der Sündenmacht eben nicht die Gerechtigkeit, sondern Gott gegenübergestellt wird: Im Dienste der hamartia stehen die Waffen der Ungerechtigkeit (ἀδικία kann hier durchaus als menschliche "Qualität" verstanden werden!), im Dienste Gottes jedoch die Waffen der Gerechtigkeit. Meint aber Ungerechtigkeit das ungerechte Verhalten des Menschen, wa-

rum sollte dann nicht Gerechtigkeit dessen gerechtes Verhalten meinen?
Genauer: das Verhalten dessen, der als Gabe von Gott sein Gerecht-Sein
empfangen hat. In diesem Sinne legte bereits Martin Luther Röm 6,13 aus:
"Iustitia tota generalis conuersatio ex fide seu fides cum operibus
suis ..."[152] Auch 6,16 könnte in diesem Duktus interpretiert werden.
Nachdem zunächst ausgesprochen wird, daß der Mensch immer einen Herrn
hat, daß zum Mensch-Sein grundsätzlich das Einen-Herrn-Haben gehört,
wird auch hier der Herrschaft der hamartia gerade nicht die Herrschaft
der Gerechtigkeit gegenübergestellt. Vielmehr, wie das Knecht-Sein gegenüber der hamartia zum Tode führt, so der Gehorsam (sc. gegenüber
Gott) zur Gerechtigkeit. Eigentlich hätte man erwarten sollen, daß der
Satz mit den Worten endet: "... oder der Gerechtigkeit, die zum Leben
führt".[153] Dann erst läge eine in sich stimmige antithetische Formulierung vor, in der sich die einzelnen Elemente auch wirklich entsprechen.
Theologisch schwierig ist hier vor allem das Verhältnis von Gehorsam und
Gerechtigkeit: ὑπακοῆς εἰς δικαιοσύνην. Hat doch Paulus bisher
den größten Wert darauf gelegt, daß des Menschen wahre Gerechtigkeit ge-
schenkte Gerechtigkeit ist! Und jetzt auf einmal: εἰς δικαιοσύνην!
Nach Kertelge ist und bleibt das eine mißverständliche Formulierung.[154]
Dieses Urteil trifft auf jeden Fall zu. Zugleich muß jedoch betont werden:
Unter keinen Umständen will Paulus mit dieser Wendung die Rechtfertigung
des Menschen auch nur partiell als Tat des Menschen behaupten! Will man
nicht das ganze Gefälle der paulinischen Theologie umkehren, so liegt die
Deutung nahe: Der Gehorsam gegenüber Gott ist ausgerichtet auf die ständige Bewährung in der geschenkten Gerechtigkeit.[155] Anders formuliert:
Die Gabe ist dann und nur dann Gabe, wenn sie als Aufgabe ergriffen ist.
Trifft diese Deutung den von Paulus gemeinten Sinn, so bestätigt 6,16 unsere Interpretation des Zusammenhangs von Kap. 3 und 4, wonach es - eben
weil paulinische Theologie nur als Theologie aus betroffener Existenz verstanden werden darf! - zur Existenz des Gerechtgesprochenen gehört, ein
in Gerechtigkeit Handelnder zu sein. In 6,16 indiziert also die Phrase εἰς
δικαιοσύνην die Wirkung des gerechtsprechenden Handelns Gottes unter
dem Aspekt des gerechten Tuns des Gerechtfertigten[156] - allerdings ohne
daß man, wie Käsemann richtig hervorhebt, an die moralische Norm der
Rechtschaffenheit als neues Ideal denken dürfte.[157]

Sieht es nach diesen Überlegungen so aus, als könne man den Begriff "Gerechtigkeit" in 6,16 nur als Gabe interpretieren, nämlich als Gabe des Ge-
recht-Seins im Sinne von geschenktem gerechtem Tun, so stellt doch dieser
Vers - freilich nur in andeutender Weise - auch den Machtcharakter der
Gerechtigkeit Gottes heraus. Wenn nämlich Paulus kontrastiert: zum Tode - zur Gerechtigkeit, dann darf man nicht übersehen, daß bereits 5,12
neben der quasipersonifizierten hamartia als Macht auch der quasipersonifizierte thanatos als Macht eingeführt wird.[158] Die Verse 6,17f. sind es
dann endlich, die den Machtcharakter der Gerechtigkeit, ohne daß von der
Gerechtigkeit Gottes die Rede ist, deutlich herausstellen. Immer ist

der Mensch einem Herrn unterstellt - dieser Gedanke wird hier wiederholt. Er wird nun aus der Perspektive der zeitlichen Abfolge formuliert:
Ihr wart Sklaven der hamartia; jetzt aber seid ihr, befreit von dieser Herrschaft, der Gerechtigkeit "versklavt" worden, ἐδουλώθητε. Jetzt endlich
sind S ü n d e und G e r e c h t i g k e i t als die b e i d e n e x i s t e n z b e s t i m -
m e n d e n M ä c h t e , neben denen es keine dritte gibt, beim Namen genannt.[159] Da in 6, 13 der hamartia Gott gegenübergestellt wird, Gerechtigkeit und Gott also im selben semantischen Feld erscheinen, läßt sich der
Gegensatz von Sünde und Gerechtigkeit auch als Gegensatz von (quasiperso-
nifizierter) S ü n d e und g e r e c h t e m G o t t artikulieren (s. auch 6, 22!).
Und da der Christ als Gerechtfertigter angesprochen ist, als der, der der
Sünde durch die Taufe abgestorben ist (6, 2ff.), kann der Term "gerechter
Gott" hier expliziert werden als: Gott, der gerechtgemacht h a t . Kurz:
Wer frei ist von der hamartia, der dient der Gerechtigkeit, d. h. dem Gott,
der ihn gerechtfertigt hat; der ist geradezu durch sein Versklavt-Sein gegenüber diesem gerechten Gott "definiert". 6, 19c wird aus den bisher ausgesprochenen Indikativen der Imperativ gefolgert: "So stellt euch (τὰ μέλη
ὑμῶν = Umschreibung der ganzen Person der Angesprochenen im Blick auf
das verantwortliche Handeln) als Knechte der Gerechtigkeit bereit mit dem
Ziel der Heiligung (εἰς ἁγιασμόν)". Dem εἰς δικαιοσύνην von 6,16
entspricht also hier das εἰς ἁγιασμόν.[160] Und dem Wechsel zwischen
dem zielgerichteten Akkusativ εἰς δικαιοσύνην 6, 16 und dem Dativ
τῇ δικαιοσύνῃ 6, 19c dient als Interpretationshilfe die Wendung δοῦλα...
τῇ ἀνομίᾳ εἰς τὴν ἀνομίαν 6, 19b. Hier ist nun in aller Deutlichkeit
der Machtcharakter der Gesetzlosigkeit i n e i n e m m i t ihrem Ausge-
übt-Werden zum Ausdruck gebracht. Dann dürfte aber jene Interpretation
von Röm 6 nicht in die Irre gehen, nach der der Doppelcharakter der Gerechtigkeit herausgestellt wird: Der Gerechtigkeit eignet einmal jener
Machtcharakter, der nach 1, 16f. die Gerechtigkeit G o t t e s auszeichnet.
Gerechtigkeit in Röm 6 meint aber auch "Lebensgerechtigkeit" (Lipsius),
in der der von Gott Gerechtfertigte sein Gerechtgesprochen-Sein bewährt.
Sicher, nicht an jeder Stelle dieses Kapitels meint der Begriff "Gerechtigkeit" beides in voller Bedeutungstiefe. Sicherlich wird man z. B. fragen
müssen, ob in der so griffig zugespitzten Antithese 6, 18 Gerechtigkeit
im Sinne von "Lebensgerechtigkeit" ausgelegt werden darf.[161] Aber das
ist ja gerade der Umgang des Paulus mit seinen theologischen Begriffen,
daß er ihnen Leben verschafft, indem er ihr Bedeutungsspektrum in je unterschiedlicher Weise beleuchtet. Paulinische Theologie, die als System
eng de-finierter Begriffe dargestellt würde, wäre nicht mehr paulinische
Theologie. Hält man sich diese kontinuierliche Bewegung des paulinischen
Denkens vor Augen, dann - freilich aber auch nur dann! - gilt, was Ziesler vom Verständnis der Gerechtigkeit in Röm 6 sagt: "... a power ...
at the same time what one does", "a certain kind of behaviour, plus the
role of a power".[162] Ziesler verweist hier mit Recht auf die Analogie
der Sünde. Denn auch die Sünde ist als Macht kein bloßes Gegenüber des
Menschen. Sie wirkt sich ja in den vom Menschen zu verantwortenden Ta-

ten aus; sie ist, wie Röm 5, 12 zeigt, Verhängnis und Schuld. Oder, um im Vorstellungshorizont von Röm 6 zu bleiben: In dem durch die Taufe von der Sündenmacht Befreiten soll nicht wieder diese Sündenmacht herrschen, indem der so Befreite etwa wieder seinen Begierden gehorchte.

Nur in Parenthese ein Anschlußgedanke an das, was soeben über den Begriff der Gerechtigkeit gesagt wurde. Bultmann hat in seinem programmatischen und inzwischen zum theologiegeschichtlichen Dokument gewordenen Aufsatz "Das Problem der Ethik bei Paulus" (1924) sowohl Sünde als auch Gerechtigkeit des Christen als etwas am empirischen Menschen Wahrnehmbares bestritten. Die Gerechtigkeit sei eben keine Veränderung der sittlichen Qualität des Menschen, wie auch die Sünde nicht als identisch mit den sittlichen Verfehlungen betrachtet werden dürfe.[163] "Das heißt aber: die Identität des Gerechtfertigten mit dem empirischen Menschen wird geglaubt."[164] Der Sache nach hat Bultmann diesen Gedanken bis in seine "Theologie des Neuen Testaments" durchgehalten. Es kam bereits in diesem Abschnitt zur Sprache, daß er in diesem Werk die Gerechtigkeit, indem er sie als forensischen Begriff faßt, nicht als "ethische Qualität, überhaupt nicht als Qualität der Person" begreift.[165] Bei Käsemann ist das von Bultmann betonte Auseinanderfallen von Sünde und sittlichen Verfehlungen bzw. von Gerechtigkeit und sittlichen Qualitäten des Menschen abgeschwächt: "Was man 'Ethik' zu nennen pflegt, übergreift das Feld des Moralischen, so gewiß es sich darin äußert, weil Sünde für Paulus zwar moralische Folgen hat, jedoch kein moralisches Phänomen ist."[166] Bultmanns Bemühung um Überwindung einer moralischen Interpretation von Sünde und Gerechtigkeit hat seinen berechtigten Ort. Sie ist als Reaktion gegen eine moralistische Verzeichnung der paulinischen Theologie verständlich. Darüber hinaus: Sie war in der damaligen theologischen Situation dringend erforderlich. Heute aber gilt es, in umgekehrter Weise die Kategorie des Sittlichen vom theologischen Grundansatz des Paulus her neu zu verstehen: Nicht das "Sittliche" hat zu bestimmen, was theologisch ist - eine Auffassung übrigens, die auch heute wieder in manchmal erschütternder Flachheit fröhliche Urständ feiert -, sondern das "Sittliche" ist so von der theologischen Grundstruktur des paulinischen Denkens zu erfassen, daß erkannt wird, wie es ganz in diese integriert ist. Die "ethische" Gerechtigkeit[167] darf nicht lediglich als Appendix, als allenfalls geduldete Applikation paulinischer Rechtfertigungslehre abgewertet werden. Besitzt doch die "ethische" Gerechtigkeit, die sich im Gehorsam gegenüber dem gerechtsprechenden Gott und darin zugleich in der Liebe zum Nächsten konkretisiert, ihr Fundament in der Gehorsamstat Christi (Röm 5, 19: διὰ τῆς ὑπακοῆς τοῦ ἑνός, vgl. 1, 5: εἰς ὑπακοὴν πίστεως). Wir wurden aber in der Taufe mit dem gehorsamen Christus verbunden, in seinen Tod, also seine entscheidende Gehorsamstat hineingetauft.[168] Das aber heißt, daß sich an uns Gottes Gerechtigkeit und Gottes Liebe (5, 8) realisieren. Denn die sittliche Forderung der Liebe, die ja die Erfüllung des Gesetzes als des hei-

ligen und gerechten Willens Gottes meint (13, 8-10), gründet letztlich in
Gottes liebender Tat (5, 8!). Die Darlegungen in Abschnitt 2.3. zeigten
deutlich, wie der Begriff "Sünde" in Röm sittliche Verfehlungen umgreift,
jedoch von diesen her nicht in seinem eigentlichen Wesen verstanden werden kann. Der Tiefendimension dieses Begriffes entspricht auch die Tiefendimension des Begriffs "Gerechtigkeit". (Wenn also von "Sittlichkeit"
im Zusammenhang mit der paulinischen Theologie die Rede ist, dann darf
nicht die Assoziation geschehen: Sittlichkeit - "bürgerliche Moral". Denn
mit "bürgerlicher Moral" bzw. dem, was man dafür hält, hat das "Sittliche" bei Paulus nichts zu tun.) Eines freilich ist zuzugeben: Was man in
Röm vergebens sucht, ist eine begrifflich exakte Zuordnung
von Gerechtgesprochen-Sein und geistgewirktem neuen Sein, das in der
Liebe seinen Ausdruck findet. Röm 8 wird das neue Sein (κατὰ πνεῦμα)
mit seinem Aus-Sein-auf (φρονεῖν) dem alten Sein (κατὰ σάρκα) einfach gegenübergestellt.

Blicken wir auf die Überlegungen dieses Abschnitts zurück, so dürfte die
Dialektik von Herr-Sein der hamartia und Herr-Sein der Gerechtigkeit bzw.
der Gerechtigkeit Gottes bzw. des rechtfertigenden Gottes als markante Fun-
damentalaussage des Röm deutlich sein. In der Tat, für Röm gilt, was Käsemann so grundsätzlich formulierte: "Was es um den Menschen ist, entscheidet sich daran, welchen Herrn er hat."[169] "Für Paulus gibt es den
herrenlosen, sich selbst überlassenen Menschen nie wirklich."[170] Man
könnte hier geradezu von einem theologischen Existential reden:
Vom Paulus des Röm her heißt Mensch-Sein immer schon einen Herrn haben. Mensch-Sein ist grundsätzlich und in jedem Fall entweder ein
Im-Herrschaftsbereich-der-Sünde-Sein oder ein Im-Herrschaftsbereich
-der-Gottesgerechtigkeit-Sein.[171] Diese dialektisch-existentiale
Aussage wird aber auch im Kontext der Gesetzestheologie ausgesagt. Es
klingt wie ein theologisches Axiom, wenn Paulus Röm 6, 14 die unmittelbar
zuvor gebrachte Aussage 6, 13 begründet: "Ihr steht nicht unter dem Gesetz,
sondern unter der Gnade." Wer einmal nicht von Gal her diese Stelle ver-
nimmt, wer vielmehr Röm isoliert liest und in seiner kontinuierlichen Lektüre bis 6, 14 vorgedrungen ist, wird vielleicht ein wenig stutzig werden.
Denn von einem Sein unter dem Gesetz war bisher noch nicht die Rede.
Als eine den Menschen in negativer Weise bestimmende Macht erschienen
bisher lediglich die Sünde und der Tod. Und im übrigen wurde bis 6, 14 keineswegs so vom nomos gesprochen, daß die Auffassung, er sei eine dem
Menschen schädliche Macht, suggeriert würde.[172]

Daß Paulus mit ὑπὸ χάριν 6, 14 im Begriffsfeld der Herrschaft der Gerechtigkeit bleibt, braucht nicht eigens bewiesen zu werden. Dann aber läßt
die antithetische Formulierung "unter dem Gesetz - unter der Gnade" den
Leser in der Tat zunächst vermuten, daß Paulus nun auf einmal das Gesetz
nicht nur als zur Rechtfertigung unfähig, sondern auch als Unheilsmacht
betrachtet. Unter-der-Sünde-Sein und Unter-dem-Gesetz-Sein erscheinen
hier nahezu zwangsläufig als ein und dasselbe. Und Paulus will ja auch

wohl wirklich sagen: Wer sich unter der Herrschaft des Gesetzes befindet, der befindet sich in einem unter der Herrschaft der Sünde. Es ist ein und derselbe Mensch, der unter beiden Regimen in unheilsvoller Weise existiert. Doch die Koinzidenz dieser beiden Regime bedeutet nicht die Identität beider "Regenten". Daß sich für den Leser eine derartige Identität nahelegt, befürchtet Paulus selbst. Röm 7, 7 fragt er ja, ob der nomos hamartia sei. Wahrscheinlich ist diese Frage ihm sogar zur Genüge gestellt worden. Der Sachverhalt, daß 7, 7 der Stil der Diatribe vorliegt[173], kann keinesfalls beweisen, daß Paulus nicht einen ihm entgegengebrachten Einwand zitiert.[174] Der Apostel widerlegt die ihm unterstellte (oder unterstellbare) Auffassung von der Identität der zwei Herrscher mit der These, daß sich die Sündhaftigkeit der Sünde gerade daran zeige, daß sie durch das Gute, nämlich das Gesetz, den Tod wirke (7, 13).

Unter-dem-Gesetz-Sein heißt aber nicht, das vom Gesetz Gebotene zu tun. Dagegen spricht schon allein 13, 8-10. Vielmehr besagt es, daß erst das zum "Gesetz der Werke" (3, 27) pervertierte Gesetz versklavende Funktion annimmt. Dann aber bedeutet die Wendung "unter dem Gesetz" soviel wie "unter der Herrschaft des pervertierten Gesetzes". (Gegen diese Interpretation möchte man vielleicht Röm 7, 1-6 ins Feld führen. Doch s. zu dieser Stelle Abschn. 3.3. dieser Untersuchung!) So sehr auch Paulus alles daran liegt, daß der Christ frei ist von der Herrschaft des pervertierten Gesetzes, ja, daß Christ-Sein Frei-Sein-vom-pervertierten-Gesetz ist, so liegt doch für ihn in Röm das Pathos der Aussage nicht auf der Freiheit als solcher. Noch einmal: Dieses Urteil gilt allein für Röm! In Röm ist Freiheit - wie Herrschaft - ein dialektischer Begriff. Freiheit ist ein existentialer Begriff. So kann Paulus, fast befremdend, sagen: "Ihr wart frei von der Herrschaft der Gerechtigkeit" (6, 20). Es gibt eine Freiheit, die böse ist. Daß dennoch Paulus mit Emphase von der Freiheit sprechen kann, zeigt 8, 21.[175] Nur - auch hier erscheint sprachlich die Freiheit als determinierte ($\overset{\text{c}}{\alpha}\pi\grave{o}$..., $\tau\tilde{\eta}\varsigma$...). Röm artikuliert sich nicht als magna charta libertatis - trotz aller Akzentuierung der in Christus geschenkten Freiheit. Theologische Reflexion verbietet einen zu absoluten Gebrauch des Wortes und seiner Derivate. Es wird immer gesagt, welche Freiheit gemeint ist und welche nicht.

Alles in allem: Paulus bemüht sich in seiner theologischen Reflexion in Röm um eine ausgeglichene Darstellung der eigentümlichen Dialektik von Herrschaft und Freiheit. Dabei geht es ihm darum zu zeigen, wie zwischen Freiheit vom Gesetz und Freiheit von der Sünde unterschieden werden muß. Beide Arten der Freiheit bzw. der entsprechenden Unfreiheit sind zwar jeweils als Junktim gegeben. Aber Freiheit vom Gesetz meint keinesfalls Freiheit von dem als prinzipieller Unheilsmacht verstandenen Gesetz. Das Gesetz bleibt auch für den Christen ein bestimmender Faktor. In der Linie von Paulus weitergedacht könnte man formulieren: Freiheit vom pervertierten Gesetz ist Herrschaft des - freilich recht verstandenen[176] -

Gesetzes Gottes. Paulus sagt das zwar nicht so, aber es ist in der
Theologie des Röm impliziert. Insofern nämlich das Gebot des Gesetzes
gerecht, δικαία, ist (7,12) und die Erfüllung des Gesetzes doch wohl das
Tun des "gerechten" Gebots der Nächstenliebe ist, in dem das Gesetz zu-
sammengefaßt ist (13, 8-10), impliziert Freiheit vom pervertierten Gesetz
den Sklavendienst gegenüber der Gerechtigkeit Gottes, sprich: dem gerechten Gott, einen Sklavendienst, der sich notwendig als gerechtes Handeln
ausweist. Der Gedanke des Gehorsams in diesem Sinne hat seine sprachliche Voraussetzung in der Wendung "Gerechtigkeit Gottes", die bei Paulus,
wie sich zeigte, erst seit 2 Kor nachweisbar ist. Ob er sie als geprägte
Wendung übernommen hat (Stuhlmacher u. a.), sei hier dahingestellt.[177]
Sicher ist auf jeden Fall, daß die theologische Entwicklung des Paulus in
ihrer Endphase durch diesen Begriff wesentlich geprägt ist, und zwar so
wesentlich, daß das Wesen der Theologie des Röm von diesem Begriff aus
"be-griffen" werden kann.[178]

+

Schauen wir nun auf Gal zurück, so bietet sich uns hier doch ein anderes
Bild. Der ganze Brief ist ein leidenschaftlicher Appell an die Galater, nur
ja nicht ihre Freiheit zu verraten. Wer frei ist (interpretans), der ist
Christ (interpretandum!)! "Zur Freiheit hat uns Christus befreit!" (Gal
5, 1a) Dieser Satz kann nur mit einem Ausrufungszeichen geschrieben werden, obwohl er im Indikativ formuliert ist. Und so folgt auch sogleich der
Imperativ: "So steht denn fest und laßt euch doch nicht wieder unter das
Joch der Knechtschaft zwingen!" (5,1b) Es gilt also: Wer Knecht ist,
der ist kein Christ! Was im Blick auf Röm eben noch von uns bestritten
wurde, das gilt a fortiori für Gal: Er ist die magna charta libertatis. In ihr
geht es mit echtem Pathos um die "Freiheit von", die Freiheit nämlich
vom Gesetz, eine Freiheit, die in eins gesetzt wird mit der Freiheit von
den Weltelementen, den dämonischen Mächten. Es ist zugleich die Freiheit
von der überindividuellen Macht der hamartia. Von dem, woran Paulus in
Röm so sehr liegt, nämlich zwischen der Sünde als der eigentlichen Unheilsmacht und dem Gesetz als der nur von der Sünde mißbrauchten Macht
zu unterscheiden, findet sich in Gal keine Spur.[179] Paulus hält es in diesem Brief an keiner Stelle für nötig zu sagen, daß die Knechtschaft unter
dem Herrschaftsbereich des Gesetzes dem ureigenen Wesen dieses Gesetzes widerspricht. Die positive Aussage über "das ganze Gesetz" 5, 14 geschieht ja gerade nicht im Blick auf die Torah. Tenor des Briefes ist also:
Ihr Galater seid durch Christus befreit; also verspielt nicht eure Freiheit!
Diese Freiheit wird nicht dialektisch als grundsätzliches Existential begriffen. Freiheit wird in keiner Weise im Blick auf das vorchristliche Sein artikuliert. Freiheit von den bösen Mächten gilt schlechthin als Freiheit.

Dem korrespondiert, daß in Gal von Gerechtigkeit nur als Gabe
die Rede ist. An keiner Stelle, wo dieser Begriff vorkommt (2,21; 3,6; 3,21;

5, 5), ist die Bedeutung "Macht" zwingend aus dem Zusammenhang zu erschließen. Darüber hinaus, an keiner Stelle gibt diese Bedeutung einen Sinn. (Erst recht gilt dies für die Derivate.) Es wurde bereits mehrfach darauf hingewiesen, daß die Wendung "Gerechtigkeit Gottes" in Gal überhaupt nicht vorkommt. Die ganze Argumentation in diesem Schreiben läßt sogar vermuten, daß Paulus der theologische Begriff "Gerechtigkeit Gottes" zur Zeit der Abfassung noch gar nicht geläufig war. Hätte er ihn damals schon gekannt -; nein, sagen wir etwas vorsichtiger: wäre er sich damals schon der theologischen Tragweite dieses Begriffes bewußt gewesen, so hätte er höchstwahrscheinlich manche Aussagen anders formuliert. So viel ist auf jeden Fall evident: P a u l u s   d e n k t   i n   G a l   n i c h t   v o n   d e r   " G e r e c h t i g k e i t   G o t t e s "   a l s   d e r   m a c h t v o l l e n   E p i - p h a n i e   d e s   g e r e c h t e n   u n d   g e r e c h t s p r e c h e n d e n   G o t t e s   a u s . So kennt er auch in Gal nicht den Gehorsam gegenüber der Gerechtigkeit Gottes, der auch zugleich Gehorsam gegenüber dem der Perversion entnommenen mosaischen Gesetz wäre. Abwertung der Torah und Nichtvorkommen des Begriffs "Gerechtigkeit Gottes" ergeben in ihrem Zusammentreffen einen bezeichnenden Zug des paulinischen Briefes. Ob Paulus aus 1 Kor 1, 30, wo m. E. ein Fortschritt in der christologischen Reflexion gegenüber Gal vorliegt, dann den Begriff "Gerechtigkeit Gottes" selber entwickelte oder ob er ihn als willkommenes sprachliches Mittel zur Ausgestaltung seiner Theologie anderswo dankbar aufgegriffen hat, soll hier nicht entschieden werden. Halten wir also fest: Die für Röm so typische Dialektik der Existentialien Freiheit und Knechtschaft findet sich in Gal nicht.

Und doch gibt es in Gal A n s ä t z e für eine dialektische Sicht der Freiheit, nämlich in 5, 13, also jenem Satz, der durch das bekannte Theologumenon 5, 14 begründet wird. Paulus stellt noch einmal programmatisch fest: "Ihr seid zur Freiheit berufen, Brüder. " Noch einmal wird also absolut von der Freiheit gesprochen, ohne daß sie durch einen Zusatz als eine nur bestimmte Freiheit limitiert wird. Dann aber wird auf einmal vor dem möglichen (?) Mißverständnis der Freiheit, nämlich der Zügellosigkeit, gewarnt: "Nur, laßt die Freiheit nicht zum Angriffspunkt für das Fleisch werden!"[180] Damit wäre ja echte Freiheit verspielt.[181] Ist doch "das Fleisch" der je individuelle Ort der transsubjektiven hamartia. Und wo das Fleisch sozusagen als trojanisches Pferd der hamartia deren Machtübernahme ermöglicht, da ist es aus mit der Freiheit. Der Mißbrauch der Freiheit hebt die Freiheit als solche auf. Nach dieser Warnung folgt die Mahnung: "Dient vielmehr einander in Liebe!" Die Liebe, des Christen einziges Gesetz (5, 14), wird demnach als Sklavendienst verstanden. Der befreiende Glaube wirkt sich nach 5, 6 in der Liebe aus; gerade dieser befreiende Glaube ist ja die Energie der Liebe. Doch ausgerechnet die durch die den befreienden Glauben ermöglichte Liebe wird als δουλεύειν interpretiert. Keimhaft ist hier grundsätzlich jene existentiale Dialektik des Röm bereits angelegt. Es fehlen allerdings noch entscheidende begriffliche Elemente, um sie zu entfalten. Erst der Begriff der "Gerechtigkeit Gottes" und eine neue Wertung der

Torah werden Paulus die nötigen Voraussetzungen an die Hand geben. Eines freilich hat Paulus schon in Gal erkannt und deutlich ausgesprochen: Freiheit darf nicht vom Individuum aus definiert werden. Denn eine solch de-finierte Freiheit ist keine Freiheit.

3.3. Legem statuimus! (Röm 3,31)

Bemühen wir uns ein letztes Mal um Röm 3,27-31! Versuchen wir, das eigentliche Gefälle dieser Argumentation noch genauer zu erfassen; versuchen wir, uns in das hier Gesagte - im wörtlichen Sinne: Gesagte; denn Paulus hat ja den Brief diktiert, damit er vorgelesen wird! - noch besser hineinzuhören und es auf seine ureigene Intention abzuhorchen.

Nach der Feststellung, daß Gott gerecht ist und folglich den aus Glauben Existierenden gerechtmacht, ruft Paulus - man hört die Genugtuung im Tonfall heraus - aus: "Wo ist denn nun das Sich-Rühmen (des Juden)?! Ausgeschlossen ist's!" Im argumentativen Stil der Diatribe fragt er bohrend weiter: "Durch welche Art von Gesetz ist das Sich-Rühmen ausgeschlossen? Etwa durch das Gesetz, das zum 'Gesetz der Werke' pervertiert ist?" Die Wendung "Gesetz der Werke" bedeutet ja, wie in Abschnitt 3.2. dieser Untersuchung gezeigt wurde, ganz konkret das mosaische Gesetz Gottes, insofern es zum Mittel des Sich-vor-Gott-Behaupten-Müssens degradiert und depraviert ist. Ist aber der Bezug des "Gesetzes der Werke" zu einer bestimmten Sicht der Torah unüberhörbar, meint diese Wendung also die Torah, insofern sie die mißbrauchte Torah ist - s. Röm 10,4: Christus ist das Ende des Mißbrauchs der Torah -, dann ist es nur folgerichtig anzunehmen, daß die Antwort des Paulus "Nein, sondern durch das Gesetz des Glaubens" auch irgendeinen Bezug zur Torah hat. Die Vermutung, daß der Apostel in einer - für ihn immerhin nicht untypischen - sprunghaften Argumentationsweise in der Antwort "Nein, sondern durch das Gesetz des Glaubens!" unter "Gesetz" nicht mehr das versteht, was er unmittelbar zuvor in der Frage unter diesem Begriff verstanden hatte, läßt sich natürlich nicht a limine abweisen. Aber man sollte sich doch zunächst um eine Auslegung bemühen, die ein kontinuierliches Fortschreiten im Gedankengang des Autors voraussetzt. Erst da, wo eine solche Auslegung nur krampfhaft ein derartiges continuum konstruieren kann, sollte man für einen Gedankensprung plädieren (wie z.B. in Gal 3,10). Hier aber ist es leicht möglich, ohne die Annahme eines sprunghaften Denkens des Paulus zu exegesieren: Paulus fragt - ich paraphrasiere -: "Ist etwa der Zwang zum Sich-Rühmen durch die als 'Gesetz der Werke' gesehene Torah ausgeschlossen?" Die Antwort lautet: "Keinesfalls! (Denn wer die Torah so mißversteht, dem bleibt ja gar nichts anderes übrig, als sich vor Gott sündhaft aufzubauen!) Ausgeschlossen ist das Sich-Rühmen vielmehr nur durch das 'Gesetz des Glaubens', das heißt durch die Torah, sobald

sie mit den Augen des Glaubens gesehen wird." Damit nähere ich mich in
meiner Auslegung derjenigen von Gerhard Friedrich: "Das Gesetz des
Glaubens Röm. 3, 27 ist das Gesetz, das die Glaubensgerechtigkeit bezeugt
Röm 3, 21."[182] Die Annäherung geschieht, indem mit Friedrich "das Gesetz des Glaubens" als die Torah verstanden wird. Allerdings differiert
die hier vorgelegte Interpretation mit der Friedrichs insofern, als der
Gesichtspunkt, unter dem die Torah jeweils gesehen wird, ein anderer ist:
Das Gesetz als Zeuge der Glaubensgerechtigkeit oder das Gesetz aus der
Perspektive des Glaubenden. Hätte Paulus in 3, 27 die Absicht gehabt, auf
3, 21 zurückzuweisen, dann sollte man doch erwarten, daß er gesagt hätte:
"durch das Gesetz der Gerechtigkeit Gottes". Gegenübergestellt ist doch
wohl in 3, 27 e i n   j e   v e r s c h i e d e n e s   V e r h a l t e n   z u r   T o r a h ,
gründend in einer je toto caelo verschiedenen Sicht der Torah: Mißbrauch
des Gesetzes aus dem Mißverständnis, es zum Hinstellen eigenproduzier-
ter Gerechtigkeit benutzen zu müssen, oder rechte Verwendung des Gesetzes, die nur aus Glauben möglich ist.[183] Daß das Verständnis des Gesetzes als "Gesetz des Glaubens" natürlich nur für den möglich ist, der das
Gesetz auch als Zeuge der Gottesgerechtigkeit im Sinne von 3, 21 versteht,
bedarf keines besonderen Nachweises. Insofern berührt sich Friedrichs
Auslegung auch in diesem Punkte mit der unseren. Doch ist festzuhalten,
daß trotz des gemeinsamen Begriffsfeldes, in dem das Gesetz als Glaubens-
zeuge und der Glaube als wahrer Horizont des Gesetzes stehen, die Perspektive jeweils eine andere ist. Einmal geht es um das Handeln Gottes, dann
aber geht es um das Handeln des Menschen, genauer: des Glaubenden.

Spielt also Paulus nicht, wie Bultmann annimmt, in Röm 3, 27 mit dem
Begriff "nomos"?[184] Meint also dieser Begriff in diesem Vers nicht,
wie z. B. Käsemann sagt, Regel, Ordnung, Norm; meint dann das "Gesetz des Glaubens" nicht die neue Ordnung, die paradox so genannt wird?[185]
Ehe man hier eine Antwort geben kann, ist zu klären, w a s   u n t e r   R e -
g e l   oder Ordnung oder Norm zu verstehen ist. Das Verständnis von
νόμος πίστεως als der "neuen" Heilsordnung, in der das Gesetz nicht
zur Herstellung der Selbstrechtfertigung mißbraucht wird, meint insofern etwas durchaus Richtiges, als Paulus unbestreitbar von der neuen,
durch Christus Wirklichkeit gewordenen Heilssituation aus denkt. Diese
neue Heilsordnung ist aber das von Gott Gewollte und von Gott Gesetzte.
Nun zeigte unsere Exegese, daß die so auffällige Wendung "Gesetz der
Werke" gerade nicht eine von Gott gesetzte Heilsordnung, nicht die von
ihm gesetzte "alte" Heilsordnung meint, sondern Ausdruck einer fundamental verfehlten menschlichen Haltung gegenüber der von Gott stam-
menden Torah ist. Dann ist es aber n i c h t   m ö g l i c h ,   i n   d e n   b e i -
d e n   " G e s e t z e n "   v o n   3, 27   z w e i   v e r s c h i e d e n e ,   j e w e i l s
v o n   G o t t   i n t e n d i e r t e ,   c h r o n o l o g i s c h   s i c h   a b l ö s e n d e
H e i l s o r d n u n g e n   z u   s e h e n ,   zwei Heilsordnungen nämlich, deren
eine nicht mehr gilt. Gehen wir jedoch davon aus, daß das "Gesetz des
Glaubens" das rechte Verhalten zum Willen Gottes meint, wie er in der

Torah seinen Ausdruck findet, daß aber das "Gesetz der Werke" das
falsche Verhalten zu eben diesem Willen Gottes bezeichnet, dann ist
allerdings zu fragen, ob in der Formulierung "neue Ordnung" nicht i n -
s o f e r n etwas Richtiges gesagt ist, als ja in der Tat dem Verhalten
des gIaubenden Menschen eine von Gott gesetzte Heilsordnung entspricht.
Dem Gesetz der Werke würde dann die Unheils-"Ordnung", dem Gesetz
des Glaubens die Heils-Ordnung korrespondieren. Bei dem weiten Bedeutungsspektrum paulinischer Begriffe ist auch in unserem Falle ein
Mitschwingen derart komplementärer Korrespondenzbedeutungen durchaus anzunehmen. Wenn nämlich Paulus vom Menschen spricht, dann
denkt er ihn ja entweder bereits im Machtbereich der Sünde oder bereits
im Machtbereich der Gottesgerechtigkeit befindlich. Er kann gar nicht
vom Menschen so sprechen, als ob er isoliert von dieser Grundstruktur gedacht werden könnte. Ist also in unserem Vers vom richtigen und
falschen Verhalten des Menschen die Rede, dann impliziert diese Aussage die genannte Grundstruktur. Bei aller menschlichen Entscheidung
ist i m m e r die Wirklichkeit der hamartia als Macht oder Gottes Handeln vorgegeben. Der Mensch des Gesetzes der Werke i s t der Mensch
der "Ordnung" dieses "Gesetzes". Und der Mensch des Gesetzes des
Glaubens i s t der Mensch der Heilsordnung, in der die Forderungen
des göttlichen Gesetzes gelten.

Keineswegs sollte mit diesen Bemerkungen eine billige Harmonisierung
zwischen der hier vertretenen Auffassung und der Käsemanns vorgenom-
men werden. Der Unterschied beider Interpretationen des Verses ist immer noch augenfällig. Aber vielleicht fallen doch die Intention, die h i n -
t e r Käsemanns Auslegung von 3, 27 steht, und die Intention unserer Auslegung von Röm 3, 27 nicht allzu weit auseinander. Und vollends dürfte,
wie ich hoffe, deutlich geworden sein, daß Bultmanns Formulierung vom
Spielen des Paulus mit seinen Begriffen auch dann für 3, 27 zutrifft, wenn
die Wendung "Gesetz der Werke" und "Gesetz des Glaubens" beide Male
die Torah meinen. Denn gerade durch das linguistisch geschickte Operieren mit den Genitiven vermag Paulus den im allgemeinen Vorverständnis
so definiten Begriff "Gesetz" derart zu entdefinieren (sit venia verbo!),
daß er in dieser Entschränkung das Spezifikum des Juden neu artikuliert.

Auf das im Stil der Diatribe in 3, 27 Gesagte folgt das in R ö m 3 , 2 8 formulierte theologische Urteil als Begründung. Ist durch das Gesetz, sofern
es im Horizont des Glaubens gesehen wird, aller Zwang zum Sich-Rühmen
und somit in der Konsequenz auch das Sich-Rühmen selbst ausgeschlossen, so
ist es gerade dieser Glaube, durch den der Mensch gerechtfertigt wird - ohne
Werke des Gesetzes. Der Instrumentalis πίστει läßt sich dabei am besten
als Aufnahme und Weiterführung des διά von v. 27 verständlich machen:
Wenn durch das Gesetz, wie es im Horizont des Glaubens gesehen wird,
der Selbstruhm zunichte gemacht ist, dann ist es dieser die Gesetzesper-
spektive bestimmende Glaube, "durch" den der Mensch gerechtfertigt wird[186]

ohne daß dieses "durch" das logische Subjekt der Rechtfertigung indiziert.
Subjekt ist und bleibt natürlich Gott. Nicht ohne Grund spricht aber Paulus
in v. 28 nicht mehr vom "Gesetz der Werke", sondern, wie auch schon
3, 20, von den "Werken des Gesetzes". Denn hier geht es nun wieder um
die Frage nach der Leistungsfähigkeit des Gesetzes, nicht mehr um die
Einstellung zum Gesetz. Deshalb unterbleibt auch die diffamierende Formel von v. 27. Der in "Mensch" in v. 28 implizierte Universalismus, der
die folgenden Ausführungen in Kap. 4 bestimmt (ein Universalismus freilich, der die Geschichte Israels theologisch nicht durchstreicht; insofern
ist der Einspruch Käsemanns[187] gegen Klein[188] berechtigt; eine "Ent-
sakralisierung und Profanisierung des Judentums"[189] kennt der Paulus
des R ö m gerade nicht), wird in vorläufiger Weise in vv. 29f. expliziert.
Sicherlich kann man mit Klein hinsichtlich des Übergangs von v. 28 zu
v. 29 von einem "Knick im Gedankengang"[190] sprechen. Andererseits sind
jedoch in der theologischen Grundkonzeption des Röm Rechtfertigungslehre
und universaler Horizont so miteinander verflochten, daß der Übergang zu
v. 29 nicht als allzu abrupt erscheinen sollte. R ö m 3 , 3 1 fragt dann im
Gefälle der Argumentation, ob "durch den Glauben" die Torah zunichte gemacht würde, dann nämlich - so dürfen wir wohl ergänzen -, wenn man ihr
die Rechtfertigungsfunktion abspreche, und zwar auf universaler Ebene. Die
Antwort wird in apodiktischer Kürze gegeben: "Keinesfalls! Vielmehr: Wir
stellen das Gesetz hin!"

Michel sieht in dem hier von Paulus benutzten Begriffspaar καταργεῖν -
ἱστάνειν ein Äquivalent zu dem rabbinischen Gegensatz b a t t e l - q a j -
j e m .[191] Cambier allerdings bestreitet dies mit dem Argument, daß dann
für "Gesetz" in 3, 31 die Bedeutung "das Ganze der Gesetzesbestimmungen"
("Loi-ensemble de préceptes") vorauszusetzen wäre;[192] gehe es doch hier
um das Gesetzeswort Gottes ("Loi-parole de Dieu")[193]. Man muß aber die
kritische Anfrage Cambiers noch vergrundsätzlichen: Wie steht es überhaupt mit dem hebräisch/aramäischen Begriffspaar im Blick auf die Torah?
Meint es überhaupt den Gegensatz: die Schrift (oder eine Schriftstelle) außer
Kraft setzen oder in Geltung belassen? Handelt es sich überhaupt um ein ge-
läufiges Begriffspaar der exegetischen und theologischen Terminologie der
Rabbinen?

Daß Bacher weder unter der bibelexegetischen Terminologie der Tannaiten
noch der der Amoräer das Stichwort b a t t e l bringt, ist zumindest ein auffälliger Tatbestand. Doch auch unter dem Stichwort q u m bzw. q a j j e m
erwähnt er b a t t e l nirgends als negatives Pendant zu q a j j e m .[194] Letz-
teres bedeutet als rabbinischer terminus technicus ein Wort der Schrift aufrechterhalten oder eine Bibelstelle durch eine andere bestätigen.[195] Levy
verweist in seinem "Wörterbuch über die Talmudim und Midraschim" unter
dem Stichwort b i t t e l[196] im Zusammenhang mit der Torah auf Ab 4, 9, also gerade jene Stelle, auf die sich Michel zum Erweis der von ihm behaup-
teten Äquivalenz bezieht. Dort begegnet in der Tat der Gegensatz q a j j e m
- b a t t e l , genauer: der hebräische Gegensatz h a m[e] q a j j e m ä t h a t t o -

rah-ham^ebattel ät hattorah in einem antithetischen Parallelismus.
Nur geht es hier ausgerechnet nicht darum, eine Gesetzesstelle in ihrer
Bedeutung aufrechtzuerhalten oder abzutun oder gar die Torah selbst in
Geltung zu belassen oder außer Kraft zu setzen. Es geht vielmehr eindeutig um den Gegensatz Nichtvernachlässigen oder Vernachlässigen des Ge-
setzesstudiums. Eine Stelle, aus der hervorginge, daß battel (oder Derivate) die Bedeutung hätte, das Gesetz oder eine Gesetzesbestimmung außer Kraft zu setzen, bringt Levy nicht. Fazit: Der Hinweis von Michel
auf Ab 4, 9 besagt für das Verständnis von Röm 3, 31 nichts. [197]

Liegt aber den beiden Verben mit großer Wahrscheinlichkeit in 3, 31 kein
geprägtes rabbinisches Begriffspaar zugrunde, so dürfte Paulus in der Frage "Machen wir also durch den Glauben das Gesetz zunichte?" wohl eher
einen Vorwurf aufgreifen, den ihm seine Gegner gemacht hatten (und der
doch einmal früher für Gal zumindest zugetroffen hatte!). Nun fällt auf,
daß die Kommentare und Monographien, wenn sie um die Interpretation von
ἱστάνομεν bemüht sind, dem Verhältnis von ἱστάνομεν zu καταργοῦμεν
recht wenig Aufmerksamkeit schenken. Angesichts des soeben dargelegten
Sachverhalts ist dies jedoch nicht gravierend.

Die Behauptung des Paulus, er "stelle" das Gesetz "hin", erfährt in der
Literatur, wenn wir uns einmal eines groben Rasters bedienen, eine dreifache Interpretation:

1. Im Lichte von Röm 3, 21: "Die 'Aufrichtung' des Gesetzes geschieht
   offenbar darin, daß 'Gesetz und Propheten' die im Christusgeschehen offenkundig gewordene Gottesgerechtigkeit bezeugen."[198]

2. Im Lichte von Röm 3, 20: "'Wir richten das Gesetz auf' (v. 31) will
   hier allein auf seine Wirkung bezogen werden, die Sünde prak-
   tisch zur Erfahrung zu bringen und damit die Schuldver-
   haftung aller zu besiegeln (3, 20), aber damit (!) zugleich über sich hin-
   ausweisend die Gerechtigkeit Gottes aus Gnaden zu bezeugen (v. 21)."[199]

3. Im Lichte von Röm 3, 31a: Das Gesetz ist in 3, 31 als sittliche
   Forderung gefaßt. Diese ist es, die Paulus nicht außer Geltung setzen will.[200] Demnach will er, wenn er das Gesetz hinstellt, die sittlichen Forderungen des Gesetzes aufrechterhalten.

Gehen wir die drei Lösungsvorschläge durch. Gegen Wilckens und somit gegen die erste Interpretation hat Günter Klein "geradezu ausweglose Schwierigkeiten" ins Feld geführt: 3, 31b sei einzig vom Gesetz die Rede, in 3, 21 be-
rufe sich Paulus aber auf das Gesetz und die Propheten. Des weiteren sei
"Gesetz" in v. 31 deutlich auf denselben Begriff in 3, 27f. zurückbezogen. Und
gerade der γραφή-Begriff fehle in 3, 31.[201] Nun geht es Klein darum, die
von Wilckens behauptete erwählungsgeschichtliche Kontinuität aufgrund der
Torah[202], also ein heilsgeschichtliches Verständnis des Röm, zu attackie-
ren. Die Frage der Heilsgeschichte wollen wir hier ausklammern. Doch die

übrigen Einwände Kleins sind dann immer noch gravierend. Der Zusammenhang von 3,27 und 3,31 ist deutlich. Und in 3,27 meint ja das "Gesetz des Glaubens" nicht, jedenfalls nicht direkt, das den Glauben bezeugende Gesetz[203], sondern nach unserer Vermutung das Gesetz aus der Perspektive des Glaubens. Dann ist es zumindest schwierig, in v.31 einen direkten Bezug auf v.21 zu sehen.

Die von Bornkamm vorgeschlagene Lösung, 3,31 von 3,20 her zu interpretieren, ist aber auch nicht ohne Schwierigkeiten. Denn im Kontext von 3,31 geht es von 3,21 und erst recht von 3,27 an primär um Gottes rechtfertigende Gerechtigkeit bzw. um den Glauben. Dann aber ist es wenig wahrscheinlich, daß das destruierende Moment der Funktion des Gesetzes in v.31 so stark betont sein sollte. Und schließlich scheint es unwahrscheinlich, daß es in 3,31 um das Thema "sittliche Forderungen" geht. Dagegen spricht das Argumentationsgefälle - ganz abgesehen davon, daß im Zusammenhang mit diesem Vers keine Unterscheidung zwischen sittlichen und kultischen Bestimmungen der Torah gemacht wird.

Käsemann sieht 3,31 als Überleitung zu Kap. 4. In diesem Vers werde auf die Aussage von v.21b zurückgegriffen, wonach auch (!) das Gesetz Zeuge der Glaubensgerechtigkeit sei. Nomos sei in v.31 der im Alten Testament fixierte Gotteswille.[204] Auf jeden Fall hat Käsemann Recht, wenn er diesen Vers als Überleitung zu Kap. 4 betrachtet. Die Argumente von Friedrich für diese Auffassung sind überzeugend.[205] Wenn aber v.31 in der Tat diese Übergangsfunktion besitzt, ist dann Kap. 4 nicht doch Explikation und Konkretion von 3,21b? Geschieht dann in diesem Kapitel nicht doch das v.21 ausgesprochene μαρτυρεῖν der γραφή? Zumal nach rabbinischem Brauch eine Pentateuchstelle zusammen mit einer anderen Schriftstelle angeführt wird! "Nach rabbinischer Methode wird das Thorawort durch das Psalmwort bekräftigt."[206] Sieht man aber das Zueinander von 3,31 und dem Schriftbeweis Kap. 4 einerseits und das Argumentationsgefälle von 3,27ff. auf 3,31 hin andererseits, des weiteren die naheliegende Vermutung, daß Kap. 4 in der Tat 3,21b expliziert, dann kommen Zweifel auf, ob die von Klein vorgebrachten Gründe gegen Wilckens wirklich durchschlagen. Es stellt sich also die Frage: Fordert der offenkundig doppelte Bezug des Schriftbeweises in Kap. 4, also der Bezug sowohl auf 3,21 (Gesetz ⎣ und Propheten ⎦ im Sinne von "Schrift" = Zeuge der Glaubensgerechtigkeit) als auch auf 3,27ff. (rechte Perspektive des Gesetzes als der heiligen Forderung Gottes), auch die Annahme eines unmittelbar intendierten doppelten Bezugs von 3,31 auf 3,21 und 3,27ff.? In gewisser Hinsicht schon, doch müssen wir noch etwas modifizieren: Man wird zwar nicht bestreiten können, daß in der Abrahamargumentation von Kap. 4 das Gesetz als Zeuge der Gottes- bzw. Glaubensgerechtigkeit fungiert. Röm 4,3 mit seinem Schriftbeweis aus dem "Gesetz" (Gen 15,6) liegt in der Tat auf der von 3,21 ausgehenden Linie. Aber es geht in der Abrahamargumentation doch gar nicht allein um das "Gesetz" als bezeugende Schrift, sondern auch und vornehmlich um das, was es bezeugt: Das Gesetz bezeugt von sich selbst, daß es nicht "Gesetz der Wer-

ke" sein will. Genauer: D a s G e s e t z , i n s o f e r n e s " S c h r i f t "
i s t , b e z e u g t v o n s i c h s e l b s t , d a ß e s , i n s o f e r n e s g ö t t -
l i c h e F o r d e r u n g i s t , n i c h t " G e s e t z d e r W e r k e " s e i n
w i l l. Im Rahmen dieses Gedankengangs läßt sich aber 3,31 bestens wie
folgt verstehbar machen: "Wir stellen das Gesetz hin", indem wir bestreiten, daß es "Gesetz der Werke" sein will. Wir stellen das Gesetz hin, indem wir kategorisch seine jüdische Fehlinterpretation ablehnen. Wir stellen die ureigene Intention des Gesetzes hin, indem wir energisch die Intention Gottes mit dem Gesetz vertreten. Dann besteht zwar Kontinuität von
3,21 zum Schriftbeweis von Kap. 4 hin; aber w a s bewiesen wird und w a s
gemäß dem Gefälle von 3,27ff. auf 3,31 hin "hingestellt wird", ist die völlige Unangemessenheit, das Gesetz als "Gesetz der Werke" zu sehen.

Das "wir" in der Wendung "wir stellen das Gesetz hin" sollte vielleicht noch
etwas genauer bedacht werden. Diese Verbalform sagt zunächst eine Aktivität des Menschen im Blick auf das Gesetz aus. Daß es P a u l u s in diesem
Zusammenhang nicht um eine derartige Aktivität geht, ist unbestreitbar.
Wollen wir deshalb im Gefälle der paulinischen Aussage bleiben und uns
nicht durch die Aktivform der 1. Person zu einer aktivistischen Interpretation verleiten lassen, so empfiehlt es sich, diese Form so umzuformu-
lieren, daß ihre eigentliche, durch die grammatische Form verdeckte Spitze deutlich wird. Halten wir uns vor Augen, daß das Verb ἱστάνειν bzw.
ἵστημι bestens geeignet ist, G o t t e s Aktivität zum Ausdruck zu bringen (z. B. das Idiom στήσω τὴν διαθήκην μου Gen 6,18 LXX u.ö.[207]).
Und gerade Röm ist es, wo Paulus dasselbe Verb für das anmaßende, Gottes Aktivität usurpierende Verhalten der Juden braucht: die eigene Gerechtigkeit hinstellen, 10,3! So kommen wir wohl dem von Paulus in 3,31 Gemeinten näher, wenn wir paraphrasieren: "Wir lassen das Gesetz gelten,
indem wir das Subjekt-Sein Gottes anerkennen. Gott ist Subjekt der mit dem
Gesetz zusammenhängenden Gerechtigkeit, ist Subjekt des mit dem Gesetz
zusammenhängenden Lebens. Wir lassen Gott als Subjekt der Gerechtigkeit
gelten, wie Abraham dies tat. Wir stellen das Gesetz hin, indem wir Gott
Seine Gerechtigkeit hinstellen lassen." ἱστάνομεν heißt in unserem Zusammenhang dann nicht mehr so sehr "wir bringen zur Geltung"[208] als
vielmehr "wir lassen gelten". Oder noch anders: Wir geben dem Wirken
Gottes in uns freien Raum, wir legen diesem Wirken nichts in den Weg.

W e r a b e r s o z u s p r e c h e n v e r m a g , i s t b e r e i t s d e r , d e r ,
" n a c h d e m G e i s t e w a n d e l t " (8,4). Der Brückenschlag von 3,31
zu Kap. 8 ist aus dem Rückblick dieses Kapitels evident.[209] Christliche Existenz - oder um näher bei der Sprache des Paulus zu bleiben: - Existenz
des Glaubenden kann nur beschrieben werden als Existenz im Geiste Gottes.
Das Sinnen und Trachten (φρονεῖν) dieses Geistes, modern formuliert:
das Aus-Sein-auf dieses Geistes und in einem damit das Aus-Sein-auf dessen, der im Geiste lebt, ist Leben und Friede (8,6).[210] Wer seine eigene
Gerechtigkeit - und somit nicht das Gesetz - hinstellt, der ist es, der das
Gesetz zum "Gesetz der Werke" pervertiert, weil er gemäß 8,4 "nach dem

Fleische wandelt". Dessen Aus-Sein-auf ist identisch mit dem Aus-Sein-aus des Fleisches, und da das Fleisch der je individuelle Ort der transsubjektiven hamartia ist, identisch mit dem Aus-Sein-auf dieser furchtbaren und grausamen hamartia. Selbst wenn wir 8, 2 noch nicht berücksichtigen, ergibt sich bereits als Auffassung des Paulus: Solange der Mensch nach dem Fleische wandelt, macht er für sich das Gesetz zum Gesetz auf den Tod hin, während die eigentliche Intention des Gesetzes doch das Leben ist (7, 10).

Nun spricht aber Paulus gerade im Kontext der sarx- und pneuma-bestimmten Existenz in besonderer Weise vom Gesetz (8, 2-4). 8, 2 kontrastiert zunächst das Gesetz des Geistes des Lebens dem Gesetz der Sünde und des Todes. (Daß die beiden Kontrastformulierungen nicht ganz exakt einander entsprechen, braucht uns hier nicht besonders zu interessieren. Wichtig wäre höchstens, daß sich daran ablesen läßt, wie sehr Paulus aus der Situation heraus formuliert und wie wenig paulinische Theologie als ein festes oder gar starres System fixierter, eng definierter Begriffe verstanden werden darf.) Nach unseren Überlegungen über 3, 27 qualifizieren die dort begegnenden Genitive "der Werke" und "des Glaubens" das Gesetz im Blick auf die jeweilige Perspektive, unter der es gesehen wird. Schon allein von daher könnte man vermuten, daß gleiches auch für 8, 2 zutrifft. Gerade diese Exegese von 3, 27 spricht ja für Lohses Hypothese, daß Paulus zu Beginn von Kap. 8 unter nomos "eindeutig das alttestamentliche Gesetz (versteht)".[211] Versuchen wir, diese Auffassung noch ein wenig mehr zu fundieren.

Zunächst dürfte die Wendung "Gesetz des Geistes" auf 7, 14 zurückweisen: "Das Gesetz ist geistlich, πνευματικός." Gemeint ist in 7, 14 aber eindeutig die Torah. Sie hat also ihrem W e s e n nach mit dem pneuma zu tun. Sie hat ihrem Wesen nach also mit jener Kraft zu tun, die die Kraft des Gerechtfertigten ist! Daß die Torah wesenhaft pneumatisch ist, wird jedoch im Kontext ihrer Todes-"Wirkung" gesagt (7, 13). Deshalb kann Paulus kurz zuvor sogar sagen: ἡ ἐντολἠ... εἰς θάνατον (7, 10).[212] Somit kann also auch die Wendung "Gesetz der hamartia und des Todes" im Sinne von "mißbrauchte Torah" als in Kap. 7 angelegt betrachtet werden: Wird der nomos aus dem Bereich des pneuma in den Bereich der todbringenden hamartia verlagert, so ist er um sein eigentliches Aus-Sein-auf, nämlich um sein Aus-Sein-auf-das-Leben gebracht.[213] Bedenkt man nun des weiteren, daß Paulus immer wieder auch nicht-existentiale Vorstellungen für existentiale Sachverhalte bringt (5, 12ff.!), so läßt sich 8, 2 wie folgt verstehen: Derjenige, f ü r d e n der nomos das Gesetz des Geistes ist, der also im lebensspendenden Geiste existierend (cf. 8, 10f.) das Gesetz sieht, ist befreit vom pervertierten Gesetz, also vom Zwang, unter der Herrschaft der hamartia das Gesetz als "Gesetz der Werke" mißbrauchen zu müssen und so dem Tode preisgegeben zu sein. Von 8, 2 bestätigt sich also: F ü r d e n - j e n i g e n , der "nach dem Fleisch wandelt", erscheint und ist das Gesetz eine todbringende Unheilsmacht[214], die um so furchtbarer und schrecklicher ist, als der Betreffende - vor allem, je eifriger er dem Gesetz der Werke als Idol huldigt - gar nicht um seine Tragik weiß (7,15). Für denjenigen aber, der "nach dem Geiste wandelt", also nach dem, was das Eigentliche und Wesenhafte des Gesetzes ist, erscheint und ist dieses geistlich und deshalb lebensspendend. Weil Gottes Geist der Geist der Glaubenden ist, weil also das Aus-Sein-auf des Geistes Gottes mit dem Aus-Sein-auf des Gerechtfertigten koinzidiert, tut dieser "aus sich", tut dieser nicht aufgrund eines bloß äußeren Anstoßes, tut dieser "vom Geiste getrieben" (8,14), was das geistliche Gesetz, was das Gesetz des Geistes und des Lebens "fordert". Diese Geist-Theologie des Paulus ist wohl kaum Theologie des tertius usus legis.

Ehe wir nun zu 8,3 übergehen, noch ein Blick auf 7,21ff.! Denn dort wird in recht eigentümlicher Weise mit dem Begriff "nomos" umgegangen. Da ist vom "Gesetz Gottes" die Rede, des weiteren vom "anderen Gesetz in meinen Gliedern", vom "Gesetz meiner Vernunft, τοῦ νοός μου" und schließlich vom "Gesetz der Sünde in meinen Gliedern" bzw. einfach vom "Gesetz der Sünde". Gerade diese Verse waren es, die Bultmann veranlaßten, davon zu sprechen, daß Paulus mit dem Begriff "nomos" spiele; hier habe nomos "den allgemeinen Sinn von Norm oder Zwang, Gebundenheit".[215] Vor allem die Wendung "Gesetz der hamartia in meinen Gliedern", 7,23, muß von 8,2 her auffallen. Sollte Paulus auch hier das Gesetz Gottes, aus falscher Perspektive gesehen, meinen? Ist es nicht, wenn irgend, dann doch h i e r angebracht, nomos nun gerade nicht als Torah aufzufassen! Bruce, der in v.23 das "andere Gesetz in meinen Gliedern" und das "Gesetz meiner Vernunft" im Sinne Bultmanns als zwei entgegengesetzte Prinzipien erklärt, kann jedoch im Blick auf das "Gesetz der Sünde" sagen: "And yet it may be asked if there is not a sense in which 'the law of sin' could be an aspect of the law of God." Und unter Berufung auf 8,2 fährt er fort: "Can the law of God, which is by definition holy, be described as 'the law of sin and death'? Yes i n   s o   f a r   a s it stimulates sin and passes sentence of death on the sinner."[216] Bruce geht also nicht so weit wie Lohse, der auch in 7,21ff. jeden dort vorkommenden nomos als Torah interpretiert.[217] Auch das "Gesetz des Geistes des Lebens" von 8,2 betrachtet Bruce nicht als Torah. Wenn Paulus dort so spreche, dann tue er dies nur um der verbalen Antithese willen: "... the l a w of the Spirit is the Spirit's vitalizing principle or power."[218] Aber selbst wenn in 7,23.25 das "Gesetz der Sünde" nicht die pervertierte Torah, sondern das sündige Prinzip im Menschen meinen sollte, beweist das noch nicht, daß in 8,2 das "Gesetz der Sünde und des Todes" im selben Sinne verstanden werden müßten. Vielmehr wäre dann eher anzunehmen, daß Paulus 8,2 mit dieser Wendung zeigen will, wie verheerend die Torah pervertiert werden kann, wenn sie mit dem gleichen Prädikat bedacht werden kann wie das "Gesetz in meinen Gliedern".

Zurück zum Ablauf der Argumentation 8,2ff.! In 8,3 ist ἐν ᾧ nicht eindeutig. Es kann modal ("worin"[219]) oder kausal ("wodurch"[220]) ausgelegt werden. Unsere Interpretation von v.2 dürfte wohl am ehesten eine kausale Interpretation des elliptischen Satzes begünstigen: "Was die Unfähigkeit des Gesetzes (dem Sünder Leben zu geben) angeht, so dürfte sie dadurch verursacht sein, daß das Gesetz durch das Fleisch geschwächt war. Deshalb hat Gott nun seinen Sohn gesandt ..." Dieses Verständnis des Verses steht ganz in der Kontinuität zu der paulinischen Darlegung über das Verhältnis von Gesetz, Sünde und Fleisch: Das Gesetz ist unfähig geworden, Leben zu vermitteln, weil der Mensch kraft seiner sarx das Gesetz zum "Gesetz der Werke" depraviert hat (Kap. 7).

Kaum ist bestritten, daß δικαίωμα τοῦ νόμου in 8,4 Rechtsforderung (so die meisten Exegeten) oder Rechtsanspruch des Gesetzes[221] meint. Schwierig ist aber die Frage, was denn Paulus sagen will, wenn er hier von der Erfüllung der Rechtsforderung spricht. Käsemann, der eine dem Paulus aus der Tradition vorgegebene Formulierung annimmt, meint, die Auslegung der Aussage zeige, wie gefährlich und mißverständlich sie sei. Vom Wortlaut lege sich durchaus die Interpretation nahe, nach der "wie in Mt 5,17ff. die Liebe als Radikalisierung aller Gebote und als nova lex zu betrachten" sei.[222] Als Beispiel dafür aus neuerer Zeit sei Henning Paulsen zitiert: "Das δικαίωμα τοῦ νόμου besteht nach 13,8 in der Erfüllung des Liebesgebotes, in der gegenseitige Liebe."[223] Gegen diese Auffassung erklärt Käsemann: "Im Gegensatz zu seinen Auslegern stellt Pls unüberhörbar das opus alienum heraus und nimmt dafür in Kauf, daß seine Argumentation durch Motive aus einem andern Zusammenhang überfremdet wird. Seine Intention ist klar. Freiheit von den Mächten der Sünde und des Todes schenkt allein der Geist."[224] Der letzte Satz trifft durchaus zu. Und er wird ja wohl auch kaum bestritten. Die entscheidende Frage ist jedoch, wie Käsemann scharf erfaßt, ob faktisch das Evangelium zum Mittel der Gesetzeserfüllung wird, wenn etwa das Tun der Liebe mit der Führung des Geistes identifiziert werde.[225]

Mit diesen Überlegungen sind wir mitten in die Fragen der Geisttheologie des Paulus geraten. Es zeigt sich an dieser Stelle einmal wieder, daß man nicht ein theologisches Zentralproblem angehen kann, ohne daß sich andere zentrale Fragen in den Vordergrund schieben. Theologische Monographien bleiben deshalb immer etwas Torsohaftes. Weil sie sich auf ein einziges Thema beschränken wollen, reißen sie notwendig mehr Fragen auf als sie Antworten zu geben vermöchten. Die Frage, die Käsemann hinstellt, kann also hier gar nicht wirklich beantwortet werden, wenn die Monographie über das Gesetz nicht zu einer "Duographie" über das Gesetz und über den Geist ausufern soll. (Und bei der "Duographie" blieb's ja wohl auch nicht!) Trotzdem soll eine zumindest andeutende Antwort versucht werden.

Zunächst sei auf Käsemanns Grundthese aufmerksam gemacht: Rechtfertigung bedeutet die Durchsetzung von Gottes Recht. Die These hat bekanntlich manche Kritik erfahren, sie dürfte aber trotzdem im Prinzip richtig sein, wenn sie nicht einseitig gegen eine Theologie der existentialen Interpretation ausgespielt wird.[226] So sehr also daran festgehalten werden soll, daß es in der Rechtfertigung um Gottes Recht geht, so ist auch zu sehen, daß sich in Kreuz und Auferstehung eben nicht nur Gottes Recht, sondern auch seine Liebe manifestiert (Röm 5, 8ff.!). Recht und Liebe Gottes lassen sich nicht trennen. Des Menschen Liebe und des Menschen Recht-Tun sind aber im Kontext des Rechts und der Liebe Gottes zu sehen. Daß der Mensch gerecht sei und gerecht handle, gehört zur Realisierung des universalen göttlichen Rechts. Wenn nur der Geist Gottes den Menschen zur Liebe befreit, dann nicht zu einer "Liebe", die vom Buchstaben befohlen ist, wenn anders Liebe Liebe sein soll. Deshalb verweist z. B. Bruce mit Recht auf 2 Kor 3, 6.[227] Und es sei ihm zugestimmt, wenn er schreibt (ein etwas längeres Zitat als üblich möge hier gestattet sein): "For in Romans viii. 1-4 Paul echoes the sense, if not the very language, of the new covenant oracle of Jeremiah xxxi. 31-34. In that oracle there is no substantial difference in content between the law which Israel failes to keep under the old covenant and the law which God undertakes hereafter to place within his people, writing it 'upon their hearts'. The difference lies between their once knowing the law as an external code and their knowing is henceforth as an inward principle. So for Paulus there was no substantial difference in content between the 'just requirement of the law' which cannot be kept by those who live 'according to the flesh' and the just requirement fulfilled in those who live 'according to the Spirit'. The difference lay in the fact that a new inward power was now imparted, enabling the believer to fulfil what he could not fulfil before. The will of God had not changed; ... "[228] "The reference to the Spirit should remind us that Paul's teaching here points to the fulfilment not only of Jeremiah's 'new covenant' oracle but also of the companion oracles in Ezekiel xi. 19f. and xxxvi. 25-27, where God promises to implant within his people a new heart and a new spirit - his own spirit - enabling them to do his will effectivly."[229]

2 Kor 3, 6 findet in Röm 7, 6 seinen Nachhall: Vom Gesetz sind wir geschieden, insofern es gramma ist. Dem Gesetz a l s gramma sind wir getötet (7, 4). Die Rechtsforderung des Gesetzes ist also keine Forderung als gramma. Käsemanns Frage, ob das Evangelium zum Mittel der Gesetzeserfüllung werde, wirkt solange als horrende Formulierung, wie Gesetz als gramma verstanden wird. Wer wollte schon das Evangelium zum Handlanger des gramma machen! Wird aber im Evangelium die machtvolle Gerechtigkeit Gottes epiphan (1, 17!) und ist des Menschen Gerechtigkeit von Gott her eins mit seiner Existenz im Geiste Gottes, so wird in der Tat das, was Paulus Erfüllung der Rechtsforderung des Gesetzes nennt, nicht mehr legalistisch interpretiert werden dürfen. Denn diese Forderung des Gesetzes darf ja nicht von einem vorgefaßten allgemeinen Gesetzesbegriff her definiert werden, sondern d e r G e i s t G o t t e s i s t e s , d e r z e i g t , w a s d a s G e s e t z d e s G e i s t e s i s t . Das Gesetz ist kraft des Geistes derart seiner bisherigen Pervertierung und Vergesetzlichung entnommen, daß all das, was es bisher ins schlechte Licht gerückt hatte, verschwunden ist. E x i s t e n z i m G e i s t e G o t t e s s a g t n u n , w a s G e s e t z i s t . N i c h t aber sagt Gesetz, was Existenz im Geiste ist.[230]

Gerade hier bleiben also offene Fragen. Es bleibt, wie Existenz im Geist
mit dem darin implizierten sua sponte des Handelns zu formulieren ist, daß
dabei das Anliegen Schrages (Einzelgebote!) deutlich wird. Denn das sua
sponte bedeutet ja nicht den Verzicht auf konkrete Paränese. Es bleibt das
noch schwierigere Problem, wie heute sprachlich zu vermitteln ist, daß
Gottes Geist der Geist der Glaubenden ist. Wie kommen wir hier aus der
objektivierenden Sprache heraus, so daß das, worum es Paulus in Röm 8
eigentlich geht, heute verstehbar ausgesagt werden kann? Fragen über Fragen! Wir müssen sie hier im Raum einfach stehenlassen. Aber sie sollten
auch in diesem Zusammenhang wenigstens einmal in gebotener Kürze ausgesprochen werden!

Lassen wir zum Abschluß Eberhard Jüngel zu Wort kommen. Auch er sieht
Röm 3,31 in sachlichem Zusammenhang mit Röm 8,2: Die Glaubensgerech-
tigkeit richtet das Gesetz auf, indem sie es als Heilsweg zugrunderichtet.
Deshalb kann Paulus Röm 8,2 vom Gesetz des Geistes des Lebens und vom
Gesetz der Sünde und des Todes sprechen. Die Genitive in diesem Vers faßt
Jüngel possesiv. "Der νόμος gibt nicht den Geist, ebensowenig wie er die
Sünde erzeugte. Aber er bringt den Geist zur Geltung, ebenso wie er die
Sünde als Sünde zur Geltung brachte."[231] In unserer Exegese war vom je
unterschiedlichen Verhältnis des Menschen zum Gesetz die Rede. Jüngel
ergänzt diesen Gedanken, wenn er vom Verhältnis des Gesetzes zum Men-
schen spricht. Dieses Verhältnis habe sich nun (in Christus) grundlegend
verändert. "Auch der νόμος hat seinen n e u e n O r t in Christo (Rm 8,2).
Er wird (!) dort zum νόμος Χριστοῦ (Gal 6,2)."[232] Nun verträgt sich
mit unseren Ausführungen zwar nicht das Nebeneinanderstellen von Röm und
Gal. Aber im Blick auf Röm allein dürfte der Gedanke vom Ortswechsel des
Gesetzes den zugrundeliegenden theologischen Sachverhalt sehr schön be-
schreiben. Allerdings ist zu fragen, ob denn wirklich das Gesetz, nachdem
es zuvor ü b e r dem Menschen gestanden hat, nun n e b e n ihm steht. Sollte man nicht eher im Zuge der Argumentation von Kap. 8 vom geistlichen Gesetz i m geistlichen Menschen sprechen? Sicher hat aber Jüngel recht,
wenn er das Gesetz Christi - lassen wir einmal diesen Begriff aus Gal für
Röm gelten - als "Ende der Zeit unter dem Gesetz" faßt.[233] Und auch darin wird man ihm zustimmen: "Daß der νόμος durch den Genitiv τοῦ
πνεύματος qualifiziert wird, bringt zum Ausdruck, daß das Eschaton, das
in Christus als dem Ende des Gesetze da w a r , als pneuma da b l e i b t."[234]

Man kann diesen Gedanken weiterführen, indem man Röm 10,4 versteht als
"Ende des Gesetzes des sarkischen Menschen", das dem "Ende des durch
hamartia und sarx pervertierten Gesetzes" korrespondiert. Dann aber heißt
Röm 3,31 "wir stellen das Gesetz des lebenschaffenden pneuma hin", "w i r
l a s s e n d a s G e s e t z d e s p n e u m a m i t s e i n e m p n e u m a t i -
s c h e n R e c h t s a n s p r u c h g e l t e n".[235] Das aber ist nicht mehr die
Aussage des Gal. Man könnte zwar durchaus auch über diesen Brief die
Überschrift setzen: "Christus ist des Gesetzes Ende." Aber dann würde
dieser Satz besagen: "Christus ist das Ende des mosaischen Gesetzes",
nicht aber in differenzierter Weise wie in Röm: "Christus ist das Ende des
·sarkischen Mißbrauchs des Gesetzes."[236]

ANMERKUNGEN

Zu S. 9-11

1) R i t s c h l , Altkath. Kirche[1], 76f.
2) R i t s c h l , Altkath. Kirche[2], 73.
3) In der 3. Auflage (1889) hat R i t s c h l diese Auffassung allerdings weithin zurückgenommen.
4) Rechtfertigung und Versöhnung II[2], 252; jedoch II[3], 255: "... so scheint (!) er das mosaische Gesetz ... beurtheilt zu haben."; bezeichnend II[3], 314: "Nun sind die Äußerungen über das Gesetz wörtlich immer (!) auf den ganzen Bestand desselben bezogen, ohne daß eine Unterscheidung zwischen den sittlichen und den ceremoniellen Stoffen desselben auch nur angedeutet würde. Und es läßt sich auch nicht erproben, daß die Sätze in dem einen Brief mehr jene Stoffe, in dem andern mehr diese Stoffe vor Augen rücken" (gemeint sind hier jedoch Phil und Röm).
5) Ib. II, 254; leicht verändert II[3], 255: "... hier wird zugestanden, daß das Gesetz an sich mit dieser Bestimmung versehen ist..."
6) Ib. II[2], 313; nicht mehr in II[3]!
7) Ib. II[2], 313; Hervorhebung von mir; nicht mehr in II[3]! Statt dessen versucht R i t s c h l jetzt, Gal und Röm im Blick auf die Gesetzesaussagen zu harmonisieren: s. vor allem II[3], 312f.
8) Ib. II[2], 313; s. auch II[3], 314-316.
9) Ib. 320; stark abgeschwächt II[3], 321: "Die abweichenden Urtheile über das Gesetz, in denen sich der christliche Apostel bewegt, beweisen es, wie individuell seine Ansichten auf diesem Gebiete sind."
10) Abgedruckt in JDTh 14 (1869), 250-275; Zitate: 257.
11) Ib. 262.   12) Ib. 263.   13) Ib. 264.
14) Ib. 267.   15) Ib. 267.   16) Ib. 268.
17) Ib. 273; Hervorhebung von mir.
18) Ib. 274.   18a) C l e m e n , Chronologie, 49ff.
19) Ib. 263; Hervorhebung von mir; s. auch C l e m e n , Die Reihenfolge der paulinischen Hauptbriefe, ThStKr 70, 219-270. Er hat jedoch später zugegeben, daß die von ihm beigebrachten Gründe für die Datierung von Gal und Röm nicht zwingend warem: ThLZ 27 (1902), 233. In jüngerer Zeit hat F o e r s t e r wieder die These von der zeitlichen Priorität des Röm vor Gal vertreten: Abfassungszeit und Ziel des Galaterbriefs = Apophoreta, 135-141.
20) S. Anm. 18a.
21) S i e f f e r t , Die Entwicklungslinie der paulinischen Gesetzeslehre nach den vier Hauptschriften des Apostels = Theologische Studien, 332-357.
22) Ib. 334.   23) Ib. 340.   24) Ib. 340.

25) Ib. 341; dort zweimal irrtümlich Gal 5, 15 statt 5, 11.

26) Ib. 342; wir würden freilich heute etwas präziser formulieren, die Bekehrung des Paulus ist sein Bruch mit dem Gesetz.

27) Sc. die in 1 und 2 Thess hervortretende christliche Verkündigung unter den Heiden und die Gesetzesfrage.

28) Ib. 343; Hervorhebungen von mir.

29) Ib. 345. 30) Ib. 346f. 31) Ib. 347.

32) Ib. 348. 33) Ib. 356; Hervorhebung von mir.

34) Ib. 356.

35) Wendland, Die hellenistisch-römische Kultur, 245.

36) Z.B. Eichholz, Die Theologie des Paulus im Umriß, 247: "Wenn man den Römerbrief mit dem Galaterbrief vergleicht, dann muß auffallen, daß Paulus im Galaterbrief zu den schroffsten und tora-kritischen Formeln kommt - so schroff, daß demgegenüber die Wendungen des Römerbriefs versachlicht und gemildert erscheinen. Vielleicht(!) läßt sich auch sagen, daß Paulus sich im Römerbrief gegenüber dem Galaterbrief korrigiert bzw. sich überholt, was die Radikalität bestimmter Formulierungen angeht, die Paulus im Römerbrief nicht wiederholt."; Dietzfelbinger, Paulus und das Alte Testament, 12 Anm. 24; Bammel, Νόμος Χριστοῦ = StudEv III, 127f.

37) Luz, Geschichtsverständnis, 285.

38) Ib. 285f. 39) Ib. 286. 40) Ib. 286.

41) Eine gute historische Übersicht über die exegetischen Bemühungen um die Gesetzesfrage bei Paulus etwa seit Beginn des letzten Drittels des 19. Jhdts. gibt Otto Kuss in seinem Aufsatz "Nomos bei Paulus" (MThZ 17, 177ff.). Dieser Rückblick skizziert diese Bemühungen unabhängig von der hier behandelten Frage und vermag daher den hier von einer ganz bestimmten Intention geleiteten Rückblick bestens zu ergänzen. Wie sehr das 19. Jhdt. zuweilen unserem Gesichtsfeld zu entschwinden droht, zeigt z. B. die jüngste Untersuchung über Paulus und seine Briefe von Alfred Suhl (1975). Bei ausgerechnet dieser Thematik unterbleibt die Berücksichtigung von Clemen und Sieffert, um nur diese beiden zu nennen!

42) Nur eines der typischen Beispiele aus jüngerer Zeit: Mac Gormann, Problem Passages in Galatians, SouthWestJTh 15, 43: "It (sc. the translation of Gal 3, 19b in the RSV) sounds as through the law they came into a situation in which there were transgressions, to hold them in check. But this seems to ignore some of the insights of the Roman letter, ever the best commentary of Galatians" (Hervorhebung von mir).

43) Deissmann, Paulus, 10 Anm. 1: "Daß diese Briefe gesprochene Briefe sind, ist ein in der Exegese noch nicht genügend beachteter Gesichtspunkt." Diese Mahnung gilt auch noch heute, ungeachtet des übertriebenen Psychologisierens durch Deissmann.

Zu S. 15

44) Das Werden der paulinischen Theologie ist neuerdings auch aus einer
völlig anderen Perspektive anvisiert worden. Nach Georg Strecker
ist die Verkündigung des Paulus zur Zeit der Abfassung des 1 Thess nicht
mit der späteren Rechtfertigungsbotschaft zu identifizieren (Das Evangelium Jesu Christi = Jesus Christus in Historie und Geschichte, 525).
Erst in Gal entfaltet Paulus sein "Evangelium" als Rechtfertigungsbotschaft (ib. 528). Die in Gal dargelegte Beziehung zwischen Evangelium
und Rechtfertigungsbotschaft wird in Röm weiter ausgearbeitet (ib. 529).
Diese Konzeption führt Strecker weiter aus in: Befreiung und Rechtfertigung, Zur Stellung der Rechtfertigungslehre in der Theologie des
Paulus = Rechtfertigung, 479-508. Auf diese Konzeption kann aber hier
nicht eingegangen werden. Nur die eine Frage sei hier gestellt: Was
heißt Entfaltung des Evangeliums als Rechtfertigungsbotschaft? An
dieser Stelle müßte m.E. das Gespräch mit Strecker geführt werden.

Zu S. 17 (1. Nomos im Galaterbrief)

1) Jewett, The Agitators and the Galatian Congregation, NTS 17, 208,
schwächt dies ab, wenn er die Paulusgegner in ihrem "cunningly devised
tactic" sprechen läßt: "In his (sc. Paul's) work as the representative of
the 'pillars' to the Gentiles (1, 12. 15-19) he simply began a work which
we have come to complete (3, 3). But in order not to offend you when
you were still pagans (1, 10), Paul softened some of the harder and mo-
re advanced features of the faith." Daß sich die Gegner des Paulus dieser Taktik bedient hätten, geht nicht aus dem Text hervor. Der Rekurs
auf das ἐπιτελεῖσθε Gal 3,3 (ib. 207) kann eine solche Konstruktion
nicht tragen.

2) So fast durchgängig die Meinung: z.B. Burton, Gal., 153-159; Oepke,
Gal., 69; Foerster, Abfassungszeit und Ziel des Gal = Apophoreta,
139; Luz, Geschichtsverständnis, 280 Anm. 56; Eckert, Verkündigung,
75f.; Jewett, The Agitators and the Galatian Congregation, NTS 17, 200;
Mussner, Gal., 221 Anm. 46, jedoch ib. 216!; unsicher Schlier, Gal.,
127; demgegenüber Schmithals, ThLZ 98, 749 (Rezension von Eckert,
Verkündigung): "... der Text selbst läßt doch wohl nur (?) zu, Gal 3-4
traditionsbezogen, Gal 5-6 aber situationsbezogen auszulegen."

3) Haben aber die Prediger in Galatien die Abrahamsthematik ins Spiel gebracht, dann wäre dies auch ein weiterer Konvenienzgrund für die Auffassung, daß es sich um christliche Judaisten, nicht aber um christliche Gnostiker gehandelt hat. Zu dieser Frage s. Anm. 36 von Abschn.
2. 2. dieser Untersuchung.

4) Eckert, Verkündigung, 100; Holsten, Das Evangelium des Paulus I, 1, 93.

5) Zu Gen 15,6 bei Paulus s. F. Hahn, Gen 15,6 im Neuen Testament = Probleme biblischer Theologie, 90-107, vor allem 97-100; s. aber auch bereits von Rad, Die Anrechnung des Glaubens zur Gerechtigkeit = Ges.

Zu S. 17-20

Stud., 130-135; ib. 133: "Der Vorgang der 'Anrechnung' ist ja jetzt in den Raum eines freien und ganz persönlichen Verhältnisses Jahwes zu Abraham hinaus verlagert."; ib. 134: "Nur der Glaube, das Ernstnehmen der Verheißung Jahwes, bringt den Menschen ins rechte Verhältnis, ihn 'rechnet' Jahwe 'an'." Danach hat Paulus Gen 15, 6 gar nicht so falsch verstanden!

6) Mussner, Gal. 222f.

7) Zu b^{e}rit im AT s. Weinfeld, Art. b^{e}rit, ThWAT I, 781-808; vielleicht noch wichtiger Kutsch, Art. b^{e}rit, Verpflichtung, ThHAT, I, 339-352; zum Verständnis von diatheke s. auch den soeben erschienenen Aufsatz von Lang, Gesetz und Bund bei Paulus = Rechtfertigung, 305-320, vor allem 312ff.

8) Bezieht sich Paulus hier nur auf Gen 15, nicht aber auf Gen 17? Obwohl dies nicht beweisbar ist, spricht doch die soeben vorgetragene Argumentation dafür.

9) Cf. Burton, Gal., 159: "Circumcision, which was the chief point of contention, he does not mention, perhaps because the argument of his opponents on this point could not be directly answered." (Hervorhebung von mir) Wenn Burton im Anschluß an diese Äußerung erklärt, Paulus diskutiere statt dessen die zugrundeliegende Frage nach dem Wesen der göttlichen Foderung an den Menschen, nämlich dem Glauben, so dürfte er es wohl nicht als ein Ausweichen des Paulus beurteilen, sondern als Ausdruck seiner Argumentationsweise: Alles wird unter prinzipiellen Gesichtspunkten gesehen. (Daß er dabei sogar ins Schwarze trifft, zeigt von Rads Deutung von Gen 15,6; s. Anm. 5!) Freilich: "How he would have dealt with one who admitting this central position should still have asked, 'But is not circumcision nevertheless required by God?', these chapters do not show." (ib. 159) Es ist aber damit zu rechnen, daß Paulus diese Frage gestellt wurde, wenn auch nicht in Galatien, so doch dort, wo man von Gal Kenntnis nahm! Dazu s. Abschn. 2.1. dieser Untersuchung.

10) Zu Gal 3, 26-28 s. auch Betz, Geist, Freiheit und Gesetz, ZThK 71, 78-93, vor allem 80-83.

11) Cf. Burton, Gal., 155: "Here (sc. Gal 3,7) appears for the first time the expression 'sons of Abraham', which with its synonyme, 'seeds of Abraham,' is ... the centre of the argument in chaps. 3 and 4."

12) Schlier, Gal., 128.

12a) So z.B. Lietzmann, Gal., 19; Schoeps, Paulus, 183f.; Oepke, Gal., 72; Burton, Gal., 164; Eckert, Verkündigung, 77; Hübner, Herkunft des Paulus, KuD 19, 215; Mussner, Gal., 226 (dort allerdings unter Berufung auf Röm!); anders Schlier, Gal., 132ff.; Herold, Zorn, 176f. (Überinterpretation).

13) Das paulinische Zitat weist nur leicht Änderungen gegenüber LXX auf, die für unsere Argumentation jedoch nicht ins Gewicht fallen.

Zu S. 20

14) Darauf, daß Paulus über die Hinzufügung von $\pi\tilde{\alpha}\varsigma$ und $\pi\tilde{\alpha}\sigma\iota\nu$ hinaus auch den LXX-Text geändert hat ("Buch des Gesetzes statt "diese To- rah"), macht N o t h, "Die mit des Gesetzes Werken umgehen ..." = Ges. Stud., 156, aufmerksam. Wichtiger als dieser Hinweis ist seine Auffassung, daß auch nach Dt "ein Übertreten des Gesetzes - u n d s e i e s a u c h n u r i n e i n e m P u n k t e - Verlassen der Bundestreue, damit Bundesbruch und Abfall" bedeutet (ib. 167f.; Hervorhebung von mir). Des weiteren: "Was für Dtn 28 nur aus der geschichtlichen Situa- tion der Abfassungszeit zu erschließen war, daß nämlich der Fluch nicht nur eine Möglichkeit, sondern bereits eine Wirklichkeit darstellt, das wird in Lev 26 unmittelbar zum Ausdruck gebracht" (ib. 170). Fazit des Aufsatzes: "Von diesem Gesetz aus gibt es nur eine menschliche Mög- lichkeit eigenen, unabhängigen Handelns; das ist Übertretung, Abfall und damit Fluch und Gericht. Und so stehen die, die mit des Gesetzes Werken umgehen, in der Tat unter dem Fluch" (ib. 171). Diese Annä- herung der Intention der Torah an Gal 3,10 scheint mir nicht ganz un- bedenklich. Sicherlich gibt es in Dt Aussagen, wonach einzelne Geset- zesübertretungen den Fluch nach sich ziehen (N o t h verweist u. a. auf Dt 13,6; ib. 167 Anm. 35). Aber ist das wirklich derselbe Gedanke wie die Gal 3,10 zugrundeliegende Voraussetzung: Weil n i e m a n d in a l- l e n Punkten dem Gesetz nachkommt, stehen a l l e unter dem Fluch? Bei N o t h überschneiden sich zwei Aussagen: 1. Der Fluch für das I n- d i v i d u u m, das sich gegen auch nur e i n e Gesetzesbestimmung ver- gangen hat. 2. Der Fluch, der I s r a e l als ganzes in geschichtlicher Stunde getroffen hat. Zu einem wirklichen Ausgleich beider Aussagen ist es in N o t h s Aufsatz nicht gekommen.

15) $\dot{\varepsilon}\varkappa \pi\dot{\iota}\sigma\tau\varepsilon\omega\varsigma$ bestimmt den Term $\dot{o} \delta\dot{\iota}\varkappa\alpha\iota\circ\varsigma$, ist deshalb nicht zu $\zeta\dot{\eta}\sigma\varepsilon\tau\alpha\iota$ zu ziehen; u.a. L i p s i u s, Gal., 32; S c h w e i t z e r, Mystik, 204; N y g r e n, Röm., 69 (allerdings für Röm 1,17); H a h n, Gen 15,6 im Neuen Testament = Probleme biblischer Theologie, 98 Anm. 41; anders M u s s n e r, Gal., 227 Anm. 71: "Dann müßte aber der Artikel $\dot{o}$ hinter dem Subjekt wiederholt sein ..."; ähnlich schon vorher M i - c h e l, Röm., 47: "Wollte er die at. liche Tradition durchbrechen, dann hätte er umstellen müssen: $\dot{o} \delta\dot{\varepsilon} \dot{\varepsilon}\varkappa \pi\dot{\iota}\sigma\tau\varepsilon\omega\varsigma \delta\dot{\iota}\varkappa\alpha\iota\circ\varsigma \zeta\dot{\eta}\sigma\varepsilon\tau\alpha\iota$." Können aber diese stilistischen Argumente so starkes Gewicht haben? Ganz abgesehen davon, daß es sich immerhin um ein Zitat handelt! E l- l i s, Use, 118, polemisiert gegen N y g r e n: "But not only the grammar is against N y g r e n; for Paul, there is no 'law-righteousness' or 'work- righteousness'." Unsere weitere Untersuchung wird zeigen, daß gerade dieses Argument von E l l i s nicht überzeugt.

16) Über die Herkunft dieser Auffassung s. H ü b n e r, Herkunft des Paulus, KuD 19, 215-231: Die Interpretation von Dt 27,26 in Gal 3,10 läßt sich am leichtesten historisch ableiten, wenn man annimmt, daß Paulus im Sinne der Schule Schammajs Mission getrieben hat. Natürlich kann dies

Zu S. 20-22

nur als Vermutung gesagt werden. Teilt man sie aber nicht, so wird es im Blick auf den ehemaligen Pharisäer Paulus schwer, dessen Exegese von Dt 27, 26 zu verstehen. Soviel scheint mir aber auf jeden Fall sicher: Die von J. J e r e m i a s , Paulus als Hillelit = Neotestamentica et Semitica, 88-94, vertretene Meinung, Paulus stamme aus der Schule Hillels, ist m. E. unhaltbar. Nach Schab. 31a sah Hillel in der negativ formulierten "Goldenen Regel" die Zusammenfassung der Torah. Das von Paulus Gal 5, 14 gebrachte Theologumenon ist nach J. Jeremias hillelitisch. (S. aber in dieser Arbeit S. 38f.; erst Röm 13, 8-10 argumentiert P. hillelitisch.) Sollte aber Paulus - trotz Phil 3, 7f.! - als ehemaliger Hillelit an einem derart zentralen Punkte des Torahverständnisses weiter hillelitisch gedacht haben? M. E. impliziert die Frage schon die negative Antwort. Im übrigen wiederhole ich, was ich bereits KuD 21, 252 Anm. 45, als Ergänzung zu dem zuerst genannten Aufsatz gesagt habe: Mir liegt nicht unbedingt daran, daß Paulus Schammait war, wohl aber, daß er nicht Hillelit war, daß er also nicht zur konzilianten Richtung der Pharisäer gehörte. Mit J. M a i e r , Die Geschichte der jüdischen Religion, 74f., nehme ich an, daß die geläufige Zweiteilung in die Schulen Hillels und Schammajs lediglich zwei Haupttendenzen kennzeichnet und ein in Wirklichkeit viel bunteres Bild verdeckt. - Gegen J. J e r e m i a s s. auch H a a k - k e r , War Paulus Hillelit? = Institutum Judaicum Tübingen 1971-1972, 106-120; d e r s ., Die Berufung des Verfolgers und die Rechtfertigung des Gottlosen, ThBeitr 6, 10.

17) Die Frage, ob im Sinne des Paulus keiner dieser Forderung nachkommen k a n n , ist später noch zu stellen.

18) Anders S c h o e p s , Paulus, 184: "Erfahrungssatz".

19) H.-W. K u h n , Jesus als Gekreuzigter, ZThK 72, 1-46, bemüht sich um den Nachweis, die spezifischen K r e u z e s aussagen des NT von den übrigen P a s s i o n s aussagen abzusetzen. Seinem methodischen Vorgehen kann zumindest im Blick auf Paulus hoher heuristischer Wert nicht abgesprochen werden. In diesem Sinne sagt er hinsichtlich Gal 3, 13 mit Recht: "Vom Stellvertretungsgedanken her erscheint nun umgekehrt das Kreuz als Entmächtigung des Gesetzes" (ib. 35).

20) S c h m i t h a l s , Die Häretiker in Galatien = Paulus und die Gnostiker, 23.

21) Zum Zusammenhang zwischen Biographie und Theologie Pauli s. jüngstens H a a c k e r , Die Berufung des Verfolgers, ThBeitr 6, 1-19.

22) s. auch E c k e r t , Verkündigung, 189 u. die ib. 189 Anm. 5 genannten Autoren.

22a) s. allerdings Gal 2, 16bc!   23) anders S u h l , Briefe, 57ff.

24) Zur Diskussion um κατασκοπῆσαι s. M u s s n e r , Gal., 108, und 108 Anm. 44. Man achte auch auf das doppelte κατα- : κατασκοπῆσαι und καταδουλώσουσιν.

25) So M u s s n e r , Gal., 111, u. die meisten anderen Erklärer des Gal.

26) Zu den παρεισάκτους ψευδαδέλφους s. M u s s n e r , Gal., 108ff.; ib. 109 Anm. 50 gegen S c h m i t h a l s , Paulus und Jakobus, 89f., der un-

Zu S. 22-24 (1.)

ter ihnen Juden, nicht Judenchristen versteht. M u s s n e r hält dies für
"so unwahrscheinlich wie nur möglich". Doch für ganz so unwahrscheinlich sollte man die Vermutung von S c h m i t h a l s - mehr als eine Vermutung ist es für ihn nicht - keinesfalls halten. Es ist nämlich durchaus
denkbar, daß sich Juden Zugang zur Synode verschaffen wollten oder
gar verschafft hatten. Man vergegenwärtige sich, daß sich die Jerusalemer Gemeinde - gerade nach der Vertreibung der "Hellenisten" - als
Teil der jüdischen Kultgemeinde verstand und diese sich ihrerseits
dann als religiöses Aufsichtsorgan aufspielen wollte. Doch sei dem,
wie es war - auf jeden Fall ist dies deutlich: Paulus will Gal 2, 4ff.
herausstellen, daß es nur Nichtlegitimierte, nicht aber die offiziell
Zuständigen waren, die die Freiheit und Wahrheit des Evangeliums
niederhalten wollten. Also können auch heute nur Nichtlegitimierte die
Beschneidung fordern!

27) Damit soll keineswegs die richtige Erkenntnis V i e l h a u e r s , Gesetzesdienst und Stoicheiadienst im Gal = Rechtfertigung, 545, bestritten werden, aus Gal 5, 3 könne man schlechterdings nicht schließen, daß Paulus seinen Lesern die Verbindung von Gesetz und Beschneidung als Neu-
igkeit mitgeteilt habe; der Ton liege auf dem ὅλον. Sicherlich haben
die Paulusgegner auch e i n i g e Gesetzesforderungen im Zusammenhang mit der Beschneidung gefordert, höchstwahrscheinlich kultische.

28) Cf. R. M e y e r , Art. περιτέμνω, ThWNT VI, 83, 11ff.: "Freilich läßt
Gl 2, 7 durchblicken, daß die Freiheit vom Ἰουδαϊσμός in Jerusalem
doch im Grunde nur zur Kenntnis genommen war und in Wirklichkeit
die Fronten bei aller gegenseitigen Loyalität erhalten blieben."

29) K. G. K u h n , Art. προσήλυτος, ThWNT VI, 731, 29ff.; vgl. B o r n k a m m ,
Paulus, 33; L o h s e , Art. Mission II. Jüdische Mission, RGG[3] IV, 972.

30) Nicht ganz so weit geht W i l c k e n s , "Aus Werken des Gesetzes..." =
Rechtfertigung als Freiheit, 87; Abfassungszweck des Röm = ib. 131;
mit der Annahme, die galatischen Agitatoren, nicht aber die judenchristlichen Führer, hätten die paulinischen heidenchristlichen Gemeinden nur
als "Gottesfürchtige" aufgefaßt und nun energisch den Proselytenstatus
gefordert.

31) S. auch E c k e r t , Verkündigung, 24f.

32) S c h r a g e , Die konkreten Einzelgebote, 238; s. auch 232.

33) H ü b n e r , Herkunft des Paulus, KuD 19, 222ff.: Mochte Paulus auch ge-
bürtiger Diaspora-Jude, mochte er als solcher auch "Septuaginta-Jude"
(D e i s s m a n n , Paulus, 71) gewesen sein, so dürfte vor seiner Bekehrung
seine Einstellung zur Judenmission jedoch nicht mit der liberalen des
Diasporajudentums übereingestimmt haben. Mit Recht macht H.-W. K u h n ,
Jesus als Gekreuzigter, ZThK 72, 32 Anm. 140, unter Hinweis auf K. G.
K u h n / H. S t e g e m a n n , Art. Proselyten, PW Suppl. IX, 1259f., darauf aufmerksam, daß das hellenistische Diasporajudentum nicht so entschiede-
nen Wert darauf legte, Heiden unbedingt durch Beschneidung dem Judentum voll einzugliedern (gegen K a s t i n g , Die Anfänge der christlichen Mis-

Zu S. 24-27

sion, 22ff.). Hatte aber Paulus, vielleicht sogar als Judenmissionar, ursprünglich den strengen Standpunkt, also in der Judenmission grundsätzlich die Forderung der Beschneidung als Verpflichtung zur totalen Torahobödienz zu verlangen, vertreten, so wäre zu vermuten, daß er seine einst so rigorose jüdische Grundeinstellung (Gal 1, 14!) gerade nicht seinem Diasporajudentum, sondern seinem Anschluß an die strenge pharisäische Richtung der Schule Schammajs verdankte (s. Anm. 16).

34) Trotz M u n c k , Paulus und die Heilsgeschichte, 103ff., dürfte Jakobus Vertreter einer strengen Torahobservanz gewesen sein. M u n c k hat sicherlich recht, wenn er den Bericht Hegesipps vom Tode des Jakobus (Eus., hist. eccl. II, 23, 4-18) wegen seiner legendarischen Art nicht als "Quellen von historischem Wert" betrachtet (ib. 110). Andererseits beruht seine Auffassung auf der wohl kaum haltbaren Gleichung: etliche von Jakobus (Gal 2, 12) = einige jerusalemische Judenchristen (ib. 94).

35) Das dürfte das Wahrheitsmoment der in der letzten Anm. skizzierten Auffassung M u n c k s sein.

36) Dies ist m. E. der Punkt, an dem das von S c h m i t h a l s an erster Stelle genannte Argument gegen E c k e r t s "Erneuerung der trationellen Judaisten-Hypothese" (Rezension von dessen Buch "Die urchristliche Verkündigung ...", ThLZ 98, 747-749) nicht verfängt: Ungeklärt bleibe, wieso denn Paulus zu Beginn des Briefes so sehr bemüht ist, gerade seine Unabhängigkeit von den Jerusalemern nachzuweisen (ib. 747).
Doch, der Nachweis wird sinnvoll, wenn der Vorwurf gegenüber Paulus gelautet hatte: O b w o h l er von den Jerusalemern Autoritäten abhängig war, hat er anders gelehrt als diese! Die A b h ä n g i g k e i t v o n J e - r u s a l e m war also k e i n V o r w u r f a n s i c h , sondern sie war i m B e d i n g u n g s g e f ü g e e i n e s V o r w u r f s a l s V o r a u s s e t - z u n g genannt.

37) Gegen S c h m i t h a l s neuestens V i e l h a u e r , Gesetzesdienst und Stoichei dienst im Gal = Rechtfertigung, 552: "Nicht als Beispiel oberflächlicher und magischer Praktiken, sondern als Teil des Gesetzes führt Paulus die Festzeiten an ... "

38) V i e l h a u e r setzt den in der letzten Anm. z.T. zitierten Satz fort: "... daß er gerade diesen sozusagen harmlosen Teil wählt, bringt - wohl absichtlich - etwas Irritierendes in die Ausführungen V. 8-11; daß er ihn pars pro toto meint, gibt ihnen ihr theologisches Gewicht."

39) H e n g e l , Judentum und Hellenismus, 427ff.; L i m b e c k , Die Ordnung des Heils, passim.

40) So u.a. L i p s i u s , Gal., 37; S c h l i e r , Gal., 152; O e p k e , Gal., 81; zu sehr von Röm her ausgelegt durch E c k e r t , Verkündigung, 82: "Nicht eine sünde wehrende, sondern eine sündenmehrende Funktion ... (vgl. Röm 5, 20; 7, 7ff.)."

41) S c h l i e r , Gal., 152; so auch schon früher S i e f f e r t , Gal., 199: Um so verstanden zu werden, hätte Paulus schreiben müssen: τῆς ἐπιγνώσεως

Zu S. 27 u. 28

τῶν παραβάσεων χάριν. Mussner, Gal., 245, erklärt die Stelle
jedoch wieder im kognitiven Sinne; er tut dies jedoch unter Berufung
auf Röm! Zwischen Sieffert u.a. und Mussner steht Burton, Gal.,
188: "Nor can it be justly said that this interpretation (sc. παράβασις
= violation of explicit law) involves the supplying of the phrase 'know-
ledge of' ..., but only the discovery in the expression τῶν παραβάσεων of its implicate, τῆς ἐπιγνώσεως τῆς ἁμαρτίας. For
the evidence (!) that the latter was in Paul's thought a function of the
law ..., see Rom. 3,20 (!) ..." Also wieder der typische Beweis aus
Röm: "Evidenz" einer Gal-Interpretation durch Aussagen in Röm!

42) Lipsius, Gal., 37; s. auch die Übersetzung in "The New English Bible":
"It was added to make wrongdoing a legal offence." Als Alternativüber-
setzung heißt es in der Anmerkung: "... added because of offences."

43) Sieffert, Gal., 198.

44) Anders Bring, Christus und das Gesetz, 82ff. Cranfield, St. Paul and
the Law, SJTh 17, 62, schwächt das von ihm für wahrscheinlich gehal-
tene "depreciatory purpose" ab: "... it is probably simply to suggest
a certain (!) superiority of the promise ..." Er spricht von "certain
depreciatory flavour".

45) So u.a. Lipsius, Gal., 38; Sieffert, Gal., 201; Burton, Gal., 189;
Mussner, Gal., 247; MacGorman, Problem Passages in Galatians,
SouthWestJTh 15, 44.

46) Schlier, Gal., 155f.; Oepke, Art. διά, ThWNT II, 65, 30; ib. 66, 6ff.
(jedoch ib. 66,27!); Menge, Langenscheidts Großwörterbuch, 166.

47) Schlier, Gal., 157; Hervorhebung von mir.

48) Sieffert, Gal., 209; Oepke, Gal., 82; s. jedoch Schlier, Gal., 161,
Anm. 2: "Doch beruhen solche Angaben wohl mehr auf Gerüchten als
auf Nachprüfungen."

49) So u.a. Lietzmann, Gal., 22f.; Schweitzer, Mystik, 71; Oepke, Art.
μεσίτης , ThWNT IV, 622,17ff.; ders., Gal., 84; Schlier, Gal.,
161: "Die einfachste Auslegung"; Luz, Geschichtsverständnis, 190 u.
190 Anm. 204; Eckert, Verkündigung, 83; Klein, Individualgeschichte
und Weltgeschichte = Rekonstruktion und Interpretation, 209, Anm. 105;
Mussner, Gal., 248f. Anders Sieffert, Gal., 208: "Als Gegensatz zu
ἑνός ist die Zweiheit ... der zu vermittelnden Partheien zu denken ...
Mithin darf man in der historischen Anwendung des Satzes als Gegensatz
gegen die Einheit allein die Zweiheit Gottes und des israel. Volkes denken,
nicht die Mehrheit des Volkes ..., auch nicht die der Engel ..."; ähnlich Lipsius, Gal., 37f.

50) Schweitzer, Mystik, 71; Schoeps, Paulus, 190f.; Klein, Individualgeschichte u. Weltgeschichte = Rekonstruktion und Interpretation, 209
Anm. 105: "Daß er (sc. Mose) gleichwohl an unserer Stelle die Engel
nicht als bloße Vermittlungsinstanz begreift, zeigt m. E. zwingend schon
der anschließende Hinweis auf den Mittler. Denn wie sollte Paulus auf

Zu S. 28-30

z w e i Akte von 'Vermittlung' des Gesetzes reflektieren!" So kann
K l e i n von Mose als "Funktionär widergöttlicher Mächte" sprechen;
den auf Mose festgelegten Geschichtsbereich bezeichnet er als "geradezu dämonisiert". "Das ist Disqualifikation der Geschichte Israels
in nuce." (ib. 210); L u z, Geschichtsverständnis, 190 u. 190 Anm. 204;
s. auch E c k e r t, Verkündigung, 82f. Auch H.-W. K u h n, Jesus als Gekreuzigter, ZThK 72, 36 Anm. 155, vertritt anscheinend die Auffassung,
daß der nomos von den Engeln stammt; freilich scheint mir seine damit verbundene These, daß es sich in Gal 3, 13 um den Fluch des Gesetzes, nicht aber um den Fluch Gottes handelt, nicht einsichtig. Unentschieden O e p k e, Gal., 84: "Also stammt das Gesetz mindestens (!)
nicht direkt von Gott ..."; ib. 98: "... entsteht im Gl eher (!) das Bild,
daß Gott feindlichen Gewalten zeitweilig das Feld räumte ..."; nach
L i e t z m a n n, Gal., 23, rührt das Gesetz nicht von e i n e r Persönlich-
keit, d. h. Gott, her, ist "also" (!) "nicht absolut" (!) göttlich. Die Konklusion L i e t z m a n n s bleibt im Bereich der Unschärfe. Sein "also" ist
nicht ganz stringent gemeint. - Jüngst hat auch D r a n e in seinem sehr
beachtenswerten Aufsatz "Tradition, Law and Ethics in Pauline Theology", NovTest 16 (1974), 167-178, 169, darauf hingewiesen, daß die
Aussage Gal 3, 19 über den Ursprung des Gesetzes "in the light of other
Pauline passages" als Überreaktion aufgrund gegnerischer Übertreibung
zu werten sei. Jedoch, "if we confine ourselves to Gal.", können wir
kaum zu einer anderen Schlußfolgerung gelangen als der von S c h o e p s.

51) S. o. Anm. 50.

52) D i l t h e y, Die Entstehung der Hermeneutik = Ges. Schriften V, 331.

53) Unter der Voraussetzung, daß τοῦ θεοῦ mit 𝕲 u. a. (gegen p[46], B)
zu lesen ist, gewinnt dieses Argument noch an weiterer Durchschlags-
kraft: Steht der nomos, der ausdrücklich nicht als nomos Gottes bezeichnet wird, gegen die Verheißungen, die ausdrücklich als Verheißungen Gottes bezeichnet werden? Allerdings ist unsere Argumentation nicht von dieser Lesart abhängig, weil die Verheißungen auf jeden
Fall von Paulus als Verheißungen Gottes verstanden sind, der nomos
jedoch u n m i t t e l b a r zuvor als διαταγεὶς δι' ἀγγέλων disqualifiziert wurde.

54) L i e t z m a n n, Gal., 23: "Es erscheint also das Gesetz in direkten Gegensatz zu Gottes Absicht gestellt, so daß die Frage v. 21 sich unwill-
kürlich aufdrängt ..." Doch unterscheidet sich L i e t z m a n n s Auffassung von unserer, insofern nach ihm die Engel nicht die Absicht haben,
Gottes Verheißungen zu verhindern, s. auch O e p k e, Gal., 84f.

55) Die theologischen Probleme von Hiob 1 brauchen hier nicht zu interessieren; dazu s. H o r s t, BK XVI, z. St. Hier ist nur die Wirkungsge-
schichte von Hiob von Bedeutung.

56) S. S c h l i e r, Gal., 156f., und die dort sonst noch angegebenen Stellen
der jüdischen Sinaiexegese!

Zu S. 31-34

57) Nochmals: Daß die Intentionen sprachlich geradezu ineinander zerflie-
ßen, ist der Exegese vorgegeben bzw. hypothetisch vorausgesetzt. Es
ist ja (relativer) Ausgang der Interpretation, die zwischen den Zeilen zu
lesen verpflichtet ist (und sich dabei des Hypothetischen ihrer Auslegung
bewußt sein muß!). Man wird also den Sachverhalt der von Paulus nicht
deutlich unterschiedenen Intentionen nicht gegen die hier versuchte Exegese ins Feld führen dürfen - es sei denn, man bestreite das Recht, in der
Exegese sprachlich zerfließende Gedanken eines Autors in Schärfe herauszuarbeiten. Ein möglicher Einwand müßte also aus dem Gesamtduktus
des Gal zeigen, daß das hier dem Paulus "unterstellte" Argumentationsgefälle unzutreffend ist.

58) Schlier, Gal., 163; Mussner, Gal., 251.

59) Die Frage, wie es überhaupt geschehen konnte, daß Gott nicht die hamartia und eine derartige Gesetzgebung verhinderte, darf man natürlich nicht stellen. Selbst die wesentlich mehr durchreflektierte Theologie des Röm begnügt sich mit dem faktischen Auftreten der hamartia (Röm 5, 12). Das Entstehen des Bösen erklärt Paulus (und
mit ihm das ganze Neue Testament) gerade nicht. Das Böse ist eben
- und das ist auch eine theologische Aussage - nicht rational erklärbar.
Ein erklärbares, d.h. auf eine causa zurückführbares Böse ist nicht
mehr böse.

60) Joest, Gesetz und Freiheit, 52.139.

61) S. die jüdischen Interpretationen der Schlange von Gen 3, z.B. ApkMos
16; VitAd 16; dazu Foerster, Art. ὄφις, ThWNT V, 577, 7ff.

62) Cf. Ab 1, 1. Wenn auch die Traditionskette Ab 1 späte Konstruktion ist
(s. dazu neuerdings J. Neusner, The Rabbinic Traditions about the
Pharisees before 70, 3 Parts, Leiden 1971, passim), so dürfte doch
schon z. Zt. des Paulus die Wendung "Zaun um die Torah" fester terminus technicus gewesen sein. R. Aqiba hat bereits diese Wendung zur
Formulierung weiterer, darauf aufbauender Sentenzen benutzt; Ab 3,14.

63) Zu Sir 24 s. Wilckens, Art. σοφία, ThWNT VII, 504 Anm. 257;
509; im übrigen Bill. III, 256f.; IV/1; 435ff.; Davies, Paul and
Rabbinic Judaism, 170; Hengel, Judentum und Hellenismus, 309ff.

64) Davies, Torah in the Messianic Age, passim; Bill. I, 244ff.; Mussner, Gal., 246f.; Schäfer, Die Torah der messianischen Zeit, ZNW
65, 27-42; anders Schoeps, Paulus, 178ff., jedoch ist dessen Hinweis auf Nidda 61b nicht überzeugend; s. auch Hengel, Judentum und
Hellenismus, 311 Anm. 411! Mussner, Gal., 247: "Es gibt frühjüdi-
sche Zeugnisse, die sogar von einer 'neuen Tora' sprechen, die der
Messias bringen wird, doch in welchem Sinn hier 'neu' zu verstehen
ist, ist kontrovers." Schade, daß Mussner zu dieser Kontroverse
nicht Stellung genommen hat.

65) Mussner, Gal., 255: nicht ὑπὸ νόμου, sondern ὑπὸ νόμον;
gemeint ist also der Herrschaftsbereich.

Zu S. 34-36

66) U.a. S c h l i e r , Gal., 136f.; K l e i n , Individualgeschichte und Weltgeschichte = Rekonstruktion und Interpretation, 206f.

67) O e p k e , Gal., 85; S c h l i e r , Gal., 166; M u s s n e r , Gal., 256 Anm.
61, macht darauf aufmerksam, daß in dem ἐφρουρούμεθα die Adressaten (also ehemalige Heiden!) eingeschlossen sind; K l e i n , Individualgeschichte und Weltgeschichte = Rekonstruktion und Interpretation, 212
u. 212 Anm. 118.

68) Kann man aber von einer derartigen Einebnung von Jude-Sein und Heide-
Sein sprechen, korrespondieren also Unter-dem-Gesetz-Sein und Unter-
den-Weltelementen-Sein, dann kann man nicht mehr mit M. B a r t h ,
Die Einheit des Galater- und Epheserbriefs (= Rez. von M u s s n e r ,
Gal.), ThZ 32, sagen: "... der Fluch (sc. von Dt 27,26 = Gal 3,10) ist
nur dem Bundesvolk angedroht - und diesem Volke einzig dann, wenn
es den Bund bricht und die Gesetze übertritt; zur Bundesschließung gehört die Gesetzgebung und die Fluchandrohung." Die theologische Qualität des Fluches von Dt 27,26 ist doch im Argumentationsgefälle des
Gal vom Elend des heidnischen Daseins her expliziert! M. B a r t h
verkennt die Argumentationsrichtung des Paulus.

69) S c h l i e r , Gal., 168ff.; M u s s n e r , Gal., 256ff., schildert den
παιδαγωγός zu positiv, sieht aber richtig, daß Paulus eine "er-
zieherische Funktion" des Gesetzes im positiven Sinn nicht kennt.

70) D e l l i n g , Art. στοιχεῖον, ThWNT VII, 685, 15: "das, worauf
die Existenz der Welt beruht"; starke Sympathien für D e l l i n g s Auffassung hat Mac G o r m a n n , Problem Passages in Galatians, South-
WestJTh 15, 487f., doch läßt er die Frage letztlich unentschieden. -
Eine Auseinandersetzung mit B a n d s t r a , The Law and the Elements
of the World, kann an dieser Stelle nicht erfolgen. Seine Ansicht "the
law and the flesh constitute the fundamental cosmical forces (v.3,
στοιχεῖα τοῦ κόσμου)" (ib. 67) vermag ich nicht zu teilen.

71) U.a. S c h w e i z e r , Die "Elemente der Welt" = Verborum veritas,
254. 258f.; dort übrige Literatur.

72) D i b e l i u s , Die Geisterwelt im Glauben des Paulus, Exkurs III.

73) S c h l i e r , Gal., 191ff.   74) V i e l h a u e r , Gesetzesdienst
und Stoicheiadienst im Galaterbrief = Rechtfertigung, 550.

75) Ib. 553; s. auch K l e i n , Individualgeschichte und Weltgeschichte =
Rekonstruktion und Interpretation, 216: "Damit hat die Profanisierung
des Judentums ihre Radikalität gewonnen."

76) Zu Gal 4,21-31 s. die Kommentare; auf die jüngste Studie zu diesem
Abschnitt von B a r r e t , The Allegory of Abraham, Sarah, and Hagar
in the Arguments of Galatians = Rechtfertigung, 1-16, kann ich hier
nicht eingehen. Zum Verhältnis Gal 4,21ff. zu Gal 3,6ff. s. D i e t z f e l -
b i n g e r , Heilsgeschichte bei Paulus?, 14ff.

77) Daß erst Paulus diesen Begriff eingeführt habe, wie V i e l h a u e r , Gesetzesdienst und Stoicheiadienst im Gal = Rechtfertigung, 552f., vermutet, ist m. E. unwahrscheinlich.

Zu S. 37 u. 38

78) Im übrigen s. man zum Thema "Freiheit" die ausgezeichneten Darlegungen in N i e d e r w i m m e r , Der Begriff der Freiheit im NT!

79) Zur näheren Begründung und Angabe einzelner Autoren, die diese Auslegung vertreten, s. H ü b n e r , Das ganze und das eine Gesetz, KuD
21, 240ff.; dort auch Überlegungen zum Verhältnis Paulus-Stoa im
Blick auf Gal 5,14. Auf diesen Fragenkomplex wird hier nicht eingegangen.

80) Cf. B u l t m a n n , Theologie, 342: "... und der Kampf in Galatien gegen das Gesetz als Heilsweg ist ja zugleich ein Kampf gegen die rituel-
len und kultischen Gebote, gegen die Beschneidung und die jüdischen
Feste (Gl 4,10)." Also nicht "das ganze Gesetz"!

81) πληρῶσαι ist mit S c h l i e r , Gal., 245, zu interpretieren als "ist
getan".

82) S. die H ü b n e r , Das ganze und das eine Gesetz, KuD 21, 241 Anm. 11,
genannte Literatur, vor allem K ü h n e r - G e r t h , Grammatik II/1, 632.

83) Freilich ist es ein Wort der T o r a h ! (Anders U l o n s k a , Funktion,
73, mit der formalen Begründung, die Anspielung Lev 19,18 sei nicht
als Zitat gekennzeichnet). Auf den Inhalt dieses Torahwortes Lev 19,18
kann hier nicht weiter eingegangen werden. Lediglich folgendes sei gesagt: Indem Paulus unmittelbar zuvor (v.13) die Freiheit als durch den
anderen b e g r e n z t e Freiheit betont - und das bei der Emphase, mit
der er bisher über die Freiheit sprach! -, zeigt er, wie er den einen
gebietenden Logos von der Nächstenliebe als zur Mitte christlicher Existenz gehörend betrachtet. Ist Freiheit also doch nicht das letzte Wort
des Paulus? Versteht er die Forderung, die i n d e r B e g e g n u n g
mit dem Nächsten je für mich konkret wird, als dasjenige, w o z u ich
befreit bin? Trifft für Paulus auch das zu, was G r e e v e n in so schö-
ner Weise vom "Nächsten" der Erzählung vom barmherzigen Samariter
gesagt hat?: "Daß nicht vorher bestimmt werden kann, wer der Nächste ist, sondern daß es sich im Lebensvollzug jeweils eindeutig ergibt,
geht aus der Erzählung vom barmherzigen Samariter hervor ... Was
der 'Nächste' ist, kann man nicht definieren, man kann es nur sein."
(G r e e v e n , Art. πλησίον , ThWNT VI, 316, 4ff.). Hier wäre dann
für Paulus zu ergänzen: "... und man kann es nur jeweils neu in der
Begegnung mit dem 'Nächsten' erfahren." Soviel aber steht auf jeden
Fall fest: Die Freiheit ist für Paulus niemals im Sinne des Subjektivis-
mus durch das Individuum definiert. F r e i h e i t i s t k o n s t i t u i e r t
d u r c h d i e B e g e g n u n g m i t d e m N ä c h s t e n . Indem ich aber
die Freiheit als "Operationsbasis für die sarx" (Gal 5,13) mißbrauche,
die sarx aber der je individuelle Ort der überindividuellen hamartia ist,
bedeutet die F r e i h e i t f ü r d i e s a r x wieder neue Knechtschaft
d u r c h d i e h a m a r t i a . Für Paulus steht also die agape auf der Seite
der Freiheit; paradox im Sinne des Paulus: d i e K n e c h t s c h a f t g e -
g e n ü b e r d e m "Nächsten" i s t F r e i h e i t v o n s a r x u n d
h a m a r t i a .

Zu S. 38-40

84) S. das Zitat von U. v. Wilamowitz-Moellendorf bei Bornkamm, Paulus, 33: "... Klassiker des Hellenismus. Endlich, endlich redet einer auch griechisch von einer frischen inneren Lebenser-
fahrung."

85) Maurer, der in 5,14 eine Aussage über die Torah sieht (Gesetzeslehre, 30), muß dann seine Zuflucht zu der Auffassung nehmen, die Lösung dafür, daß das Gesetz so zwei verschiedene Seiten haben könnte,
sei erst in Röm in der vollen Klarheit zu sehen. "Die richtige Lösung
liegt im Gal. vor, aber sie ist noch nicht ohne weiteres zu finden, da
Paulus sich über dieses Problem noch reichlich unklar ausdrückt" (ib.
31). Immerhin hat Maurer klar gesehen, wo Gal die entscheidende
Frage stellt.

86) Vgl. Hübner, Herkunft des Paulus, KuD 19, 215-231; ders., Das ganze und das eine Gesetz, KuD 21, 250f.

87) Schlier, Gal., 134.   88) Ib. 132f.   89) Ib. 134.

90) Ib. 134. Dies kritisiert auch Ulonska, Funktion, 57, an Schlier.

91) S. S. 23 dieser Untersuchung.

92) ἐν νόμῳ ist wohl Instrumentalis. Sollte aber dennoch z. B. Lipsius,
Gal., 33, recht haben, daß ἐν νόμῳ bedeutet "im Bereiche des Gesetzes", so ändert dies wenig; denn dann wäre zu interpretieren: im Machtbereich des Gesetzes, also da, wo das Gesetz die Mittel in der Hand hat.

93) Anders Ulonska, Funktion, 55 Anm. 50: "Im Gegensatz zu Röm 1,17
wird Hab 2,4 nicht als Zitat gekennzeichnet; so müssen wir berücksichtigen, daß es Paulus nicht um die Antwort eines Schriftwortes geht, sondern (!) er legt den Ton besonders auf den Inhalt." Die Entgegensetzung
von Schriftwort und Inhalt kann nicht einleuchten. Im Zusammenhang mit
dieser These bestreitet Ulonska auch, daß hinter Gal 3,10 die unausgesprochene Voraussetzung, keiner habe das Gesetz ganz, steht (ib. 50).

94) Es ist m. E. eine nicht im Sinne des Paulus vorgenommene Abschwächung
ja Domestizierung des Gedankens, wenn Burton, Gal., 264, erklärt:
"The curse of which the verse speaks is not the curse of God, but as
Paul expressly calls it in v. 13, the curse of the law." Ähnlich H.-W.
Kuhn, Jesus als Gekreuzigter, ZThK 72, 36 Anm. 155: Dafür spreche
die extreme Formulierung von der Anordnung des Gesetzes nur durch
Engel. Kuhn wendet sich gegen G. Jeremias, Der Lehrer der Gerechtigkeit, 133, der vermutet, für die Auslassung von ὑπὸ θεοῦ
durch Paulus werde man dessen Scheu annehmen müssen, expressis
verbis von dem Fluch Gottes zu sprechen. Diese Annahme ist nun ihrerseits durch nichts gerechtfertigt. Die von ihm herangezogene rabbinische Exegese von Dt 21,23 kann nicht als Konvenienzgrund dienen.

95) Zu Gal 3,13 s. G. Jeremias, Der Lehrer der Gerechtigkeit, 134;
dazu Hübner, Herkunft des Paulus, KuD 19, 218. Ergänzend dazu
sei gesagt: Wenn ich in diesem Aufsatz Gal 3,10 auf dem Hintergrund
der pharisäisch-schammaitischen Vergangenheit interpretiert habe,
so schließt dies nicht aus, daß G. Jeremias mit seiner Auffassung

Zu S. 40-43

recht haben könnte, die Bezeichnung Christi als eines Verfluchten ent-
stamme einer (jüdischen) Christuspolemik, die sich auf Dt 21, 23 berief.
Sollte dies in der Tat zutreffen, dann bleibt nämlich immer noch die
Frage, wie Paulus - als ehemaliger Pharisäer! - Dt 27, 26 im Sinne
von Gal 3, 10f. verstehen konnte.

96) Ulonska, Funktion, 57, hat also gegen Schlier recht, wenn er
sagt: "Also nicht auf dem Tun liegt der Fluch, sondern auf dem Unterlassen des Tuns."

97) Luz, Geschichtsverständnis, 150f.　　　98) Ib. 151.

99) Hat Paulus, wenn er 5, 23 schreibt: κατὰ τῶν τοιούτων οὐκ ἔστιν
νόμος, Aristoteles, Pol. III 13p 1284a 13f.: κατὰ δὲ τῶν τοιούτων
οὐκ ἔστιν νόμος. αὐτοὶ γάρ εἰσι νόμος, vor Augen gehabt?
Natürlich setzt die Annahme einer derartigen Möglichkeit nicht voraus,
daß Paulus diese Schrift des Aristoteles gelesen hat!

100) Schoeps, Paulus, 185f.

101) Mussner, Gal., 228 Anm. 79; dort Zustimmung zu Dahl, Widersprüche in der Bibel, ein altes hermeneutisches Problem, StTh 25, 12
(1971): "Der ganze Gedankengang in Gal. 3, 1-12 beruht auf der Voraussetzung, daß die beiden Schriftworte in Hab. 2, 4 und Lev. 18, 5 einander
widersprechen, und daß die entsprechenden Prinzipien 'aus dem Glauben'
und 'aus dem Gesetz' sich gegenseitig ausschließen als Voraussetzung
für Rechtfertigung und Leben."

102) Daß freilich "Schrift" in Gal nicht immer "verheißende Schrift" ist,
zeigt 3, 22. Dort ist jedoch immerhin durch den finalen Nebensatz die
Verheißung Kontext der Schrift! Letztliche begriffliche Ausgeglichenheit dürfen wir in Gal nicht suchen.

Zu S. 44 u. 45 (2. Nomos im Römerbrief)

1) Gal 3, 6 leitet mit einfachem καθώς ein, Röm 4, 3 dagegen mit der Frage: τί γὰρ ἡ γραφὴ λέγει; LXX bringt anfangs die Reihenfolge:
καὶ ἐπίστευσεν Αβραμ (nicht 'Αβραάμ), Gal 3, 6:　'Αβραάμ
ἐπίστευσεν, Röm 4, 3: ἐπίστευσεν δὲ 'Αβραάμ.

2) Dietzfelbinger, Heilsgeschichte bei Paulus?, 12: Paulus geht Röm
4 nicht ausdrücklich auf das Sinaiereignis ein. "Aber die Sache von Gal
3, 17, das Prae der Verheißung vor dem Gesetz, wird in Röm 4, 13 mit
Entschiedenheit aufgenommen ... "

3) Im Singular erscheint "diatheke" in Röm nur 11, 27 und dort bezeichnenderweise in einem atl. Zitat. 9, 4 ist der Begriff im Plural gebraucht.
Er meint dort die während der "Geschichte Israels" (dazu Näheres im
Laufe der weiteren Darlegungen) erfolgten Bundesschlüsse Gottes mit
seinem Volk. Es ist festzuhalten: Die Bedeutung "Testament" für "diatheke" wie in Gal 3 liegt in Röm - und überhaupt nach Gal - nicht mehr
vor. Nun erscheint in Gal allerdings "diatheke" gegenüber 3, 15ff. in

Zu S. 44-46

eigenartig modifizierter Weise in der Sara-Hagar-Allegorie 4,21ff.
Zwar wird hier der Begriff nach Auffassung mancher Exegeten noch
im Sinne von "die zwei (einander ausschließenden) Testamente" verwendet (s. z.B. Schlier, Gal., 219; Mussner, Gal., 321 Anm. 26; anders Lang, Gesetz und Bund bei Paulus = Rechtfertigung, 314). Allerdings ist es nach unseren bisherigen Überlegungen schwierig, mit Schli
bzw. Kähler die Hagar-diatheke als "göttlich gestiftete Ordnung" zu
begreifen. So wird man diatheke in Gal 4,21ff. eher als neutrale Größe
in der Bedeutung "Ordnung" (vgl. Behm, Art. διαθήκη, ThWNT II,
133,24), die jeweils erst durch Sara und Hagar theologisch qualifiziert
wird, interpretieren. In etwa kann man von Gal 4,21ff. zu 2 Kor 3 eine
Linie ziehen, muß aber dann auch im Blick auf den Begriff "diatheke"
für Paulus ein Stück Theologiegeschichte, einen theologischen Entwick-
lungsprozeß annehmen: 2 Kor 3 werden alte und neue diatheke im Sinne
von Alter und Neuer Bund gegenübergestellt (Bultmann, 2 Kor., 79ff.).
Beide Bundesschlüsse stehen nicht nur im Diskontinuitätsverhältnis
(3,6: Buchstabe/Geist; Tod/Leben) zueinander. Die Diakonie des Mose geschah, wie heute die Diakonie des Geistes, in göttlicher Herrlichkeit, in doxa (3,7f.). Von daher kann durch die Kategorie der Überbie-
tung (3,11: πολλῷ μᾶλλον) auch Kontinuität ausgesagt werden. Wenn
über den Herzen der Juden, sooft diesen Mose vorgelesen wird, eine
Decke liegt (3,15), dann impliziert das doch, daß die Christen, die den
Geist haben (4,13), aus Mose Gottes verheißendes Wort hören können
(vgl. Bultmann, 2 Kor. 90ff.).

4) Bill., III, 203.

5) So die meisten Ausleger; u.a. Käsemann, Röm., 120.

6) Dietzfelbinger, Paulus und das Alte Testament, 13 Anm. 27: "Übrigens
haben wir in Röm 4 die einzige Stelle, an der Paulus der Beschneidung,
aber nur der Abrahams, eine gewisse heilsgeschichtliche Relevanz bei-
legt..." Dietzfelbinger sieht also den Unterschied des Röm zu Gal,
aber er schwächt dennoch die Bedeutung der Beschneidung in Röm zu
stark ab (s. Röm 3,1f.!). Es stimmt doch nicht, daß es in Röm 4 nur
um die Beschneidung Abrahams geht! Deshalb ist es auch überspitzt,
wenn er in: Heilsgeschichte bei Paulus?, 42, unter Berufung auf Gal
3 und (!) Röm 4 erklärt, Paulus habe das jüdische Volk als solches aus
der Nachkommenschaft Abrahams herausgenommen. Im Laufe unserer
Darlegungen wird sich zeigen, daß die dialektische Argumentationsweise des Paulus in Röm differenziertere Aussagen verlangt. Es ist zu wenig, wenn Dietzfelbinger, ib. 42, sagt, Paulus habe der Judenschaft de
Weg in den Glauben nicht verbaut.

7) Käsemann, Röm., 97.

8) Ausführlichere Exegese von Röm 3,31 s. Abschn. 3.3. dieser Untersuchung.

9) Goppelt, Theologie II, 383, versteht in Kontinuität zu seinen früheren
Veröffentlichungen (Typos, 164ff., 279) Abraham als Typos: Röm 4 wer-

Zu S. 47-50

den die Rechtfertigung Abrahams und die der Christen "n i c h t d u r c h
d i e K o n t i n u i t ä t d e r G e s c h i c h t e v e r b u n d e n " (Hervorhebung durch G o p p e l t). Nun soll die Diskussion, inwiefern in Röm 4 eine
Typologie vorliegt, an dieser Stelle nicht geführt werden (keine Typologie in Röm 4 nach B u l t m a n n, Ursprung und Sinn der Typologie als Hermeneutischer Methode = Exegetica, 377). Lediglich sei darauf hingewiesen, daß G o p p e l t s Bestreitung einer Kontinuität der Geschichte zu un-
differenziert ist. Zwar bezieht er sich Theologie, 383, nur auf Röm 4.
Typos, 164ff., werden Gal 3 und Röm 4 jedoch mixte exegesiert. Könnte
dies in dem oben gebrachten Zitat noch seinen Ausdruck finden? - Im
übrigen scheint mir die Frage nach der typologischen Denkweise bei
Paulus für die Fragestellung unserer Untersuchung wenig ergiebig.

10) B e t z, The Literary Composition and Function of Paul's Letter to the
Galatians, NTS 21, 356; neu zu bedenken wäre dann freilich das Verhältnis von "highly skilful composition" zum paulinischen Brief als Produkt des mündlichen Diktats.

11) S. Abschn. 2.2. dieser Untersuchung.

12) S. Abschn. 2.2. dieser Untersuchung.

13) Oder vielleicht doch nicht so ganz wider Erwarten, wenn man Gal 2,2
ganz ernst nimmt.

14) Röm 3,1 werden τὸ περισσὸν τοῦ 'Ιουδαίου und ἡ ὠφέλεια
τῆς περιτομῆς nahezu synonym gebraucht.

15) τὰ λόγια τοῦ θεοῦ mit K ä s e m a n n, Röm., 73, als "die promissio
des Evangeliums" verstanden.

16) Z. B. K u s s, Röm., 100: "die gesamte atl Offenbarung, ... das Gesetz
und vor allem ... die Verheißungen"; C r a n f i e l d, Romans, 179; zu eng
S t u h l m a c h e r, Gerechtigkeit, 85: "scheint τὰ δικαιώματα τοῦ νόμου
von 2,26 wiederaufgenommen"; doch auch er spricht vom "Verheißungs-
charakter dieses Gottesrechtes". - H e r o l d, Zorn, 295: Röm 3,2 nimmt
Bar 2,20 auf: "Gottes Zorn entspricht seinen λόγια (vgl. Röm. 3,2)."
Hinter dieser eigenwilligen Interpretation steht die Integration des Zornes Gottes in dessen Gerechtigkeit; z.B. 301: Das Zorngericht als Ge-
rechtigkeitsoffenbarung.

17) K ä s e m a n n, Röm., 67, versteht - unter Berufung auf F l ü c k i g e r, Die
Werke des Gesetzes bei den Heiden, ThZ 8, 29 - τὰ δικαιώματα τοῦ
νόμου Röm 2,26 als das Ganze der Torah, das durch Rechtssätze bestimmt ist. Aber auch abgesehen davon, daß sich diese Wendung auf die
Heiden bezieht, von denen Paulus (wie K ä s e m a n n, ib.68, richtig sieht)
wirklich nicht sagen kann, daß sie das Ganze des Gesetzes "bewahren",
ist zu beachten, daß der Duktus, in dem sie steht, gerade nicht die genannte Argumentationsintention des Gal auweist.

18) S. R.M e y e r, Art. περιτέμνω, ThWNT VI, 76, 38ff.

19) M i c h e l, Röm., 105.   20) K l e i n, Individualgeschichte

20) und Weltgeschichte = Rekonstruktion und Interpretation, 205.

Zu S. 50-54

21) S. vor allem K ä s e m a n n, Röm., 241ff.; M ü l l e r, Gottes Gerechtigkeit, passim.

22) Vgl. auch D i e t z f e l b i n g e r, Heilsgeschichte bei Paulus?, 17.

23) Richtig ib. 20: Den Heilscharakter der Geschichte Israels begründet Paulus "in dem göttlichen Angebot und nicht in Israels Tun".

24) Vgl. L u z, Geschichtsverständnis, 270: Röm 9, 6b wird "die soziologische Aufweisbarkeit von 'Israel' schon im Ansatz durchbrochen". Damit ist für L u z der Hinweis gegeben, daß die Sache "Israel" ihre Einheit offenbar nicht von der völkischen Größe her hat. Vielmehr: "Gott selbst schenkt Israel seine Israelschaft" (ib. 270). Das ist richtig. Das ist sogar glänzend formuliert. Nur bin ich mir nicht sicher, ob L u z nicht dabei die "völkische Größe" zu gering wertet. Denn es ist doch Israel und gerade Israel, dem Gott seine Israelschaft schenkt. Mit Recht D i e t z f e l b i n g e r, Heilsgeschichte bei Paulus?, 17 Anm. 40, gegen M ü l l e Gottes Gerechtigkeit, 50, der in Röm 2, 29 und 9, 6ff. den jüdischen Gottes-volksgedanken zerstört sieht.

25) Richtig L u z, ib. 270 Anm. 12: Paulus geht es nicht darum, "das sarkische Israel durch die Kirche als Israel Gottes abzulösen".

26) Vgl. ib. 274: "Er (sc. Paulus) kann von Israel so positiv reden, wie dies im zeitgenössischen Judentum m. W. niemals geschehen ist ... "

27) K ä s e m a n n, Röm., 246.

28) Auf die Heidenchristen kommt Paulus erst später zu sprechen, vor allem 9, 25ff. u. 11, 11ff., jedoch im Zusammenhang des Themas "Israel".

29) Ausgezeichnet K ä s e m a n n, Röm., 251, im Blick auf Israel nach dem Fleisch als Träger der Verheißung: "Denn damit (sc. Röm 9, 4f.) wird eine Kontinuität im irdischen Raum behauptet (Asmussen), die in 6b-7 teilweise, in 8 grundsätzlich bestritten wird. Jede Harmonisierung des Gegensatzes verdirbt eine adäquate Lösung des Grundproblems, die angesichts dieser Widersprüche nur dialektisch und paradox sein kann."

30) K ä s e m a n n, Röm., 254.

31) L u z, Geschichtsverständnis, 270.

32) Ib. 273.   33) Ib. 273.

34) S. Abschn. 1. 2. dieser Untersuchung.

35) Höchstens haben wir in Gal 2, 9 insofern ein Stück offizieller Abmachung vor uns, als hier möglicherweise die Vereinbarung über die getrennte Mission vorliegt. Aber selbst diese Formulierung ist bekanntlich nicht eindeutig: Geht es um Trennung von Missionsgebieten? Mussner, Gal., 123 Anm. 120, sieht in diesem Text lediglich die paulinische Interpretation der damaligen Abmachung, nicht aber den amtlichen Text; dagegen spräche allein schon das "wir". Eine n u r geographische Auslegung dieser Abmachung im Sinne einer Verteilung der Missionsgebiete hält er für abwegig (ib. 123 Anm. 120). Für Gal 2, 7f. als Zitat aus offiziellem Protokoll der Synode mit z. T. unterschiedlicher Begründung s. C u l l m a n n, Petrus, 19; D i n k l e r, Der Brief an die Galater = Signum

Zu S. 54 u. 55

Crucis, 279; vor allem K l e i n, Gal 2,6-9 = Rekonstruktion und Interpretation, 106ff. Dagegen M u s s n e r, Gal., 117 Anm. 93. Für Gal 2, 7f. als Protokolltext spricht die zweimalige Namensform "Petrus", die für Pl singulär ist. Andererseits ist ἰδόντες nicht gerade geeignet, eine Protokollnotiz einzuführen. Nach K l e i n ist das Begründungsverhältnis zwischen v.7 u. 8 aus der Perspektive der Verhandlungen ungleich besser motiviert als aus derjenigen des Autors ad Galatas (a.a.O., 119). Doch könnte man auch argumentieren, daß vv. 7f. als paulinische Zusammenfassung einer gemeinsamen Meinung auf der Synode die Funktion haben, das Ende v. 9 enthaltene Summarium des Synodenbeschlusses argumentativ für die Galater vorzubereiten. Vielleicht hat M u s s n e r doch nicht ganz unrecht: "Die Diskussion über Gal 2, 6-9 wird vermutlich nie zu Ende gebracht werden" (a.a.O., 117 Anm. 93).

36) So u.a. K ü m m e l, Einleitung, 261f.; W i l c k e n s, Über Abfassungszweck und Aufbau des Röm = Rechtfertigung als Freiheit, 130; E c k e r t, Verkündigung, passim; M u s s n e r, Gal., 25; V i e l h a u e r, Gesetzesdienst und Stoicheiadienst im Gal = Rechtfertigung, 541-555. Zu J e w e t t s. Anm. 1 von Abschn. 1.1. dieser Untersuchung. Zur Übersicht über die verschiedenen Auffassungen über die Gegner des Paulus in Galatien s. M u s s n e r, Gal., 11-29 (= Einleitung § 4. Die Gegner). Auch die in diesem Abschnitt (2.2.) unserer Untersuchung vorgetragenen Überlegungen stützen die alte Judaisten-These. - Auch S t r o b e l, Das Aposteldekret in Galatien, NTS 20, 177-190, sieht in Galatien Judenchristen am Werk. Sie seien allerdings dort im offiziellen Auftrag Jerusalems, um das nach der Synode beschlossene sog. Aposteldekret einzuführen. Paulus habe dann später, wie Röm beweise, seine anfängliche Ablehnung des Dekrets revidiert. S t r o b e l löst also die theologische Differenz zwischen Gal und Röm anders als ich. Aber seine Studie ist auch ein Versuch, die Frage nach der theologische Differenz zwischen beiden Briefen zu beantworten.

37) W i l c k e n s, Über Abfassungszweck und Aufbau des Röm = Rechtfertigung als Freiheit, 136 Anm. 69.

38) Ib. 136.

39) B a u r, Über Zweck und Veranlassung des Römerbriefs, Tübinger Zeitschrift für Theologie, 1838, Heft 3, 59-178.

40) Ich nenne hier nur: G. H a r d e r, Der konkrete Anlaß des Röm, TheolViat 6 (1959), 13-24; M a r x s e n, Einleitung in das Neue Testament, 85ff.; K l e i n, Der Abfassungszweck des Röm = Rekonstruktion und Interpretation, 1969, 129-144; J e r v e l l, Der Brief nach Jerusalem, StTh 25 (1971), 61-73; B o r n k a m m, Röm als Testament des Paulus = Geschichte und Glaube II, 1971, 120-139; W i l c k e n s, Über Abfassungszweck und Aufbau des Röm = Rechtfertigung als Freiheit, 1974, 110-170; S c h m i t h a l s, Der Römerbrief als historisches Problem, 1975; S u h l, Paulus und seine Briefe, 1975, 264ff.

Zu S. 55-57

41) K l e i n , Abfassungszweck des Röm = Rekonstruktion und Interpretation, 139.

42) S c h m i t h a l s , Römerbrief, 7.

43) W i l c k e n s , Über Abfassungszweck und Aufbau des Röm = Rechtfertigung als Freiheit, 141.

44) Ib. 160.

45) Ib. 130; die Argumente für meine Auffassung sind wiederholt in dieser Untersuchung ausgesprochen, so daß es sich hier erübrigt, sie zu nennen.

46) Freilich durch Boten, da sich Jakobus und Paulus vor dessen erneutem Jerusalemer Aufenthalt nicht mehr getroffen haben dürften.

47) Wann dies genau der Fall war, ist schwer zu sagen. Nehmen wir an, Gal sei vor 1 Kor geschrieben (gegen B o r s e , Der Standort des Galaterbriefes; B o r s es Auffassung ist mit dadurch bedingt, daß er Gal und Röm inhaltlich zu nahe aneinander rückt). Dafür spricht zunächst die je völlig andere Einstellung in beiden Briefen. In Gal kämpft Paulus in grundsätzlicher Weise gegen ein Sich-unter-das-Gesetz-Begeben. 1 Kor 9, 20 kann er aber sagen, er werde denen, die unter dem nomos ständen, wie einer unter dem nomos. Diese Stelle klingt fast wie die Magna Charta der pastoralen Toleranz. Schon D e i s s m a n n , Paulus, 54f., sprach im Blick auf 1 Kor und Röm vom "gelegentlich sehr tolerante(n) Paulus", im Blick auf Gal aber vom "Klassiker der Intoleranz". D r a n e , Tradition, Law and Ethics in Pauline Theology, NovTest 16, 175, bringt diesen Sachverhalt in ein zeitliches Nacheinander, das t h e o l o g i s c h begründet ist: Paulus verurteilt Petrus in Antiochien (Gal 2, 11ff.), "an action which runs quite counter to Paul's instructions on the very same thing in 1 Cor. VIII and his statement of his own procedure in IX 19-23". Was Paulus 1 Kor 7, 19 sagt, ist gegenüber Gal so modifiziert, daß "he appears to be saying exactly the opposite of what is said in Gal" (ib. 170). "But in 1 Cor. VII 19 Paul goes on to make a statement which would appear to be totally incompatible with his position on circumcision (sc. in Gal) ... " (ib. 171). D r a n e sieht auch richtig: "A new and distinctive element has appeared here (sc. in 2 Cor.) in contrast to both Gal. and 1 Cor., namely the emphasis on the 'new covenant', something mentioned for the first time briefly, and almost casually, in 1 Cor. XI 25" (ib. 171; s. auch Anm. 3 dieses Abschn. unserer Untersuchung). Ein weiteres Eingehen auf D r a n e kann hier nicht erfolgen. Festgehalten sei aber, daß er Pauli neue Haltung in 1 Kor auf eine theologische Modifikation in seinem Denken seit Gal zurückführt. - Dafür, daß Gal früher als 1 Kor geschrieben wurde, könnte auch der Umstand sprechen, daß Gal 3, 27ff. das Theologumenon vom Leib Christi nicht erscheint - ein sehr eigenartiger Sachverhalt, falls Gal nach 1 Kor geschrieben wäre. Vor allem scheint mir für die chronologische Priorität von Gal entscheidend, daß die 1 Kor 8f. zum Ausdruck kommende Toleranz in Röm 14f. wiederkehrt. Wollte man Gal zwischen beide Brie-

Zu S. 57 u. 58

fe einordnen, so ergäbe sich eine Zickzacklinie. Für die chronologische Reihenfolge Gal, 1 Kor, Röm jüngstens auch S t r e c k e r , Befreiung und Rechtfertigung = Rechtfertigung, 480. - Daß 1 Kor 16, 1
die zeitliche Priorität des Gal vor 1 Kor ausschließt (so jüngst wieder
S u h l , Briefe, 222), ist dann nicht mehr zwingend, wenn man erwägt,
daß Paulus seine radikal antinomistische Auffassung revidierte und
a u c h von daher ein totaler Bruch mit den galatischen Gemeinden nicht
so sicher ist, wie dies weithin gern angenommen wird.

48) B o r n k a m m , Der Röm als Testament = Geschichte und Glaube II, 137;
zur theologischen Bedeutung der Kollekte s. vor allem M u n c k , Heilsgeschichte, 298f.: Der Grund, daß Paulus trotz drohender Lebensge-
fahr die Kollekte persönlich nach Jerusalem bringt, liegt in seiner Ansicht von der Verbindung von Heidenmission und Judenmission. "Es ist
seine Absicht, die Juden zu erretten, indem er sie auf die Heiden eifer-
süchtig macht, die in großer Zahl das Evangelium annehmen" (S. 298).
Paulus stehen Jes 2, 2ff., Micha 4, 1ff. und Jes 60, 5f. vor Augen. G e o r -
g i , Kollekte, führt diesen Gedanken weiter: Paulus kehrt den Gedanken
Deuterojesajas um: "Nicht die Juden zogen den Heiden voraus, wie Deu-
terojesaja verheißen hatte, sondern die Heiden den Juden" (S. 72). Er
spricht vom provokatorischen Charakter der Kollekte (S. 84).

49) Darf man unter dieser Voraussetzung noch so stark vom provokatorischen Charakter der Kollekte sprechen wie G e o r g i ? Zumindest ist
sie weniger provokatorisch als die nomos-Konzeption des Gal. Sicherlich bleibt aber bei allem Einlenken des Paulus ein provozierendes Moment erhalten.

50) F u c h s , Hermeneutik, 191 (dazu M a r x s e n , Einleitung, 88); W i l -
c k e n s , Über Abfassungszweck und Aufbau des Röm = Rechtfertigung
als Freiheit, 167 (dazu S c h m i t h a l s , Römerbrief, 34f.; H o l t z ,
Rezension und W i l c k e n s , Rechtfertigung als Freiheit, ThLZ 101,
265).

51) Trotz des Diatribe-Stils sind die einwendenden Fragen dann nicht (nur)
von fingierten Gegnern gestellt.

52) S c h m i t h a l s , Römerbrief, 106f.   53) Ib. 93.

54) Z. B. οὖν in 12, 1 (ib. 164); ἐπαναμιμνῄσκων in 15, 15 (ib. 166) die
Dublette 15, 5 und 15, 13 (ib. 154ff.).

55) Ib. 167ff.

56) K l e i n , Der Abfassungszweck des Röm = Rekonstruktion und Interpretation, 129ff.

57) S c h m i t h a l s , Römerbrief 154 Anm. 9.

58) S. für 2 Kor z. B. M a r x s e n , Einleitung, 72ff.; für Phil G n i l k a ,
Phil., 6ff.

59) Gut herausgearbeitet von W i l c k e n s , Über Abfassungszweck und
Aufbau des Röm = Rechtfertigung als Freiheit, 143ff.

60) Die sachliche Differenz zwischen beiden Aussagen s. Abschn. 2. 4. dieser Untersuchung.

Zu S. 58-61

61) S c h m i t h a l s , Römerbrief, 191ff.
62) Ib. 178.
63) B e t z , The Literary Composition and Function of Paul's Letter to the Galatians, NTS 21, 353-379.
64) Ib. 354.
65) Freilich ist der Abschnitt über die Paränese, sowohl in Hinsicht auf das Grundsätzliche als auch auf ihre Abgrenzung, der schwächste Teil der Argumentation von B e t z . So kann ich mich nicht davon überzeugen, daß die probatio mit Gal 4, 31 endet und die Paränese mit 5, 1 beginnt. Der Einwand gegen M e r k , Der Beginn der Paränese im Gal, ZNW 60, 83-104 (nach M e r k beginnt die Paränese mit 5, 13), seine Schlußfolgerungen seien nicht auf eine Analyse der Gal-Komposition gegründet, kann nicht überzeugen, weil seine eigenen Ausführungen gerade hier blaß bleiben. Gerade über den Ort der Paränese im "Verteidigungsbrief" vermag er letztlich nichts zu sagen. Bezeichnend B e t z , a. a. O., 375: "It is rather puzzling to see that p a r a e n e s i s plays only a marginal role in the ancient rhetoric handbooks, i f n o t i n r h e t o r i c i t s e l f ." (Schluß des Satzes von mir hervorgehoben) So ist es auch bezeichnend, daß alle übrigen Abschnitte des Gal mit lateinischen Bezeichnungen charakterisiert werden, hier aber das griechische Wort Paränese dienen muß!
66) S c h m i t h a l s , Römerbrief, 163.
67) Ib. 163.   68) S. ib. 152f.   69) S u h l , Briefe, 279.
70) Ib. 280 und 280 Anm. 73; S u h l faßt Röm 1, 16a οὐ γὰρ ἐπαισχύνομαι τὸ εὐαγγέλιον, "ich schäme mich des Evangeliums nicht", mit M i c h e l als "ich bekenne das Evangelium" (ib. 280f.). Paulus ist also bereit, nach Rom zu kommen und das Evangelium zu verkündigen, weil er es bekennt als das Evangelium, in dem die aus dem Glauben stammende Gerechtigkeit offenbart wird und deshalb ein Pochen auf jüdische Vorzüge sich als Anachronismus erweist (ib. 281f.). H e r o l d , Zorn, 228ff. will 1, 16a anders auslegen: "Ich werde nicht zuschanden mit dem Evangelium." Da die Wurzeln b o š /αἰσχ- von AT und Judentum juridische Kategorien seien, die die aktive oder passive Verurteilung im Rechtsprozeß meinen (ib. 66 u. ö.), und dies auch für Paulus zutreffe (ib. 138), legt H e r o l d auch ἐπαισχύνομαι Röm 1, 16 so aus: Diese Form hat passiven Sinn: "ich werde nicht zuschanden gemacht". Er gibt aber selbst zu, daß das Problem dieser Auslegung in der Relation des Verbs zum Akkusativobjekt liegt, glaubt aber, daß hier ein Hebraismus vorliege, den er mit Gal 2, 7; 1 Thess 2, 4; 1 Kor 12, 13 erweisen könne (ib. 230f.). "Er setzt also klar eine passivische Aussage mit einem Akkusativ der Sache in Beziehung ..." (ib. 231). Doch können diese Belege schwerlich Röm 1, 1a als Hebraismus erweisen, da in ihnen jeweils transitive bzw. quasitransitive Verben auch in der passiven Form t r a n s i t i v konstruiert sind, ἐπαισχύνομαι jedoch niemals als transitives Deponens die Bedeutung "zuschanden machen" hat. Ei-

Zu S. 61 u. 62

ne wirkliche grammatikalische Analogie zwischen Röm 1,16 und den
übrigen paulinischen Stellen besteht also nicht. Es wird also dabei
bleiben, daß οὐκ ἐπαισχύνομαι τὸ εὐαγγέλιον die für die griechische Sprache eigenartige Konstruktion einer medialen Form mit
dem Akkusativ (Kühner-Gerth, Grammatik II/1, 123f.) dargestellt
(wohl nicht, wie Menge, Wörterbuch, 254, meint, Passiv mit τί).
Vor allem aber: Die von Herold als Hebraismen ausgegebenen Formen sind griechische Konstruktion; s. Kühner-Gerth, a.a.O.,
125: "... geht bei einigen Verben, die im Aktive neben dem Dative
der Person einen Akkusativ der Sache bei sich haben, als ... πιστεύω
τί τινι (!) u.a., in der passiven Konstruktion der Dativ der Person in den Nominativ über, während der Akkusativ der Sache unverändert bleibt, indem der Grieche auch hier das Passiv refle-
xiv auffaßt ... Polyb. 8.17,1 τοὺς Κρῆτας πεπιστεῦσθαί τι τῶν
φυλακτερίων ..." Außer den bei Kühner-Gerth gebrachten Belegen s. auch die zwar nicht grammatisch identische, aber verwandte
Konstruktion bei Heraklit, B 32: Ἕν τὸ σοφὸν μοῦνον λέγεσθαι
οὐκ ἐθέλει καὶ ἐθέλει Ζηνὸς ὄνομα. Bezeichnenderweise hat
Rehkopf in der 14. Auflage von Blass-Debrunner den von Herold zitierten Satz aus § 312 gestrichen: "Die Beispiele des NT sind
zwar selten direkt aus der klass. Sprache zu belegen ..."!

71) So z.B. Marxsen, Einleitung, 91ff.

72) Suhl, Briefe, 277.

73) Michel, Röm., 330; Käsemann, Röm., 377.

74) S. Bornkamm, Röm als Testament des Paulus = Geschichte und
Glaube II, 138 Anm. 47: "Der Vers steht eindeutig im Zusammenhang
des Rückblickes auf das im Osten abgeschlossene Missionswerk des
Apostels (v. 19.23), aber er soll zugleich, wie das in v.21 zitierte
Schriftwort (Jes 52,15) zeigt, die geplante Spanienreise motivieren
(die römischen Christen gehören ja nicht zu denen, die die Christus-
botschaft noch nicht erreicht hat!)." Fraglich erscheint mir jedoch der
unmittelbar anschließende Satz: "Nicht minder ist zu beachten, daß v.
20 nicht den Rombesuch des Apostels rechtfertigen oder entschuldigen,
sondern seine Verzögerung erklären soll (v.22f.)."

75) Ob es bereits in Röm 2,1 um die Anklage gegen den Juden geht, ist umstritten. Schwierig ist διό: Deshalb bist du, jeder, der richtet,
unentschuldbar. Bezieht sich das begründende διό auf das unmittelbar zuvor Stehende, also auf 1,32, so kann nicht der Jude angeredet
sein, sondern nur der Heide (z.B. Zahn, Röm., 104f. u. 104 Anm. 2).
Will man trotzdem 2,1 auf den Juden beziehen, so darf man διό nicht
so auffassen, als wolle es einen Begründungszusammenhang mit Kap. 1
herstellen. Lietzmann betrachtete daher dieses Wort als "farblose
Übergangspartikel" (Röm., 39). Auch nach Michel hat διό seine
ursprüngliche Bedeutung verloren und ist zur einfachen Übergangs-Par-

Zu S. 62

tikel geworden (Röm., 64). Der Versuch von F r i d r i c h s e n , διό
als Verlesen von δίς zu begreifen (Symbolae Arct. Osloenses I, 1922,
40; RHPhR III, 1923, 440), ist wohl mit Recht auf allgemeine Ablehnung gestoßen.

Eine sehr radikale Lösung hat B u l t m a n n vorgeschlagen: 2, 1 ist als
Glosse zu betrachten: "Alle Schwierigkeiten verschwinden, wenn man
den Vers als Glosse aushebt, die den Sinn von V. 2f. zusammenfassen
will, bzw. die Konsequenz aus V. 3 zieht. Man sieht dann: V. 1 gehört
eigentlich hinter V. 3 . . . " (Glossen im Römerbrief = Exegetica, 281).
Dieser Vorschlag ist sicherlich äußerst bestechend (obwohl die stilistische Härte des πᾶς ὁ κρίνων in der Anrede nicht beseitigt, sondern lediglich einem Glossator zugeschoben worden ist.) Auch K ä s e -
m a n n hat ihn übernommen (Röm., 49f.). M i c h e l verweist in einer
Anmerkung auf B u l t m a n n , ohne zu widersprechen (Röm., 64 Anm.
2). Trotzdem scheint mir diese Radikallösung nicht zwingend.

Zunächst dürfte deutlich sein - trotz Z a h n -, daß ab 2, 1 eine neue
Gruppe angesprochen ist. (nicht überzeugend C r a n f i e l d , Romans,
141f.: ". . . in 1. 18-32 . . . is not exclusively the sin of the Gentiles . . . ,
but the sin of all men. The διό then presents no difficulty." Angeklagt
wird, wer die bis 1, 32 Geschilderten richtet. Dieser tut es nämlich ver-
messentlich; er vollbringt ja gleiches. Der Hinweis auf gleiche Schuld
wäre sinnlos, wenn es sich um einen Angehörigen der bisher beschul-
digten Heiden handelte. Vielmehr dürfte die sonst in Kap. 2 zum Ausdruck kommende Spitze, die Spitze nämlich gegen die Juden, nahelegen, daß es bereits in v. 1 um die Anklage gegen die jüdische Welt
geht. Bedenkt man, daß Paulus den Brief diktiert hat, so wird eine Unschärfe, sei sie sprachlicher Art, sei sie in Hinsicht auf die Präzision
der Gedankenführung, verständlich. Es besteht keine Schwierigkeit,
anzunehmen, daß Paulus beim Diktat ein Gedankensprung unterläuft,
eine inhaltliche Prolepse: Er hat bereits den Juden vor Augen, er sagt
es aber noch nicht.

Nun kann διό die Kurzform von διὰ τοῦτο sein (M e n g e , Wörterbuch, 184). Aber gerade dieses διὰ τοῦτο bringt Paulus auch sonst
noch, um auf eine noch f o l g e n d e Begründung zu verweisen; z. B. 1
Thess 2, 13: "Und d e s h a l b (διὰ τοῦτο) danken wir Gott ununter-
brochen, weil (ὅτι) ihr . . . " (s. auch 1 Thess 3, 5: διὰ τοῦτο . . .
μή . . .). Nimmt man aber für διό in 2, 1 auch diese Funktion an, dann
könnte 1, 32; 2, 1 so paraphrasiert werden: "Die Heiden kennen die
Rechtsforderung Gottes in seinem Gesetz, nach der die diejenigen, welche dagegen verstoßen, des Todes schuldig sind. Dabei tun sie nicht
nur derartiges, sondern machen auch aus ihrer Sympathie für die, die
gleiches vollbringen, keinen Hehl. - Aus dem im folgenden genannten
Grund bist aber auch du unentschuldbar - ich spreche hier j e d e n

Zu S. 63

Menschen an, der sich zu richten vermißt, auch den Juden und vornehmlich den Juden -: Darin, daß du den anderen richtest, verurteilst du dich selbst; denn du richtest, obwohl du gleiches tust." (Daß im Griechischen τὰ γὰρ αὐτὰ πράσσεις ὁ κρίνων anstelle von τὰ γὰρ αὐτὰ πράσσων κρίνεις stehen kann, bedarf wohl keiner besonderen Begründung: s. vor allem Kühner-Gerth II/2, 98!)

76) Wilckens, "Aus Werken des Gesetzes ..." = Rechtfertigung als Freiheit, 107.

77) Käsemann, Röm., 83.

78) Schmithals, Römerbrief, 15.

79) Kümmel, Römer 7, S. 9 (nach M. R. Engel), u.a.; s. aber Käsemann, Röm., 182.

80) Zahn, Röm., 337, bestreitet, daß die Frage auf Identität von nomos und hamartia ziele; dem schließt sich Kümmel, Römer 7, S. 43 Anm. 1, an. Das Argument Zahns, nämlich das Fehlen des Artikels bei ἁμαρτία, dürfte jedoch nicht beweiskräftig sein. So weist Kümmel selbst darauf hin, daß Paulus νόμος und ὁ νόμος ununterschieden braucht, ib. 55. Dann dürfte aber gleiches auch für ἁμαρτία gelten: Röm 7,7-13 bringt Paulus 6 mal die determinierte und 3 mal die nichtdeterminierte Form ohne ersichtliche inhaltliche Differenz. Doch haben Zahn und Kümmel etwas durchaus Richtiges gesehen. Denn Paulus will ja nicht der Frage begegnen, ob man statt nomos synonym hamartia sagen kann. Vielmehr geht es darum, ob der nomos wesensmäßig von der hamartia bestimmt ist. Doch scheint mir die von Kümmel gutgeheißene Formulierung Gutjahrs "etwas Sündhaftes" zu blaß zu sein. Etwas ausweichend Cranfield, Romans, 347: "... could indeed suggest that the law is actually an evil, in some way to be identified with sin" (Hervorhebung von mir).

81) Lipsius, Röm., 125; Bläser, Gesetz, 114.

82) Kuss, Röm., 442.

83) Einschränkendes ἀλλά 7,7 (Kümmel, Römer 7, S. 47; Michel, Röm., 146. 147 Anm. 1; Kuss, Röm., 442; anders Käsemann, Röm., 184: "adversativ").

84) Kümmel, Römer 7, S. 48f., sieht den Unterschied noch anders: Nach 3,20 erkennt das Subjekt die Sünde nicht ohne das Gesetz als Sünde. Nach 7,7 aber kommt ohne Gesetz keine Sünde zustande. Demnach ginge es in 3,20 um eine noetische, in 7,7 um eine ontische Aussage. Doch versteht Kümmel mit H. J. Holtzmann das Zustandekommen der Sünde nach 7,7 als Entstehen der persönlichen Sünde, der bewußten Sünde. Dann freilich differieren beide paulinischen Aussagen nicht mehr so stark; denn wenn nach 7,7 lediglich die bewußte Sünde entsteht, so geht es auch hier um eine noetische Aussage. Zwar verwendet Paulus seine Begriff nicht immer eindeutig. Dennoch scheint mir hier kein unterschiedliches hamartia-Verständnis aus-

gesagt zu sein. Die Synonymität von ἁμαρτία in 3,20 und 7,7 wird doch dadurch indiziert, daß ἐπίγνωσις 3,20 und γνῶναι 7,7 zum selben Stamm gehören. Und außerdem steht in 7,7 nicht, daß Sünde und Begierde erst durch das Gesetz zustande kommen. Richtig ist allerdings, daß nach 7,8 vom Verursachen - und das impliziert: vom Entstehen - der epithymia gesprochen wird.

85) Lipsius, Röm., 125: "die mittelst des Gebotes gemachte Erfahrung von der Macht des objectiv Bösen (der auch hier personificirten ἁμαρτία) im Ich"; Michel, Röm., 147.

86) Käsemann, Röm., 184, und die dort angegebene Literatur.

87) Niederwimmer, Freiheit, 129.

88) Käsemann, Röm., 183.

89) Bornkamm, Sünde, Gesetz und Tod = Das Ende des Gesetzes, 55: Paulus "läßt Raum für die Möglichkeit, daß die ἐπιθυμία sich ebenso antinomistisch wie nomistisch, d.h. im Eifer nach der eigenen Gerechtigkeit (Röm 10,3), äußern kann"; vorsichtiger Bultmann, Theologie, 248: "Dabei ist vielleicht nicht darüber reflektiert, ob die ἐπιθυμία zur Übertretung der ἐντολή oder zum falschen Eifer ihrer Erfüllung verführt. Doch muß das letztere mindestens einbegriffen sein." In seinem 1927 geschriebenen Aufsatz "Römer 7 und die Anthropologie des Paulus" (Exegetica, 198-209) hat er aber noch nicht so vorsichtig geurteilt.

90) Z.B. Lipsius, Röm., 126; Käsemann, Röm., 185ff.; Cranfield, Romans, 351.

91) Käsemann, Röm., 186.   92) Kümmel, Röm 7, S. 85.

93) Käsemann, Röm., 186.   94) Kümmel, Röm 7, S. 86.

95) Ib. 86f.   96) Ib. 87.

97) Bornkamm, Sünde, Gesetz und Tod = Das Ende des Gesetzes, 58f.

98) Auf den mit Röm 5,12 bzw. 5.12ff. gegebenen Fragenkomplex kann hier nicht in Ausführlichkeit eingegangen werden. Zur Literatur s. außer den Kommentaren vor allem: Bultmann, Adam und Christus nach Röm 5 = Exegetica, 424-444; Bornkamm, Paulinische Anakoluthe = Das Ende des Gesetzes, 80-85.89, vor allem 83f.; Brandenburger, Adam und Christus; Jüngel, Das Gesetz zwischen Adam und Christus, ZThK 60, 42-74, vor allem 51f.; Wedderburn, The Theological Structure of Romans V.12, NTS 19, 339-354.

99) Kierkegaard, Der Begriff der Angst, 1.Kap., § 2, S. 473f.; Hervorhebung von mir.

100) Mit Käsemann, Röm., 187, der sich jedoch ib. 137 zu unrecht gegen Bultmanns Rekurs auf Kierkegaard (Theologie, 251: "die Sünde kam durch das Sündigen in die Welt") wendet; dazu Hübner, Existentiale Interpretation der paulinischen "Gerechtigkeit Gottes", NTS 21, 477 Anm. 9.

101) Kierkegaard, Angst, 1.Kap., § 2, S. 475; Hervorhebung von mir.

102) Ib. 1.Kap., § 1, S. 467.

Zu S. 66-70

103) Existentiale Interpretation selbstverständlich nicht als "individuali-
stische Engführung" verstanden!; s. H ü b n e r , Politische Theologie und existentiale Interpretation, 1. Kap.

104) W e s t e r m a n n , Genesis I, 325: "Das Böse oder die Kraft der Ver-
führung, von der Gn 3 spricht, muß ein menschheitliches Phänomen
sein, ebenso wie die Sünde, die Übertretung ... Adam repräsentiert
die Menschheit ... Diese für J äußerst wichtige Aussage: f ü r d i e
H e r k u n f t d e s B ö s e n g i b t e s k e i n e Ä t i o l o g i e , würde
zerstört in der mythischen Deutung, in der eine präzise Herkunft angegeben wird." Über das, was W e s t e r m a n n unter "mythischer
Deutung" versteht, soll hier jedoch nicht diskutiert werden.

105) K ä s e m a n n , Röm., 186.

106) K ü m m e l , Römer 7, S. 54: "gänzlich unnötig".

107) Ib. 50.   108) Ib. 51.

109) Ib. 52; cf. K ä s e m a n n , Röm., 182: "erwachte".

110) K ü m m e l , Römer 7, S. 53.   111) Ib. 52.

112) Was H e i d e g g e r , Die Sprache im Gedicht = Unterwegs zur Sprache,
74, über ein Gedicht T r a k l s sagt, gilt mutatis mutandis auch für
Paulus: "Die Sprache des Gedichts ist wesenhaft mehrdeutig und dies
auf ihre eigene Weise. Wir hören nichts vom Sagen der Dichtung, solange wir ihm nur mit irgendeinem stumpfen Sinn eines eindeutigen
Meinens begegnen." An dieser Stelle sei noch einmal auf den bereits
1891 erschienenen Römerbriefkommentar von L i p s i u s aufmerksam gemacht, in dem vieles schon deutlich ausgesprochen ist, was
sich erst in diesem Jahrhundert als exegetischer Allgemeinbesitz
durchsetzen konnte. Zu Röm 7, 9-11 ib. 126: "Die Zeit, in welcher
der Mensch noch ohne Gesetz 'lebte', ist einfach die Zeit, in welcher
er noch kein Bewußtsein vom Gesetze hatte; also nach der hier vor-
schwebenden Erzählung der Genesis die Zeit vor dem göttlichen Verbot, vom Baume der Erkenntnis zu essen, Gen 2, 17 ..., was aber
s o f o r t a u f d i e i n d i v i d u e l l e E r f a h r u n g d e s M e n s c h e n
u n t e r d e m m o s a i s c h e n G e s e t z b e z o g e n wird, der erst
durch Kenntniss des Gesetzes zugleich zum Bewußtsein der Sünde
kommt; an die Zeit der Kindesunschuld ... ist nicht speziell gedacht"
(Hervorhebung von mir).

113) P r ü m m , Die Botschaft des Römerbriefes, 14.

114) Röm 7 wird jedoch im angelsächsischen Bereich immer noch von nam-
haften Exegeten als autobiographisch oder das christliche Leben be-
schreibend ausgelegt: B r u c e , Romans, 147ff.; B a r r e t t , Romans,
143: "It is possible that Paul is ... telling his own story in the light
of Genesis." C r a n f i e l d , Romans, 356, sieht Röm 7, 14ff. und Röm
8 als "two different aspects, two contemporaneous realities, of the
Christian life, both of which continue so long as the Christian is in
flesh."

115) K ü m m e l , Römer 7, S. 126.

Zu S. 70-71

116) K ä s e m a n n , Röm., 190   117) Ib. 190.

118) Ich stimme K ä s e m a n n , Röm., 194, voll zu, wenn er im Blick auf
Röm 7, 14ff. schreibt: "Paulus ... konstatiert nicht bloß die Widersprüchlichkeit der Existenz selbst beim Frommen, sondern die Ver-
strickung einer gefallenen Schöpfung in allen ihren Äußerungen an die
Macht der Sünde und braucht deshalb nicht, wie man es unter ethischen
und psychologischen Gesichtspunkten tun müßte, zu differenzieren.
Nicht einmal die Möglichkeit des noch unentschiedenen Kampfes wird
von ihm offen gehalten, so daß adäquat wie zumeist ... vom gespal-
tenen oder zerrissenen Menschen gesprochen werden dürfte." D e r
M e n s c h e n erkennt ja gar nicht, daß er im tiefsten
"gespalten oder zerrissen" ist; diese Wendung, meist
psychologisch verstanden, ist nur berechtigt, wenn sie gerade nicht
als psychologischer Zwiespalt aufgefaßt wird. Zu B u l t m a n n s Verständnis des "Wollens" des Gesetzesmenschen als "transsubjektive
Tendenz" s. u.

119) Ib. 184.   120) Ib. 184.

121) Nur in Parenthese sei darauf verwiesen, daß bereits im Alten Testament auch der Gedanke, daß Erkenntnis von "Sünde" einem Offenba-
rungsvorgang entspricht, nicht unbekannt ist; s. K n i e r i m , Die
Hauptbegriffe für Sünde im AT, 55. Doch dürfte dieser Gedanke i n -
s o f e r n für die theologische Konzeption des Röm ohne Bedeutung
sein, als Paulus in Röm sicher noch den Gedanken von 2 Kor 3, 15
vertritt: Über den Herzen der Juden liegt eine Decke, wenn ihnen
Mose vorgelesen wird. Das heißt aber doch, daß sie als Juden und
als Menschen des Alten Testaments die entscheidende Offenbarung
Gottes im Gesetz des Alten Testaments nicht verstanden haben. Man
wird also höchstens von einer Modifikation dieser alttestamentlichen
Vorstellung durch Paulus sprechen können.

122) B u l t m a n n , Exegetica, 49.

123) Ib. 49. (K l e i n , Individualgeschichte und Weltgeschichte = Rekonstruktion und Interpretation, 193 Anm. 51: Paulus will "in Röm 2, 17ff. das
Vorhandensein der Sünde im Judentum empirisch sicherstellen". Allerdings betrachtet K l e i n deshalb Röm 2, 17ff. als "ohne prinzipielle Kraft", es enthüllt sich hier "die theologische Insuffizienz eines solchen Verfahrens" (ib. 193).) Mit dieser Kritik sei keineswegs bestritten, daß der programmatische Aufsatz B u l t m a n n s in einem ganz
entscheidenden Punkte die neutestamentliche Forschung weitergebracht
hat. B u l t m a n n hat in ihm das liberale Paulus-Verständnis, nach dem
der Imperativ der Paränese im Blick auf den soteriologischen Indikativ
als Inkonsequenz gewertet wird, überwunden. Paulus gründet den Imperativ gerade auf die Tatsache der Rechtfertigung, er leitet den Imperativ aus dem Indikativ ab; ib. 39.

124) B u l t m a n n , Römer 7 und die Anthropologie des Paulus = Exegetica,
198-209; Zitat 207; ähnlich Theologie, 246: "Das ist die Herrschaft

Zu S. 71-73

der Sünde, daß alles Tun des Menschen gegen seine eigentliche Intention gerichtet ist." Ob es richtig ist, das θέλειν als "transsubjektive Tendenz der menschlichen Existenz überhaupt" zu sehen (ib. 202), sei hier dahingestellt. Zu dieser Formulierung s. K ä s e m a n n, Röm., 193: "Die Firmierung des Konflikts als 'transsubjektiv' ... hat heftige Kritik ausgelöst, weil sie angeblich dem subjektiven Element ... und der Konkretion auch im ethischen Bereich ... nicht genügend Rechnung trägt. Sie ist zweifellos mißverständlich, führte jedoch bahnbrechend über eine r e i n psychologische und ethische Interpretation hinaus und war keineswegs so abstrakt, wie sie klang."; Hervorhebung von mir; zu Röm 7 s. noch K e r t e l g e, Exegetische Überlegungen zum Verständnis der paulinischen Anthropologie nach Röm 7, ZNW 62, 105-114.

125) H. J o n a s, Philosophische Meditation über Paulus, Römerbrief, Kapitel 7 = Zeit und Geschichte, 565; falsch ist aber J o n a s' Gegenüberstellung: "Jesus nimmt also die niedrigste, Paulus die höchste Möglichkeit zum kritischen Objekt ..." (ib. 569); s. dazu H a e n c h e n, Matthäus 23 = Gott und Mensch, 51!

126) L i p s i u s, Röm., 115; K ä s e m a n n, Römer, 148: "Es (sc. das Gesetz) radikalisiert Sünde, indem es sie durch Übertretungen mehren ließ."

127) M i c h e l, Röm., 106 Anm. 3.

128) In Röm entspricht der Zorn als Begriff für Gottes Gericht, was zuvor in Gal mit "Fluch" ausgesagt wurde.

129) Hat K ä s e m a n n, Röm., 113, damit recht, daß nomos übertragenen Sinn hat, daß also mit Z a h n Paulus hier eine "allgemeine Wahrheit" bringt? Möglich. Jedoch ist, was auch K ä s e m a n n zugibt, in 4,15a, der logischen Folge von 4,15b, auf das mosaische Gesetz hin gezielt.

130) M i c h e l, Röm., 126f.

131) L u z, Geschichtsverständnis, 202 Anm. 254, wendet gegen B r a n d e n b u r g e r, Adam und Christus, 250f., ein, daß paraptoma nicht als parabasis erwiesen werden könne. Insofern Paulus Adam und jeden Sündigenden zusammenschaut (s.o.), wird man L u z zustimmen, wenn er schreibt: "'Paraptoma' ist die geschichtsbestimmende und sich in den Sünden und Übertretungen der Späteren als mächtig erweisende Verfehlung Adams." (a.a.O., 202) Nur dürfte doch eine Nuancenverschiebung im Blick auf diesen Begriff von vv.15-17 bis v.20 geschehen sein, die bei L u z nicht zum Ausdruck kommt. Richtig K ä s e m a n n, Röm., 148: "Es (sc. das Gesetz) radikalisiert Sünde, indem es sie durch Übertretung mehren ließ." Daß aber für Paulus diese "Aktivität" des Gesetzes unter dem Vorbehalt von Röm 7, 7ff. steht, versteht sich von selbst.

132) Anders z.B. J ü n g e l, Das Gesetz zwischen Adam und Christus, ZThK 60, 68; K l e i n, Individualgeschichte und Weltgeschichte = Rekonstruktion und Interpretation, 199 Anm. 70a.

Zu S. 73-77

133) H ü b n e r , Existentiale Interpretation der paulinischen "Gerechtig-keit Gottes", NTS 21, 462-488.

134) Auf die These von L u z , Geschichtsverständnis, 204ff., Röm 5,12ff., der einzige Gesamtentwurf der Geschichte bei Paulus, sei nicht ein Entwurf der Heilsgeschichte, sondern der Unheilsgeschichte, soll hier nicht eingegangen werden.

135) K ä s e m a n n , Röm, 304.

136) B u l t m a n n , Art. πείθω, ThWNT VI, 11ff.

137) K ä s e m a n n , Röm, 302; s. auch C h . M ü l l e r , Gottes Gerechtig-keit, 78ff.; freilich ist wieder zu unscharf, wenn M ü l l e r Röm 11,32 im Lichte von Gal 3,22f. auslegt: "Das Gesetz ist dazu da, den Men-schen in die Sünde, besser: ins Sündigen zu führen. Das charakteri-stische συνέκλεισεν, das bei Paulus nur Röm. 11,32 und Gal 3,22 auftritt, zeichnet die faktische Wirkung des Gesetzes, nämlich den Tod, als die Tat des unwiderstehlichen Willens Gottes aus" (ib. 82).

138) M i c h e l , Art. συγκλείω, ThWNT VII, 744, 45.

139) Wohl kaum zutreffend ist jedoch M i c h e l s Interpretation von "Gl 3,22 ... im Sinn von R 11,32": Die Schrift zeige die Preisgabe der Menschen an die Macht der Sünde. Deshalb habe Gott sie durch das Gesetz in eine Haft eingeschlossen, die sie vor der Selbstzerstörung und dem Einfluß der bösen Mächte so lange schützt, bis der Glaube offenbart wird (ib. 746, 44ff.)! Hier ist weder der Kontext von Gal 3 noch der prädestinatianische von Röm 9-11 ernstgenommen.

140) K.Barth, KD IV/1, 558.

141) H ü b n e r , Das Gesetz als elementares Thema einer Biblischen Theo-logie?, KuD 22,261.

142) Anders G u t b r o d , Art. νόμος, ThWNT IV, 1069,13ff.: Das Doppel-gebot ist der νόμος, "so daß das Gebot der Nächstenliebe ὁ ἕτερος νόμος ist, R 13,8."; noch anders M a r x s e n , Der ἕτερος νόμος Rm 13,8, ThZ 11, 230-237: Der ἕτερος νόμος meint in Antithese zum römischen Staatsgesetz das Gesetz des Mose; dem schließen sich M e r k , Handeln aus Glauben, 165, und U l o n s k a , Funktion, 199 Anm. 146, an.

143) K ä s e m a n n , Röm., 345. Richtig sieht U l o n s k a , Funktion, 200, daß Paulus in Röm 13,8-10 "das Gesetz als ethische Forderung im Vollzug der Nächstenliebe" verkündigt. Teilweise zumindest mißver-ständlich und teilweise unzutreffend ist es aber, wenn er schreibt:"Die Autorität des Liebesgebotes leitet Paulus nicht aus der Schrift ab ... Indem das Liebesgebot als 'Vollmaß' qualifiziert wird, hat es das mo-saische 'Teilmaß' abgelöst. 'Vollmaß' heißt aber: Der den Nächsten Liebende wird an ihm nicht mehr schuldig!" (ib. 200f.) Inwiefern hat aber Paulus diesen Gedanken des "Vollmaßes" aus der Torah absen-tiert? Der schöne Satz von N y g r e n , Röm., 307 - "Die Liebe kann niemals 'erfüllt werden', aber selbst ist die Liebe die 'Erfüllung des Gesetzes'." -, den U l o n s k a zitiert (a.a.O., 201), kann seine The-se nicht decken.

Zu S. 77-80

144) Käsemann, Röm., 345.

145) Zwar läßt rein formal die Wendung καὶ εἴ τις ἑτέρα ἐντολή die Möglichkeit zu, auch die kultische Gesetzgebung impliziert zu denken. Doch liegt dies nicht im Duktus der Argumentation des Röm. Das zeigen auch die folgenden Überlegungen dieses Abschnitts.

146) Hübner, Das Gesetz in der synoptischen Tradition, 4. Kap.; ders., Mk 7, 15 und das "jüdisch-hellenistische" Gesetzesverständnis, NTS 22, 319-345; s. auch Paschen, Rein und Unrein, 155ff., vor allem 185: "Das Wort Jesu konzentriert den Einfluß der Unreinheit auf das Innere, das Herz, den Sitz der Entschlüsse. Damit ist ein wichtiger und niemals vergessener Teil der alttestamentlichen Unreinheitsvorstellungen absolut gesetzt." Jesus tritt auf als der, "der die Speiseunreinheit ... im Gegensatz zur Verunreinigung von innen her für unwirksam erklärt" (ib. 186).

147) Vgl. Käsemann, Röm., 359: "Absolute Gewißheit und apostolische Autorität formen einen Lehrsatz (Michel). Müßig ist unter solchem Aspekt der Streit darüber, ob der Apostel sich auf ein Jesuswort beruft (so Zahn; Jülicher...; wohl auch Michel) oder nicht ..."

148) Käsemann, Das Problem des historischen Jesus, EVB I, 207.

149) Käsemann, Röm., 359.

150) Käsemann, Röm., 344, faßt Röm 13, 8-14 mit Recht als "Summarium der allgemeinen Paränese".

150a) Die Liebe = Subjekt des Satzes.

151) Neusner, The Rabbinic Traditions I, 338f.; gegen Neusners Argumentation Hübner, Das ganze und das eine Gesetz, KuD 21, 249 u. 249 Anm. 40.

152) Becker, Untersuchungen zur Entstehungsgeschichte der Testamente der Zwölf Patriarchen.

153) Berger kommt in seiner Monographie "Die Gesetzesauslegung Jesu" nur aufgrund einer extrem eigenwilligen religionsgeschichtlichen Betrachtung, verursacht durch einen substantiellen Mangel an Methodik, zu diesem Ergebnis; zu seinem methodischen Vorgehen s. Hübner, Mk 7, 15 und das "jüdisch-hellenistische" Gesetzesverständnis, NTS 22, 319-345.

154) Marböck, Gesetz und Weisheit, BZ 20, 10.

155) Ib. 13.

156) Hengel, Der Sohn Gottes, 106 Anm. 123.

157) S. Hengel, Judentum und Hellenismus, 551f.

158) hebr. Text (z. T.) am besten zugängig bei Schlatter, Der Evangelist Matthäus, 483.

159) Michel, Röm., 306f.; s. auch Paschen, Rein und Unrein, 71: "Freilich vollzieht Paulus nicht die radikale Umwertung der κοινός-Vorstellung, wie sie im Apophthegma vorliegt ..."

Zu S. 81-84

1) Käsemann, Röm., 64.

2) Dieser Sachverhalt wäre vor allem dann zu postulieren, falls es zutreffen sollte, daß erst durch Paulus das Junktim Beschneidung-Gesetzesgehorsam in die Diskussion eingebracht wurde.

3) Nach Mussner, Gal., 398, kann ein ironischer Ton in dieser Anrede nicht festgestellt werden.

4) Man beachte den unvermittelten Übergang von der 2. Pers. Plur. in die 2. Pers. Sing. Die Anrede wird durch dieses stilistische Mittel geradezu beschwörend; cf. Burton, Gal., 328.

5) Vgl. Schlier, Gal., 271.

6) Z.B. Lipsius, Gal., 59; Schlier, Gal., 271.

7) Mussner, Gal., 399.

8) Mussner, ib. 399 Anm. 20, zitiert falsch "des" statt "eines".

9) Van Dülmen, Theologie, 66.

10) Sarx nicht als anthropologische, sondern, weil Komplementärbegriff zu pneuma, theologische Kategorie: Sie ist der je individuelle Ort der transsubjektiven hamartia. Folglich ist ihre Macht die der hamartia. Die Versuchlichkeit des Menschen ist dadurch gegeben, daß es eben seine sarx ist. Für die sarx gilt also auch der Doppelcharakter der Sünde: Vorgegebensein und geschichtlich-verantwortliche Tat. Insofern aber erst die verantwortliche Tat die sarx manifest und zur Repräsentantin der hamartia m a c h t , ist der Christ, der seine sarx mit ihren epithymiai gekreuzigt hat (5, 24), eben nicht Sündigender. Das unbezweifelhafte theologische Recht der zugespitzten Formel Luthers "peccator simul ac iustus" kann also nicht einfach mit dem Hinweis auf die E x i - s t e n z der sarx begründet werden.

11) So formuliert Burton, Gal., 329, mit Recht vorsichtig: "The reference of τὰ βάρη is clearly to ... the burden of temptation and possible(!) ensuing sin."

12) Schlier, Gal., 273; ähnlich unter Berufung auf Bisping Mussner, Gal., 400; ebenso Oepke, Gal., 148: "Wer ist denn in Wahrheit etwas? Keiner!"

13) Lipsius, Gal., 59.

14) Lipsius schließt es ja auch nur aus der Wendung "Gesetz Christi" in v. 2.

15) Klar erkannt von Sieffert, Gal., 347f.

16) Holsten, Ev. des Paulus I/1, 130.

17) Sieffert, Gal., 348: das "verbietet schon οὐκ εἰς τὸν ἕτερον."

18) Geht es hier aber um eine Aussage über Christen?!

19) Sieffert, Gal., 347f.

20) Ib. 347.   21) Oepke, Gal., 149.

22) Ib. 149; Hervorhebungen von Oepke.

23) Schlier, Gal., 273; was ist mit "im jeweiligen Fall" gemeint? Wenn Schlier auf die Parallelen 1 Petr 1, 17 und Apk 2, 2 (Plural!) verweist,

Zu S. 85-88

dürfte anzunehmen sein, daß er ἔργον als das Lebenswerk faßt, das im jeweiligen Prüfungsfall Gegenstand der Prüfung ist. Freilich ist die Formulierung auch interpretationsoffen für die Auffassung: Das gesamte Werk des Menschen in der betreffenden konkreten Situation.

24) S c h l i e r , Gal., 274.

25) S. die Ablehnung des quantitativen Denkens bezüglich der Anthropologie Gal 3, 10; 5, 3!

26) S c h l i e r , Gal., 274.

27) Ib. 273: "Niemand ist in Wahrheit etwas."

28) Der Text geht bezeichnenderweise weiter: "Si quid autem habet homo veritatis atque iustitiae, ab illo fonte est, quem debemus sitire in hac eremo ... (S. Prosper)" (= Denzinger 195).

29) M u s s n e r , Gal., 400 Anm. 29.

30) Ib. 400. 31) Ib. 402. 32) Ib. 400.

33) Ib. 401; Hervorhebung von mir.

34) Auf die Frage nach dem Verhältnis Werk(e)-Gericht nach den Werken bei Paulus kann hier nicht weiter eingegangen werden. Zu diesem Thema s. jüngstens D o n f r i e d , Justification and Last Judgement in Paul, ZNW 67, 90-110 (dort ausführliche Literaturangaben).

35) M u s s n e r , Gal., 401.

36) B u l t m a n n , Art. καυχάομαι, ThWNT III, 649, 25ff.; Hervorhebung von mir.

37) Es ist m. E. bezeichnend, daß B u l t m a n n in Abschn. C. 1. a., obwohl auch er nicht zwischen den Aussagen von Gal und Röm differenziert, auf Gal 6, 4 an keiner Stelle Bezug nimmt! Diese Stelle paßt also wohl nicht in den Zusammenhang, der von Röm aus entworfen ist. Allerdings bringt B u l t m a n n dann Gal 6, 4 unter der Überschrift "Der apostolische Selbstruhm" (ib. 651, 33ff.). Aber mit dieser Thematik hat unsere Stelle nichts zu tun.

38) M u s s n e r , Gal., 400. 39) Ib. 401. 40) Ib. 401.

41) S c h l i e r , Gal., 274.

42) K . W e i s s , Art. φορτίον, ThWNT IX, 88, 35f.; Hervorhebung von W e i s s .

43) O e p k e , Gal., 149; auch S c h l i e r , Gal., 274, spricht in diesem Zusammenhang von verantwortlich.

44) S. dazu O e p k e , Gal., 149.

45) Mit Recht B u r t o n , Gal., 332: "A protasis may be mentally supplied, 'if his work shall be proved good' ..."; für B u r t o n ist diese Annahme jedoch nur eine von zwei möglichen. So fährt er dann fort: "... or τὸ καύχημα may mean in effect, 'his ground of glorying, whatever that be,' the implication in such case being that he who examines himself will not fail to find something (!) of good in himself."

46) Zu der Frage, wie die p r ä s e n t i s c h e Form οἱ περιτεμνόμενοι zu verstehen ist, s. die Kommentare! Da die Lesart περιτεμνόμενοι

Zu S. 88-90

mit Sicherheit ursprünglich ist, leuchtet zunächst Lietzmanns Lösung am ehesten ein: Die agitatorischen Prediger der Beschneidung sind zur Beschneidung überredete Heidenchristen (Gal., 44f., unter Berufung auf E. Hirsch, ZNW 29, 192ff.). Muß aber das Part. Präs. unbedingt als Passivform verstanden werden, wie dies durchgängig angenommen wird? Ist es nicht möglich, es als Medium aufzufassen: die in ihrem eigenen Interesse (andere) beschneiden? (so auch Jewett, The Agitators and the Galatian Congregation, NTS 17, 202f.). Andernfalls muß man, will man nicht in den Agitatoren wie Lietzmann Heidenchristen sehen, mit Schlier, Gal., 281, annehmen, daß οἱ περιτεμνόμενοι "die im Zustand der Beschneidung Befindlichen", "die die Beschneidung üben", "die Beschneidungsleute" (= konkret: die judenchristlichen Gegner des Apostels) (meint bei dieser Übersetzung vielleicht auch Schlier eine Medialform annehmen zu sollen?) sind, ohne Reflexion darüber, daß die Gegner selbst schon beschnitten sind (s. auch Mussner, Gal., 413 Anm. 23: "zeitloses" Partizip). Nicht überzeugend ist die Ansicht, nach der in 6,13a ein anderes Subjekt anzunehmen ist als in 6,13b (z. B. Lipsius, Gal., 62; abgelehnt z. B. von Sieffert, Gal., 366).

47) So z. B. Oepke, Gal., 159: Falls sie Christus ohne das Gesetz predigen, "so wird die ganze Macht des Judentums - schon in der damaligen Welt war sie riesengroß - sich gegen sie kehren, sie religiös und politisch ächten, ihnen den Schutz der religio licita rauben, sie bei den römischen Behörden verdächtigen usf." Jewett, The Agitators and the Galation Congregation, NTS 17, 198-212, will hier noch weiter präzisieren: Die Agitatoren standen unter zelotischem Druck.

48) Mussner, Gal., 412.

49) S. Abschn. 1.2. dieser Untersuchung.

50) Zu τῷ σταυρῷ τοῦ Χριστοῦ Ἰησοῦ s. die Kommentare.

51) Damit steht keinesfalls in Konkurrenz oder gar in Widerspruch, daß es zu Beginn von v. 12, frei übersetzt, heißt: "Alle, denen es um ein günstiges image vor den Menschen geht ..." Denn aufgrund dieses image als eifrige Judenmissionare wollen sie der Verfolgung entgehen. Vgl. Schlier, Gal., 280: "Im gewissen Sinne ist natürlich das Verfolgtwerden der Gegensatz zum εὐπροσωπῆσαι. Aber Eitelkeit und Angst können auch nebeneinanderliegen." Aber hier geht es doch weder um ein derartiges psychisches Nebeneinander noch um einen Gegensatz.

52) Vgl. Mussner, Gal., 411: Paulus "überphysiognomisiert ... die Gegner wieder im Stil der 'Ketzerpolemik'."

53) Mussner, Gal., 414.

54) Schlier, Gal., 281: "Σταυρός ist hier Ideogramm für das Erlösungsgeschehen."

55) Zu Gal 6,14 s. auch H.-W. Kuhn, Jesus als Gekreuzigter, ZThK 72, 38.40f.

Zu S. 91-94

56) Vgl. den begründenden Satz v. 5 mit dem Hinweis auf das eschatologische Gericht.

57) S. Anm. 47 von Abschn. 2. 2.

58) δικαιοσύνη τε καὶ ἁγιασμὸς καὶ ἀπολύτρωσις ist epexegetisch als "erklärende Apposition" zu σοφία zu fassen; mit J. W e i s s, 1 Kor., 41; auch C o n z e l m a n n, 1 Kor., 68, sieht dies offenbar so, obwohl er es nicht direkt ausspricht.

59) C o n z e l m a n n, 1 Kor., 68.

60) Der älteste Brief des Paulus, 1 Thess, versteht ἁγιασμός als sittliches Verhalten (4, 3ff.), ebenso der späte Röm (6, 19. 22). Dann ist anzunehmen, daß dies auch für 1 Kor zutrifft.

61) J. W e i s s, 1 Kor., 43: "P. hat den im LXX-Text des Jer. ausführlicher ausgesprochenen Gedanken nicht nur zusammengezogen, sondern auch umgestaltet."

62) S. auch S a n d, Der Begriff "Fleisch", 150f.

63) B u l t m a n n, Art. καυχάομαι, ThWNT III, 648ff.

64) Zu 2 Kor 10ff. s. vor allem H. D. B e t z, Der Apostel Paulus und die sokratische Tradition.

65) S. dazu den genannten ThWNT-Art. von B u l t m a n n und die entsprechenden Abschnitte in seinem Kommentar über 2 Kor.

66) Anders K ä s e m a n n, Röm., 64: ἐπαναπαύεσθαι nicht im tadelnden Nebensinn verwendet.

67) L i p s i u s, Röm., 92.

68) M i c h e l, Röm., 75.

69) Jedoch: In Röm ist der Gedanke der Verpflichtung zur t o t a l e n Torahobödienz aufgrund der Beschneidung nicht mehr expressis verbis ausgesprochen; s. Abschn. 2. 1. u. 2. 4.

70) B i l l. I, 119; s. dort aber auch GenR 48 (30a): R. Levi (um 300!) hat gesagt:"Dereinst wird Abraham am Eingang des Gehinnoms sitzen und keinen Beschnittenen aus Israel dort hinabfahren lassen. Was aber wird er mit denen machen, die übermäßig gesündigt haben? Er wird die Vorhaut von Kindern nehmen, die vor der Beschneidung gestorben sind, und sie bei jenen anbringen und sie dann in den Gehinnom hinabstürzen."

71) M i c h e l, Röm., 76 Anm. 4, setzt zu selbstverständlich voraus, daß bereits zur Zeit des Paulus der zitierte Grundsatz vertreten wurde. Die in vielen Kommentaren in diesem Zusammenhang angegebene Stelle Sap 15, 2 steht weder im Kontext der Beschneidung noch dem des Gesetzes. Außerdem liegt der Ton auf v. 2b!

72) Gegen M i c h e l, Röm., 75.

73) Unzutreffend ist die Auslegung von Röm 2, 17 durch C r a n f i e l d, Romans, 164: "The Jew is absolutely right to be seriously concerned with God's law ... and to rely on it as God's true and righteous word. But the trouble is that he follows after it ἐξ ἔργων instead of ἐκ πίστεως (cf. 9, 32), and relies on it in the sense of thinking to fulfil it in such a

Zu S. 94 u. 95

way as to put God in his debt or(!) imagining complacently that the mere
fact of possessing it gives him security against God's judgement." Richtig ist lediglich der zuletzt ausgesprochene Gedanke. Total eingetragen
ist aber, daß Paulus hier ein Sich-Verlassen auf Gottes Gesetz aus Glauben meint. Das paßt nicht im geringsten in den Duktus dieses Gedankengangs in Röm.

74) So u. a. Lipsius, Röm., 98: "προητιασάμεθα ... nämlich 1, 18ff.
2, 1ff."; Lietzmann, Röm., 47; Michel, Röm., 83; van Dülmen, Theologie, 82.

75) Zu ἁμαρτία als Macht s. vor allem Michel, Röm., 84f.; Käsemann, Röm., 80.

76) Die Sache liegt etwas anders bei der Anschuldigung der Heidenwelt:
Gott gab die Heiden den Lastern preis (dreimaliges παρέδωκεν αὐτοὺς
ὁ θεός: 1, 24. 26. 28) - allerdings aufgrund ihrer von ihnen zu verantwortenden und somit schuldhaften Gottlosigkeit!

77) Van Dülmens Einspruch (Theologie, 160) gegen Kümmels Aussage, hamartia sei bei Paulus immer eine objektive Macht, das Sünden-
prinzip, ist schlechthin falsch.

78) S. dazu Hübner, Existentiale Interpretation der "Gerechtigkeit Gottes", NTS 21, 462-488, vor allem 474ff.

79) S. Abschn. 2. 3. dieser Untersuchung; s. außerdem Nygren, Röm.,
109: "Paulus antwortet: um die Sünde zu entschleiern und zur Erkenntnis der Sünde zu führen. Dabei geht es aber nicht nur um das Aufdecken
der einzelnen Sünden, die der Mensch begangen hat. Es handelt sich
nicht um die Sünde in moralistischem Sinne, sondern Paulus denkt vor
allem an die Sünde als eine Macht, eine Dynamis."

80) Zu Einzelfragen dieses Abschnitts s. Käsemann, Röm, 84ff., und
die dort angegebene Literatur; s. außerdem Stuhlmacher, Zur neueren Exegese von Röm 3, 24-26 = Jesus und Paulus, 315-333. Daß freilich Paulus durch seine Interpretation διὰ πίστεως Röm 3, 25 nur
seine Tradition konsequent weiterführt und aufweitet (ib. 330f.), ist m.
E. eine Verkennung des Aussagegefälles. Eine detaillierte Auseinandersetzung mit diesem Aufsatz kann hier jedoch nicht geführt werden.

81) Lipsius, Röm., 101.

82) Lipsius, Röm., 101: "Mit διὰ ποίου νόμου faßt P die alte und
die neue Heilsordnung unter dem gemeinsamen Begriffe des νόμος zusammen und redet von einem νόμος πίστεως im übertragenen, durch
den Gegensatz zum mosaischen Gesetze veranlaßten Sinne, vgl. 8, 2. Gal
6, 2."; ähnlich die meisten anderen Exegeten, z. B. Lietzmann, Röm.,
52; Bultmann, Theologie, 260; Michel, Röm., 95; Kuss, Röm.,
176; Käsemann, Röm., 95; van Dülmen, Theologie, 87; Cambier, L'Evangile I, 148ff.; "une note caractéristique de la nouvelle
période religieuse, une manière religieuse de vivre" (S. 151f.).

83) ThZ 10, 401-417.

84) Ib. 415.

85) Z. B. Lohse, ὁ νόμος τοῦ πνεύματος τῆς ζωῆς = Neues Testament und christliche Existenz, 281; Cranfield, Rom., 220.

86) Nach Wilckens, Zu Römer 3, 21-4, 25, Antwort an G. Klein = Rechtfertigung als Freiheit, 50-76, 51f. u. 52 Anm. 4, steht Röm 3, 27f. von einem Ruhmverzicht der Glaubenden nichts da. ἐξεκλείσθη beziehe sich nämlich nicht auf die jeweils zu vollziehende Entscheidung des einzelnen Glaubenden, sondern auf eine Entscheidung, die im Christusgeschehen über dessen Geschick in endzeitlicher Gültigkeit gefallen sei. Die Formulierungen "Gesetz der Werke" und "Gesetz des Glaubens" wollten die Voraussetzung bezeichnen, durch die das betreffende menschliche Verhalten allererst begründet ist. Diese objektivistische Interpretation von Wilckens kann nicht überzeugen. Mag Paulus auch zuweilen in objektivistischer Weise formulieren - so bereits in Gal 3, 22ff. hinsichtlich der πίστις -, so impliziert doch diese Redeweise im Gesamtduktus paulinischen Denkens menschliches Verhalten! S. dazu die ausgezeichneten Darlegungen bei Luz, Geschichtsverständnis, 146-156 u. passim! - In der Nähe unserer Interpretation steht auch die Auslegung Otto Michels: "Pls meint mit dem Begriff νόμος τῶν ἔργων ein Verständnis des Gesetzes, das den Gehorsam in Einzelakte zerlegt und den Willen Gottes mißversteht. Dem νόμος τῶν ἔργων entsprechen auf Seiten des Menschen die ἔργα νόμου (Röm 3, 20). Das jüdische Verständnis des Gesetzes ruft notwendig den Selbstruhm des Menschen hervor" (Röm., 95; Hervorhebungen von mir). Daß sich Michels Verständnis in Nuancen von dem unterscheidet, was hier als Interpretation von Röm 3, 27 vorgelegt wird, ist unwesentlich gegenüber der Tatsache, daß auch er das "Gesetz der Werke" als eine Wendung faßt, die die Torah unter einer bestimmten, und zwar negativen Perspektive sprachlich zum Ausdruck bringt.

87) Wilckens, Was heißt bei Paulus: "Aus Werken des Gesetzes wird kein Mensch gerecht"? = Rechtfertigung als Freiheit, 77-109, 82; Bultmann-Zitat: Theologie, 268 (dort lautet der Text etwas anders; Wilckens zitiert nach der 3. Auflage).

88) Mit Käsemann, Röm., 97, soll dabei Röm 3, 31 als Überleitung zu Kap. 4 verstanden werden. Aber auch Cranfield, der 3, 31 nicht als Beginn des Abraham-Midrasch, sondern als Abschluß von 3, 27ff. faßt (Rom., 223), interpretiert diesen Midrasch als Bestätigung des in Kap. 3 Gesagten, schränkt jedoch zunächst ein: "The function of this section is to confirm the truth of what is said in the first part of 3, 27." (ib. 224; s. auch ib. 227) Der ganze Duktus seiner Exegese von Röm 4 zeigt jedoch, daß auch er dieses Kapitel als Schriftbeweis für Röm 3, 27ff. versteht.

89) Bultmann, Theologie, 264.

90) Im übrigen s. die Kommentare.

91) Realis: Lipsius, Röm., 102; Wilckens, "Aus Werken des Gesetzes..." = Rechtfertigung als Freiheit, 95f.; Irrealis: Bultmann,

Zu S. 98-104

Art. καυχᾶομαι, ThWNT III, 649 Anm. 36; K u s s , Röm., 181; K l e i n Römer 4 und die Idee der Heilsgeschichte = Rekonstruktion und Interpretation, 151 Anm. 25; C r a n f i e l d , Romans, 228; unentschieden: K ä s e m a n n , Röm., 99.

92) Daß dem Sinne nach zu ergänzen ist; ... ἔχει καύχημα (πρὸς ἄνθρωπον), ἀλλ᾽ οὐ πρὸς θεόν, liegt auf der Hand.

93) B i l l ., III, 186ff.

94) W i l c k e n s , "Aus Werken des Gesetzes ... " = Rechtfertigung als Freiheit, 96.

95) Ib. 96.

96) K u s s , Röm., 181; Hervorhebung von mir.

97) J o e s t , Gesetz und Freiheit, 139: "Christus ist aber nicht eine vikariierende Notlösung..."

98) Ein möglicher Hinweis darauf, im hellenistischen Griechisch könne durchaus καύχημα für καύχησις stehen, besagt hier nichts, da in Röm 4, 2 καύχημα als Akkusativobjekt von ἔχει nur Ruhm bedeuten kann.

99) Cf. B a r r e t , Romans, 88: "It follows that since Abraham had righteousness c o u n t e d to him, he cannot have done works, but must have been the recipient of grace." Dies ist richtig, freilich n u r seit dem terminus a quo, nämlich dem Augenblick seiner Rechtfertigung. Das gilt auch für die kurz danach getroffene Feststellung: "... and Abraham is to be found among those who do not perform works with a view to justification but put their trust in God himself" (ib. 88).

100) M i c h e l , Röm., 101.

101) K ä s e m a n n , Röm., 103.

102) M i c h e l , Röm., 95.

103) B u l t m a n n , Theologie, 264f.; Hervorhebungen von B u l t m a n n .

104) Ib. 268.

105) W i l c k e n s , "Aus Werken des Gesetzes..." = Rechtfertigung als Freiheit, 97f.: "Die sentenzhafte Formulierung von 4, 4f., die der des Satzes 3, 28, den 4, 4f. interpretieren soll, entspricht, darf nicht dazu verleiten, hier eine allgemeine, prinzipielle Ablehnung der Gesetzeswerke überhaupt als ἐργάζεσθαι im Sinne des 'Leistungsprinzips' zu Gunsten des Gratuitätsprinzips ausgesprochen zu finden."

106) Vgl. R. B u l t m a n n , Art. καυχᾶομαι, ThWNT III, 650, 9ff.

107) K l e i n , Röm. 4 und die Idee der Heilsgeschichte = Rekonstruktion und Interpretation, 153.

108) Ib. 158.

109) Nochmals: s. meinen in Anm. 80 gegenüber S t u h l m a c h e r ausgesprochenen Vorbehalt!

110) K ä s e m a n n , Röm., 123f.; Zitat: 124; S c h l a t t e r , auf den sich K ä s e m a n n beruft, schreibt: "Den Ruhm, der den Menschen verherrlicht, vertrieb Paulus; er ist der Widersacher des Glaubens, der verschwin-

Zu S. 104-106

den muß, damit das Glauben möglich sei. Weil aber der Mensch ohne
Ruhm nicht leben kann, hebt er nun sofort hervor, daß mit dem Vorhandensein des Glaubens das Rühmen entsteht, nun aber nicht das, das den
Menschen und seine Taten feiert, sondern das, das dem Glaubenden
sein Hoffen gibt" (Gottes Gerechtigkeit, 178).

111) Ältere Literatur (bis 1933) s. bei S c h r e n k, Art. δικαιοσύνη, ThWNT
II, 194, und in den Anmerkungen ib. 204ff.

112) B u l t m a n n, Theologie, 273.

113) Ib. 274. 114) Ib. 275. 115) Ib. 280f.

116) Ib. 284. 117) Ib. 285. 118) Ib. 285.

119) K ä s e m a n n, Gottesgerechtigkeit bei Paulus = EVB II, 181-193.

120) Ib. 188.

121) Für oder in Richtung B u l t m a n n: z. B. K l e i n, Gottes Gerechtigkeit
als Thema der Paulus-Forschung = Rekonstruktion und Interpretation,
225-236; L o h s e, Theologie, 86; in etwa C o n z e l m a n n, Theologie,
243; für oder in Richtung K ä s e m a n n: z. B. S t u h l m a c h e r, Gerechtigkeit Gottes; M ü l l e r, Gottes Gerechtigkeit.

122) S t u h l m a c h e r, Gerechtigkeit Gottes, passim, s. z. B. die Zusammenfassung im Blick auf das Schrifttum des apokalyptischen Judentums, ib.
174f.

123) Z i e s l e r, Righteousness, vor allem 147ff.

124) Ib. 212.

125) S. jedoch die Kritik von W a t s o n, Review Article, NTS 20, 217-228.

126) Dazu vor allem K ä s e m a n n, Erwägungen zum Stichwort "Versöhnungslehre im Neuen Testament" = Zeit und Geschichte, 49f.; S t u h l m a c h e r,
Gerechtigkeit Gottes, 77 Anm. 2.

127) K ä s e m a n n, EVB II, 182; jedoch hat K ä s e m a n n, wenn er die δ.θ.
"in dem hymnischen Zitat 1 Kor 1, 30 ... mit Christus identifiziert"
sieht (ib. 182), unter der Hand den Genitiv θεοῦ in die Stelle eingetragen. Damit soll aber nicht bestritten werden, daß sich 1 Kor 1, 30 a u f
d e m W e g e zur δ.θ.-Auffassung von Röm befindet.

128) K ä s e m a n n, Röm., 19; anders K l e i n, Gottes Gerechtigkeit als Thema der Paulus-Forschung = Rekonstruktion und Interpretation, 231f.:
Für den Machtcharakter der Gerechtigkeit Gottes lasse sich nicht der
Begriff δύναμις Röm 1, 16 geltend machen, da dieser das Evangelium,
nicht aber die Gottesgerechtigkeit prädiziere. Das ist zunächst korrekt
- jedenfalls solange man 1, 16f. rein immanent interpretiert. Berücksichtigt man jedoch den Umgang des Paulus mit seinen Begriffen, dann
zeigt sich, w i e s t a r k d i e P r ä d i z i e r u n g d e r e i n z e l n e n B e -
g r i f f e a u f d e r e n j e w e i l i g e s B e g r i f f s f e l d a u s s t r a h l t.

129) K ä s e m a n n, Röm., 25.

130) L y o n n e t, Exegesis Epistulae ad Romanos, 80-107d, vor allem 107a.

131) K ä s e m a n n, Röm., 24.

132) Ib. 26; Hervorhebung von mir.

Zu S. 106-108

133) "Bloß" gerechtzusprechen ist eben nicht "forensisch" im Sinne des Paulus!

134) K ä s e m a n n , Gottesgerechtigkeit bei Paulus = EVB II, 187.

135) Wer Luther kennt, assoziiert hier sofort dessen Polemik gegen Aristoteles, z. B. WA 56, 172, 8ff. Zu den in Frage kommenden Aristoteles-Stellen s. ib. Anm. zu Z. 9.

136) Es ist aber zu eng, wenn man wie G o p p e l t , Theologie II, 468, die Gerechtigkeit Gottes bei Paulus von Gottes Treue zu seiner vom Alten Testament bezeugten Zusage bestimmt. Doch ist zu berücksichtigen, daß gerade G o p p e l t s Ausführungen über die Rechtfertigung durch seinen so plötzlichen Tod nur Fragment geblieben sind.

137) K ä s e m a n n , Röm., 73: $\dot{\alpha}\pi\iota\sigma\tau\dot{\iota}\alpha$ = Abfall aus dem Bund.

138) Der 2,14 positiv ausgesprochene Gedanke - positiv ausgesprochen im B l i c k a u f d e n J u d e n , eben nicht auf den Heiden, falls die Auseinandersetzung mit dem Judentum bereits in 2,1 beginnt (z. B. K ä - s e m a n n , Röm., 49; C r a n f i e l d , Rom., 138f.; s. auch Anm. 75 in Abschn. 2.3. dieser Untersuchung) -, daß Heiden $\tau\dot{\alpha}\ \tau o\tilde{\upsilon}\ \nu\dot{o}\mu o \upsilon$ tun, weil sie sich selbst Gesetz sind, fließt in umgekehrter Richtung in das theologische Urteil 3,9 ein, wonach alle, also auch alle Heiden, unter der Sündenmacht leben. Voraussetzung für dieses theologische Basisurteil des Paulus ist seine Überzeugung, daß auch die Heiden G o t t e s Gesetz kennen und deshalb - trotz ihrer partiellen Werk-Gerechtigkeit - bei ihrer Ungerechtigkeit behaftet werden. Auch sie haben restlos das Ziel des Gesetzes nicht erreicht.

139) S. auch Abschn. 3.3. dieser Untersuchung.

140) Z i e s l e r , Righteousness, 190: "forensic statement".

141) S. K ä s e m a n n , Röm., 85.

142) K e r t e l g e , Rechtfertigung, 95f., stellt mit Recht heraus, daß $\delta\iota\kappa\alpha\iota o\sigma\dot{\upsilon}\nu\eta\ \theta\epsilon o\tilde{\upsilon}$ in Röm 10,3 sowohl aus dem Gegensatz zur $\dot{\iota}\delta\dot{\iota}\alpha\ \delta\iota\kappa\alpha\iota o\sigma\dot{\upsilon}\nu\eta$ als auch von der Aufforderung zur Unterwerfung her zu erklären ist. So sei "wenigstens eine doppelte Ausrichtung des Begriffs der $\delta\iota\kappa\alpha\iota o\sigma\dot{\upsilon}\nu\eta\ \theta\epsilon o\tilde{\upsilon}$ anzunehmen". Nur hat er, ib. 97, m. E. den paulinischen Gedanken überinterpretiert, wenn er sagt, daß von "eigener Gerechtigkeit" erst gesprochen werden könne, n a c h - d e m die "Gerechtigkeit Gottes" erschienen sei. Eine isolierte Exegese von 10,3 oder vielleicht auch eine Exegese innerhalb des Komplexes Kap. 9-11 mag zu diesem Ergebnis führen. Nur läßt es sich nicht mit Kap. 3 u. 4 vereinbaren. Denn bereits Abraham hat nach Röm, wie sich im Laufe dieser Untersuchung zeigte, vor seiner Rechtfertigung durch Gott das Gesetz Gottes zum Gesetz der Werke pervertiert und gerade so seine "eigene Gerechtigkeit" hingestellt! Andererseits ist K e r t e l g e aber zuzustimmen, wenn er, 98, Christus als "die personifizierte Gerechtigkeit Gottes" faßt; Christus erscheint als "ihr Träger und Repräsentant".

Zu S. 109-112

143) S t u h l m a c h e r , Gerechtigkeit Gottes, 91.

144) Ib. 92.   145) Ib. 92f.   146) Ib. 93.

147) Verrät sich nicht an der zuletzt genannten Stelle bei S t u h l m a c h e r eine gewisse Verkennung dessen, was existentiale Interpretation zu leisten vermag? Zu meinen Bedenken gegenüber seinem Verständnis der existentialen Interpretation s. H ü b n e r , Existentiale Interpretation der paulinischen "Gerechtigkeit Gottes", NTS 21, 485 Anm. 3. Es dürfte wahrscheinlich bezeichnend sein, daß S t u h l m a c h e r , a. a. O., 93, von "individualistisch" spricht, obwohl er wahrscheinlich meint: Röm 10,3 ist nicht im Blick auf den einzelnen Glaubenden hin auszulegen, ist nicht "individual" (natürlich nicht "individuell"!) auszulegen.

148) K ä s e m a n n , Röm., 269; Hervorhebung von mir.

149) K ä s e m a n n , Gottesgerechtigkeit = EVB II, 183: "Die Gabe hat demnach selber Machtcharakter. Was das konkret bedeutet, ist völlig klar. Paulus kennt keine Gabe Gottes, die uns nicht zum Dienst verpflichtete und unseren Dienst e r m ö g l i c h t e . Nicht bewährte und weitergegebene Gabe verliert ihren spezifischen Gehalt."; Hervorhebung von mir; d e r s . , Röm., 25.

150) S t u h l m a c h e r , Gerechtigkeit Gottes, 93.

151) K ä s e m a n n , Röm., 38f.

152) WA 57, 332, 4f.; freilich fährt er bezeichnenderweise fort: "... sicut Iniustitia incredulitas cum operibus suis etiam bonis et sanctis(!)."

153) K ä s e m a n n , Röm., 170, unter Berufung auf J. W e i s s ; K e r t e l g e , Rechtfertigung, 269 u. 269 Anm. 91, unter Berufung auf S i c k e n b e r g e r .

154) K e r t e l g e , Rechtfertigung, 270.

155) Anders C r a n f i e l d , Romans, 322, der εἰς δικαιοσύνην paraphrasiert: "to final justification"; ib. 322 Anm. 4: "That δικαιοσύνη has here its forensic, rather than its moral, sense is clear from the contrast with θάνατος." Ähnlich auch M i c h e l , Röm., 135: Gerechtigkeit meint hier den eschatologischen Spruch Gottes.

156) L i p s i u s , Röm., 121: "εἰς δικαιοσύνην: Ziel der ὑπακοή ist die neue L e b e n s g e r e c h t i g k e i t " (Hervorhebung von mir).

157) K ä s e m a n n , Röm., 170.

158) M i c h e l , Röm., 135 Anm. 4, versteht freilich den Tod in 6,16 "nicht im Sinn ... wie in Röm 5,12ff.". Dazu ist er gezwungen, weil er εἰς δικαιοσύνην forensisch-eschatologisch interpretiert.

159) Schon L i p s i u s , Röm., 121, sprach im Blick auf 6,18 vom neuen Dienstverhältnis zur δικαιοσύνη als der den Christen regierenden objektiven L e b e n s m a c h t .

160) L i p s i u s , Röm., 121, differenziert noch stärker zwischen beiden: "Mit εἰς ἁγιασμόν wird umgekehrt das von der δικαιοσύνη als Lebensmacht erstrebte Ziel bezeichnet, daher besser 'zur Heiligkeit'

Zu S. 112-114

..., als: 'zur Heiligung'." Gut Käsemann, Röm., 174: "Heiligung meint in der Profanität der Welt und angesichts unserer Anfechtung leiblich sich bekundendes Dasein für Gott, weil Gott in Christus gnädig uns in seine Herrschaft stellte und für uns da ist" (Hervorhebung von mir). Nach Käsemann geht es Paulus um den ganzen Menschen in all seinen Möglichkeiten, "also in unserer eigenen Weltlichkeit, weil Gott neue Welt will und schafft". Heiligung meint also diese individuell und exemplarisch zu vertretende "Intention und Dimension der Rechtfertigung".

161) Kertelge, Rechtfertigung, 271, spricht dieses Bedenken im Blick auf das ganze Kapitel Röm 6 aus. Er kommt jedoch unserer Auffassung sehr nahe, wenn er schreibt: "Δικαιοσύνη bezeichnet in den V. 16 und 18 wie auch in folgenden V. 19 und 20 nichts anderes als in den vorhergehenden Kapiteln des Römerbriefes" (ib. 271). Doch geht es ihm dabei nicht wie uns um die Frage, ob Paulus "Gerechtigkeit Gottes" und "Gerechtigkeit" synonym verwendet.

162) Ziesler, Righteousness, 201.

163) Bultmann, Exegetica, 49.

164) Ib. 50.

165) Bultmann, Theologie, 273.278; im Sinne seines Lehrers W. G. Kümmel (Röm 7 und die Bekehrung des Paulus, 100) kritisiert O. Merk, Handeln aus Glauben, 35, mit Recht Bultmanns Position. Er stimmt auch H. Windisch (Das Problem des paulinischen Imperativs, ZNW 23, 265ff.) zu, nach dem auch das Frei-Sein von der Sünde im irdisch Wahrnehmbaren liegt. Daß freilich Bultmann in seiner "Theologie des Neuen Testaments" seine frühere Ansicht "sachgemäß korrigiert" habe, wie Merk, ib. 35, meint, kann ich nicht finden. Was Bultmann hier tut, ist, daß er das früher Gesagte im Sinne der existentialen Interpretation expliziert.

166) Käsemann, Röm., 166.

167) Ziesler, Righteousness, passim: "ethical righteousness".

168) Vgl. Schlatter, Gottes Gerechtigkeit, 217.

169) Käsemann, Röm., 39.

170) Ib. 39.

171) Hübner, Existentiale Interpretation der paulinischen "Gerechtigkeit Gottes", NTS 21, 474.

172) Eine gewisse Parallelisierung von hamartia und nomos geschieht freilich in 5, 12ff. In v. 12 heißt es: ἡ ἁμαρτία... ἦλθεν, wodurch ihre Quasipersonifizierung und damit ihr Macht-Sein indiziert wird. In v. 20 heißt es: νόμος... παρεισῆλθεν. Nomos und hamartia werden also linguistisch gleichbehandelt. Dennoch vermag diese Parallele nicht die Beweislast dafür zu tragen, daß der Leser bereits in 5, 20 das Gesetz als Macht auffaßt. Andererseits wird er, wenn er von 6, 14 auf 5, 20 zurückblickt, die hier so en passant geschehene Wendung vom

Zu S. 115-117

Dazwischen-"Kommen" des Gesetzes neu werten. Im übrigen s. zu 5, 20 Abschn. 2. 3. dieser Untersuchung.

173) B u l t m a n n , Der Stil der paulinischen Predigt und die kynisch-stoische Diatribe, 67 u. 67 Anm. 2.

174) Ib. 67f.: "Unter Umständen kommen zwar auch Einwände vor, die wirklich gegnerische Absichten aussprechen ..." Aber B u l t m a n n scheint doch den Einwand 7, 7 eher als genuine Wendung des Paulus zu bewerten. Er fährt in dem soeben zitierten Satz bezeichnenderweise fort: "... fast immer aber vertritt der fingierte Gegner nicht etwa eine gegnerische Anschauung, sondern zieht falsche Konsequenzen aus der Anschauung des Paulus." Jedoch: Woher weiß B u l t m a n n das?

175) Zu Röm 8, 21 s. B a l z , Heilsvertrauen und Welterfahrung, 50f.

176) Ohne Berücksichtigung der paulinischen Ausführungen über den Geist (Röm 8!) ist natürlich eine solche Formulierung nicht nur ärgerlich, sondern barer Unsinn.

177) G ü t t g e m a n n s , "Gottesgerechtigkeit" und strukturale Semantik, Linguistische Analyse zu δικαιοσύνη θεοῦ = studia linguistica neotestamentica, 80, bestreitet aus linguistischen Gründen, daß es sich bei δικαιοσύνη θεοῦ um einen terminus technicus handelt: "Ein terminus technicus hat zwar ein synsemantisches Umfeld, duldet jedoch keine syntaktische Veränderung, die oft auch die gesamte syntaktische Struktur des Satzgebildes, etwa die Wortfolgeordnung, tangiert." Gilt das aber auch, wenn ein Autor einen terminus technicus übernimmt und in sein Denken integriert?

178) Leider ist es nicht mehr möglich, auf den für unsere Thematik äußerst wichtigen Aufsatz von K l a u s K o c h , Die drei Gerechtigkeiten, Die Umformung einer hebräischen Idee im aramäischen Denken nach dem Jesaja-Targum = Rechtfertigung, 245-267, näher einzugehen. Soviel kann aber vielleicht doch schon nach einer ersten kursorischen Lektüre gesagt werden: K o c h s Versuch zu zeigen, wie eine einheitliche hebräische Vorstellung, die mit dem Wortstamm ṣ d q ausgedrückt war, im Aramäischen mit drei Wortstämmen z k j , ṣ d q und q̃ s t be-d e u t u n g s m ä ß i g und terminologisch e n t f a l t e t wird, könnte in der neutestamentlichen Forschung daraufhin befragt werden, ob diese Entfaltung nicht die verschiedenen inhaltlichen Aspekte der δικαιοσύνη bzw. δικαιοσύνη θεοῦ, vor allem in Röm, deutlicher erkennbar machen könnte.

179) Zu Gal 3, 21 s. Abschn. 1 dieser Untersuchung, passim.

180) Auf die These L ü t g e r t s , Paulus kämpfe gegen zwei Fronten, braucht hier nicht eingegangen zu werden.

181) S. bereits S i e f f e r t , Bemerkungen zum paulinischen Lehrbegriff, JDTh 14, 263: "... und der Verlust der Freiheit ist es auch hier, an dessen Fernhaltung dem Apostel liegt, wenn er scheinbar vor der Überfülle der Freiheit warnt."

Zu S. 119-122

182) Friedrich, Das Gesetz des Glaubens Röm, 3,27, ThZ10, 415; ihm
schließt sich Lohse, ὁ νόμος τοῦ πνεύματος τῆς ζωῆς =
Neues Testament und christliche Existenz, 281, an.

183) Anders Wilckens, Zu Röm 3, 21-4, 25 = Rechtfertigung als Freiheit, 52 Anm. 4.

184) Bultmann, Theologie, 260.

185) Käsemann, Röm., 95.

186) Die Vulgata hat dies z. B. dadurch zum Ausdruck gebracht, daß sie in
v. 27 übersetzte "per legem fidei" und in v. 28 "per fidem".

187) Käsemann, Röm., 96.

188) Klein, Röm 4 und die Idee der Heilsgeschichte = Rekonstruktion und
Interpretation, 149.

189) Ib. 149.

190) Ib. 148; Klein wertet ihn jedoch in der Weise als "reflektiert", als
"Mensch" in v. 27 "kategorialen Sinn" habe (ib. 148f.).

191) Michel, Röm., 97; ebenso Cranfield, Romans, 223.

192) Cambier, L'Evangile I, 160.

193) Ib. 162.   194) Bacher I, 170f.; II, 186ff.   195) Ib. I, 170.

196) Levy I, 211f.; auch Men 99b bittulah schäl torah, von Levy,
ib. 212, unter dem Stichwort bittul angegeben, gehört nicht in diesen Zusammenhang.

197) Herrn Kollegen Klaus Haacker danke ich für den Hinweis, daß
sich im weiteren Kontext von jMeg 1, 70d, wo btl für das Aufhören
der prophetischen Bücher bzw. das Nichtaufhören der Torah steht,
das Verb qum findet (Erklärung von Est 9, 31: "um die Feier der
Purimtage zur Pflicht zu machen, leqajjem"). Doch weist er zugleich darauf hin, daß der Zusammenhang nicht so eng ist wie in Ab
4, 9. Man wird also im Blick auf jene Stelle daran festhalten müssen,
daß auch hier die beiden Verben nicht als idomatisches Gegensatzpaar
gebraucht sind - ganz abgesehen davon, daß die Niph.-Form keinerlei
menschliche Aktivität, sei sie exegetisch oder sonstwie zu fassen, aus-
sagt (z. St. s. Levy I, 211).

198) Wilckens, Die Rechtfertigung Abrahams nach Röm 4 = Rechtfertigung als Freiheit, 42; ib. 42: "Das Gesetz in seiner Aufrichtung als
γραφή bezeugt das Christusgeschehen als Erfüllung der Erwählungs-
geschichte Gottes."; s. auch Lietzmann, Röm., 52; Michel,
Röm., 97: "Er (sc. Paulus) hört ja im AT selbst die Stimme des Evangeliums (... 3, 21 ...)..."; Cranfield, Romans, 224; s. aber auch
Bornkamm, Wandlungen im alt- und neutestamentl. Gesetzesverständnis, Ges. Aufs. IV, 111, wo er diese Interpretation als Folge der
gleich unter Punkt 2 zu nennenden bringt.

199) Bornkamm, Wandlungen im alt- und neutestamentl. Gesetzesverständnis = Ges. Aufs. IV, 111; Hervorhebung von mir.

200) Delling, Art. καταργεῖν, ThWNT I, 453, 29ff.

Zu S. 122-126

201) K l e i n , Röm 4 und die Idee der Heilsgeschichte = Rekonstruktion und Interpretation, 166f.

202) W i l c k e n s , Die Rechtfertigung Abrahams nach Röm 4 = Rechtfertigung als Freiheit, 43.

203) Erst recht gilt das für diejenige Auslegung, die in 3, 27 unter "Gesetz des Glaubens" den Glauben als Norm oder Ordnung versteht.

204) K ä s e m a n n , Röm., 97.

205) F r i e d r i c h , Das Gesetz des Glaubens Röm. 3, 27, ThZ 10, 416.

206) M i c h e l , Röm., 99; s. auch d e r s ., Paulus und seine Bibel, 53 u. ö.

207) G r u n d m a n n , Art. ἵστημι, ThWNT VII, 640, 23ff.

208) Ib. 645, 43f.

209) So auch, trotz anderer Auffassung im Detail, M i c h e l , Röm., 161 (zu Röm 8, 4): "Das Heilsgeschehen dient dazu, die Autorität des Gesetzes aufzurichten und durchzusetzen (Röm 3, 31; 6, 13). "

210) Vgl. K ä s e m a n n , Röm., 209: "Das Stichwort φρονεῖν bezeichnet die Ausrichtung nicht bloß des Denkens, sondern der gesamten Existenz, die nach semitischer Anschauung stets bewußt oder unbewußt auf ein Ziel tendiert."

211) L o h s e , ὁ νόμος τοῦ πνεύματος τῆς ζωῆς = NT und christliche Existenz, 284; anders die meisten Exegeten: wie 3, 27 meint nomos Prinzip, Ordnung oder Norm; z. B. L i p s i u s , Röm., 131: Das Gesetz des Geistes des Lebens in Christus Jesus ist "die neue Lebensordnung, nach welcher der göttliche Geist in den Gläubigen regiert (νόμος also auch hier im übertragenen Sinn...)." "Dieser G e i s t hat dich befreit ..." (Hervorhebung von mir).

212) Freilich, wie sich in Abschnitt 2. 3. unserer Untersuchung zeigte, nur in uneigentlicher Weise!

213) Der Unterschied zwischen der Pervertierung der Torah zum "Gesetz der Werke" nach 3, 27 und der Pervertierung der Torah zum todbringenden Gesetz nach Kap. 7 darf natürlich nicht unterschlagen werden: Im ersten Falle geschieht die Pervertierung durch den Menschen, im zweiten durch die hamartia. Doch muß hier wieder jene Dialektik mitbedacht werden, die Paulus vor allem 5, 12 zum Ausdruck bringt: Sünde ist Verhängnis und verantwortliche Tat des Menschen.

214) Dieser Gedanke könnte erstmals 1 K o r 15, 56 anklingen: "Der Stachel des Todes ist die hamartia, die dynamis der hamartia aber der nomos", falls 1 Kor in der Tat nach Gal anzusetzen ist. Dann wäre dieser Satz zu interpretieren: Die hamartia gewinnt ihre dynamis durch den von ihr mißbrauchten nomos. - J. W e i s s , 1 Kor., 380, betrachtet den Vers als "völlig aus dem begeisterten Ton fallende theologische Glosse, die eine genaue Kenntnis der paulin. Theologie voraussetzt". Dagegen C o n z e l m a n n , 1 Kor., 350.

215) B u l t m a n n , Theologie, 260.

216) B r u c e , Paul and the Law of Moses, BJRL 57, 272; Hervorhebung von mir.

Zu S. 126-129

217) **Lohse**, ὁ νόμος τοῦ πνεύματος τῆς ζωῆς = NT und christliche Existenz, 286.

218) **Bruce**, Paul and the Law of Moses, BJRL 57, 272.

219) **Z.B. Michel**, Röm., 158; **Käsemann**, Röm., 206.

220) **Z.B. Cranfield**, Rom., 379.

221) **Käsemann**, Röm., 204.207.

222) Ib. 207f.

223) **Paulsen**, Überlieferung und Auslegung in Röm 8, S. 65.

224) **Käsemann**, Röm., 208.

225) Ib. 207.

226) **Hübner**, Existentiale Interpretation der paulinischen "Gerechtigkeit Gottes", NTS 21, 462-488.

227) **Bruce**, Paul and the Law of Moses, BJRL 57, 272.

228) Ib. 275.   229) Ib. 275f.

230) Unter **diesem** Vorzeichen muß verstanden werden, was **Schrage**, Einzelgebote, 232, richtig sagt: Paulus hat "faktisch ... bei den sittlichen Forderungen des Gesetzes durchaus zwischen Heilsweg und Lebensnorm unterschieden und das Gesetz nur im ersteren Sinn verworfen, im zweiten dagegen als Norm sittlichen Lebens geltend gemacht und darauf zurückgegriffen. Das heilige und gerechte, gute und pneumatische Gesetz (Röm 7, 12. 14) als die Offenbarung des allezeit gültigen Gotteswillens bleibt der Maßstab, an den auch der Christ gebunden ist ..."; s. auch **Bultmann**, Christus des Gesetzes Ende = GuV II, 52f.

231) **Jüngel**, Paulus und Jesus, 61.

232) Ib. 61.   233) Ib. 61.   234) Ib. 61.

235) **Limbeck**, Von der Ohnmacht des Rechts, 99, formuliert: "Damit das Gesetz mächtig werden konnte, sandte Gott seinen Sohn in den Machtbereich der Sünde." Das **kann** korrekt interpretiert werden. Aber im Unterschied zu Paulus, der von der Rechtsforderung des Gesetzes im Kontext des Geistes Gottes spricht, erhält das Gesetz bei **Limbeck** ein zu starkes Eigengewicht.

236) Der Aufsatz von **Ferdinand Hahn**, Das Gesetzesverständnis im Römer- und Galaterbrief, ZNW 67, 29-63, erschien erst nach Fertigstellung dieses Manuskriptes, so daß es nicht mehr möglich war, ihn in die Diskussion einzubeziehen. Wegen der Wichtigkeit dieser Studie für unser Thema sei aber wenigstens in dieser Anmerkung auf sie aufmerksam gemacht.

LITERATURVERZEICHNIS

Nur genannte oder zitierte Literatur
(Abkürzungen in der Regel wie in RGG[3])

Apophoreta, Festschrift E. Haenchen, hg. W. Eltester/F.H. Kettler (BZNW 30),
    Berlin 1964
B a c h e r , W., Die exegetische Terminologie der jüdischen Traditionslite-
    ratur, 2 Teile, Darmstadt 1965 (= Leipzig 1899 u. 1905)
B a l z , H.R., Heilsvertrauen und Welterfahrung, Strukturen der paulinischen
    Eschatologie nach Röm 8, 18-39 (BEvTh 59), München 1971
B a m m e l , E., Νόμος Χριστοῦ = StudEv III, 1964, 120-128
B a n d s t r a , A.J., The Law and the Elements of the World, An Exegetical
    Study in an Aspect of Paul's Teaching, Kampen 1964
B a r r e t , Ch.K., A Commentary on the Epistel to the Romans (Black's NTC),
    London 1975 (= 1962)
-, The Allegory of Abraham, Sarah and Hagar in the Argument of Galatians
    = Rechtfertigung, 1-16
B a r t h , K., Kirchliche Dogmatik IV, Die Lehre von der Versöhnung 1, Zü-
    rich 1960
B a r t h , M., Zur Einheit des Galater- und Epheserbriefs, ThZ 32 (1976),
    78-91
B a u r , F. Ch., Über Zweck und Veranlassung des Römerbriefs und die da-
    mit zusammenhängenden Verhältnisse der römischen Gemeinde, Tübin-
    ger Zeitschrift für Theologie, 1838, Heft 3, 59-178; jetzt in: B a u r ,
    F. Ch., Ausgewählte Werke in Einzelausgaben, hg. K. Scholder, 1. Bd.,
    Stuttgart-Bad Cannstatt 1963, 147-266
B e c k e r , J., Untersuchungen zur Entstehungsgeschichte der Testamente
    der Zwölf Patriarchen (AGaJU 8), Leiden 1970
B e h m , J., Art. διαθήκη, ThWNT II, 127-137
B e r g e r , K., Die Gesetzesauslegung Jesu, Ihr historischer Hintergrund
    im Judentum und im Alten Testament I: Markus und Parallelen (WMANT
    40), Neukirchen 1972
B e t z , H.D., Der Apostel Paulus und die sokratische Tradition, Eine exe-
    getische Untersuchung zu seiner "Apologie" 2 Korinther 10-13 (BhTh 45),
    Tübingen 1972
-, Geist, Freiheit und Gesetz, ZThK 71 (1974), 78-93
-, The Literary Composition and Function of Paul's Letter to the Galatians,
    NTS 21 (1974/75), 353-379

Bläser, P., Das Gesetz bei Paulus, Münster 1941

Blass, F., Grammatik des neutestamentlichen Griechisch bearbeitet von A. Debrunner, Göttingen 1970[13]

Blass, F./Debrunner, A./Rehkopf, A., Grammatik des neutestamentlichen Griechisch, Göttingen 1976[14]

Bornkamm, G., Paulus, Urban Tabu 119, Stuttgart 1969

-, Das Ende des Gesetzes, Paulusstudien, Ges. Aufs. I (BETh 16), München 1958; Geschichte und Glaube, Zweiter Teil = Ges. Aufs. IV, München 1971

-, Sünde, Gesetz und Tod (Röm 7) = Ges. Aufs. I, 51-69

-, Paulinische Anakoluthe = Ges. Aufs. I, 76-92

-, Wandlungen im alt- und neutestamentlichen Gesetzesverständnis = Ges. Aufs. IV, 73-119

-, Der Römerbrief als Testament des Paulus = Ges. Aufs. IV, 120-139

Borse, U., Der Standort des Galaterbriefes (BBB 41), Köln 1972

Brandenburger, E., Adam und Christus, Exegetisch-religionsgeschichtliche Untersuchung zu Römer 5, 12-31 (1 Kor 15), (WMANT 7), Neukirchen 1962

Bring, R., Christus und das Gesetz, Die Bedeutung des Gesetzes des Alten Testaments nach Paulus und sein Glauben an Christus, Leiden 1969

Bruce, F. F., Paul and the Law of Mose, BJRL 57, 259-279

-, The Epistle of Paul to the Romans, An Introduction and Commentary (Tyndal NTC), London 1969[5]

Bultmann, R., Der Stil der paulinischen Predigt und die kynisch-stoische Diatribe, Göttingen 1910

-, Theologie des Neuen Testaments, hg. O. Merk, Tübingen 1977[7]

-, Glauben und Verstehen II, Tübingen 1962[3]

-, Christus des Gesetzes Ende = GuV II, 32-58

-, Exegetica, Aufsätze zur Erforschung des Neuen Testaments, hg. E. Dinkler, Tübingen 1967

-, Römer 7 und die Anthropologie des Paulus = Exegetica, 198-209

-, Glossen im Römerbrief = Exegetica, 278-284

-, Ursprung und Sinn der Typologie als Hermeneutischer Methode = Exegetica, 369-380

-, Adam und Christus nach Röm 5 = Exegetica, 424-444

-, Der zweite Brief an die Korinther (Meyer), Göttingen 1976

-, Art. πείθω, ThWNT II, 1-12

-, Art. καυχάομαι, ThWNT III, 646-654

Burton, E. de Witt, A Critical and Exegetical Commentary on the Epistle to the Galatians (JCC), Edinburgh 1975 (=1921)

Cambier, J., L'Evangile de dieu selon l'épître aux Romains, Exégèse et Théologie biblique I (StNeotest 3), Bruges 1967

Clemen, C., Die Chronologie der paulinischen Briefe aufs neue untersucht, Halle 1893

-, Die Reihenfolge der paulinischen Hauptbriefe, ThStKr 70 (1897), 219-270

Conzelmann, H., Grundriß der Theologie des Neuen Testaments, München 1967

-, Der erste Brief an die Korinther (Meyer V), Göttingen 1969

Cranfield, C.E.B., St. Paul and the Law, SJTh 17 (1964), 43-68

-, The Epistle to the Romans I (JCC), Edinburgh 1975[6] (Entirely Rewritten)

Cullmann, O., Petrus, Jünger - Apostel - Märtyrer, Das historische und das theologische Petrusproblem, Zürich/Stuttgart 1960[2]

Dahl, N.A., Widersprüche in der Bibel, ein altes hermeneutisches Problem, StTh 25 (1971), 1-19

Davies, W.D., Paul and Rabbinic Judaism, Some Rabbinic Elements in Pauline Theology, London 1962

-, Torah in the Messianic Age and/or the Age to come (JBL MS VII), Philadelphia 1952

Deissmann, A., Paulus, Eine kultur- und religionsgeschichtliche Skizze, Tübingen 1925[2]

Delling, G., Art. καταργέω, ThWNT I, 453-455

Denzinger, H., Enchiridion Symbolorum Definitionum et Declarationum de rebus fidei et morum, ed. C.Rahner, Freiburg 1952[28]

Dibelius, M., Die Geisterwelt im Glauben des Paulus, Göttingen 1905

Dietzfelbinger, Ch., Paulus und das Alte Testament, Die Hermeneutik des Paulus untersucht an seiner Deutung der Gestalt Abrahams (ThExh 95), München 1961

-, Heilsgeschichte bei Paulus?, Eine exegetische Studie zum paulinischen Geschichtsdenken (ThExh 126), München 1965

Dilthey, W., Die Entstehung der Hermeneutik = Ges. Schriften V, 317-338, Göttingen 1968[5]

Dinkler, E., Signum Crucis, Aufsätze zum Neuen Testament und zur Christlichen Archäologie, Tübingen 1967

-, Der Brief an die Galater, Zum Kommentar von Heinrich Schlier = Signum Crucis, 278-282.

Donfried, K.P., Justification and Last Judgement in Paul, ZNW 67 (1976), 90-110

Drane, H.W., Tradition, Law and Ethics in Pauline Theology, NovTest 16 (1974), 167-178

van Dülmen, A., Die Theologie des Gesetzes bei Paulus (StuttgBM 5), Stuttgart 1968

Eckert, H., Die urchristliche Verkündigung im Streit zwischen Paulus und seinen Gegnern im Galaterbrief (BU 6), Regensburg 1971

Eichholz, G., Die Theologie des Paulus im Umriß, Neukirchen 1972

Ellis, E.E., Paul's Use of the Old Testament, Edinburgh/London 1957

Foerster, W., Abfassungszeit und Ziel des Galaterbriefs = Apophoreta, 135-141

-, Art. ὄφις ThWNT V, 571-582

Flückiger, F., Die Werke des Gesetzes bei den Heiden (nach Röm 2,14ff), ThZ 8 (1952), 17-42

Friedrich, G., Das Gesetz des Glaubens Röm 3,27, ThZ 10 (1954), 401-417

Fuchs, E., Hermeneutik, Tübingen 1969[4]

Georgi, D., Die Geschichte der Kollekte des Paulus für Jerusalem, Hamburg-Bergstedt 1965

Gnilka, J., Der Philipperbrief (HThKNT X, 3), Freiburg/Basel/Wien 1968

Goppelt, L., Typos, Die typologische Deutung des Alten Testaments im Neuen, Gütersloh 1939 = Darmstadt 1969 mit Anhang: Apokalyptik und Typologie bei Paulus

-, Theologie des Neuen Testaments II, Vielfalt und Einheit des apostolischen Christuszeugnisses, Göttingen 1976

Greeven, H., Art. πλησίον, ThWNT VI, 314-316

Grundmann, W., Art. ἵστημι, ThWNT VII, 637-652

Güttgemanns, E., "Gottesgerechtigkeit" und strukturale Semantik, Linguistische Analyse zu δικαιοσύνη θεου = studia linguistica neotestamentica, Ges. Aufs. zur linguistischen Grundlage einer Neutestamentlichen Theologie, (BETh 60), München 1971, 59-98

Gutbrod, W., Art. νόμος, ThWNT IV, 1029-1084

Haacker, K., Die Berufung des Verfolgers und die Rechtfertigung des Gottlosen, Erwägungen zum Zusammenhang zwischen Biographie und Theologie des Apostels Paulus, ThBeitr 6 (1957), 119

-, War Paulus Hillelit? = Das Institutum Judaicum der Universität Tübingen 1971-1972, 106-120

Haenchen, E., Gott und Mensch, Ges. Aufs., Tübingen 1965

-, Matthäus 23 = Gott und Mensch, 29-54

Hahn, F., Gen 15, 6 im Neuen Testament = Probleme biblischer Theologie, 90-107

-, Das Gesetzesverständnis im Römer- und Galaterbrief, ZNW 67 (1976), 29-63

Harder, G., Der konkrete Anlaß des Römerbriefes, TheolViat 6 (1959), 13-24

Heidegger, M., Die Sprache im Gedicht = Unterwegs zur Sprache, Pfullingen 1971[4], 35-82

Hengel, M., Judentum und Hellenismus, Studien zu ihrer Begegnung unter besonderer Berücksichtigung Palästinas bis zur Mitte des 2. Jh. v. Chr. (WUANT 10), Tübingen 1969

-, Der Sohn Gottes, Die Entstehung der Christologie und die jüdisch-hellenistische Religionsgeschichte, Tübingen 1975

Herold, G., Zorn und Gerechtigkeit bei Paulus, Eine Untersuchung zu Röm 1, 16-18, Bern/Frankfurt 1973

Holsten, C., Das Evangelium des Paulus I, 1, Berlin 1880

Holtz, T., Rezension von U. Wilckens, Rechtfertigung als Freiheit, ThLZ 101 (1976), 264-266

Horst, F., Hiob (BK XVI/1), Neukirchen 1968

Hübner, H., Rechtfertigung und Heiligung in Luthers Römerbriefvorlesung, Witten 1965

-, Das Gesetz in der synoptischen Tradition, Studien zur These einer progressiven Qumranisierung und Judaisierung innerhalb der synoptischen Tradition, Witten 1973

-, Politische Theologie und existentiale Interpretation, Zur Auseinandersetzung Dorothee Sölles mit Rudolf Bultmann, Witten 1973

-, Gal 3,10 und die Herkunft des Paulus, KuD 19 (1973), 215-231

-, Existentiale Interpretation der paulinischen "Gerechtigkeit Gottes", Zur
Kontroverse Rudolf Bultmann - Ernst Käsemann, NTS 21 (1974/75),
462-488

-, Das ganze und das eine Gesetz, Zum Problemkreis Paulus und die Stoa,
KuD 21 (1975), 239-256

-, Mk 7,15 und das "jüdisch-hellenistische" Gesetzesverständnis, NTS 22
(1975/76), 319-345

-, Das Gesetz als elementares Thema einer Biblischen Theologie?, KuD 22
(1976), 250-276

Jeremias, G., Der Lehrer der Gerechtigkeit (StUNT 2), Göttingen 1963

Jeremias, J., Paulus als Hillelit = Neotestamentica et Semitica, Studies
in Honour of Matthew Black, ed. E. E. Ellis and E. Wilcox, Edinburgh
1969, 88-94

Jervell, J., Der Brief nach Jerusalem, Über Veranlassung und Adresse
des Römerbriefes, StTh 25 (1971), 61-73

Jesus Christus in Historie und Theologie, Festschrift H. Conzelmann, hg.
G. Strecker, Tübingen 1975

Jesus und Paulus, Festschrift W. G. Kümmel, hg. E. Earle Ellis und Erich
Gräßer, Göttingen 1975

Jewett, R., The Agitators and the Galatian Congregation, NTS 17 (1970/
71), 198-212

Joest, W., Gesetz und Freiheit, Das Problem des tertius usus legis bei
Luther und die neutestamentliche Paränese, Göttingen 1961[3]

Jonas, H., Philosophische Meditation über Paulus, Römerbrief, Kapitel
7 = Zeit und Geschichte, 557-570

Jüngel, E., Das Gesetz zwischen Adam und Christus, Eine theologische
Studie zu Röm 5,12-21, ZThK 60 (1963), 42-74

-, Paulus und Jesus, Eine Untersuchung zur Präzisierung der Frage nach
dem Ursprung der Christologie, Tübingen 1964[2]

Kasting, H., Die Anfänge der christliche Mission (BEvTh 55), München
1969

Käsemann, E., Erwägungen zum Stichwort "Versöhnungslehre im Neuen
Testament" = Zeit und Geschichte, 47-59

-, Exegetische Versuche und Besinnungen I/II, Göttingen 1960

-, Das Problem des historischen Jesus = EVB I, 187-214

-, Gottesgerechtigkeit bei Paulus = EVB II, 181-193

-, An die Römer (HNT 8a), Tübingen 1973

Kertelge, K., "Rechtfertigung" bei Paulus, Studien zur Struktur und zum
Bedeutungsgehalt des paulinischen Rechtfertigungsbegriffs, Münster 1971[2]

-, Exegetische Überlegungen zum Verständnis der paulinischen Anthropologie
nach Römer 7, ZNW 62 (1971), 105-114

Kierkegaard, S., Philosophisch-theologische Schriften, hg. H. Diem und
W. Rest, Köln/Olten 1956[2]

Klein, G., Rekonstruktion und Interpretation, Ges. Aufs. zum Neuen Testament (BEvTh 50), München 1969

-, Galater 2, 6-9 und die Geschichte der Jerusalemer Urgemeinde = Rekonstruktion und Interpretation, 99-128

-, Der Abfassungszweck des Römerbriefs = Rekonstruktion und Interpretation, 129-144

-, Römer 4 und die Idee der Heilsgeschichte = Rekonstruktion und Interpretation, 145-169

-, Individualgeschichte und Weltgeschichte bei Paulus = Rekonstruktion und Interpretation, 180-224

-, Gottes Gerechtigkeit als Thema der Paulusforschung = Rekonstruktion und Interpretation, 225-236

Knierim, R., Die Hauptbegriffe für Sünde im Alten Testament, Gütersloh 1967[2]

Koch, K., Die drei Gerechtigkeiten, Die Umformung einer hebräischen Idee im aramäischen Denken nach dem Jesaja-Targum = Rechtfertigung, 245-267

Kühner, R. /Gerth, B., Ausführliche Grammatik der griechischen Sprache II/1, Darmstadt 1966 (=1898[3])

Kümmel, W. G., Römer 7 und die Bekehrung des Paulus, Leipzig 1929; jetzt in: Römer 7 und das Bild des Menschen im Neuen Testament, Zwei Studien, München 1974

-, Einleitung in das Neue Testament, Heidelberg 1976 (= 18. wiederum völlig neu bearbeitete Auflage der Einleitung in das Neue Testament von Paul Feine und Johannes Behm).

Kuhn, H.-W., Jesus als Gekreuzigter in der frühchristlichen Verkündigung bis zur Mitte des 2. Jahrhunderts, ZThK 72 (1975), 1-46

Kuhn, K.G., Art. προσήλυτος, ThWNT VI, 727-745

Kuhn, K.G. /Stegemann, H., Art. Proselyten, PW Suppl. IX 1962

Kuss, O., Nomos bei Paulus, MThZ 17 (1966), 173-227

-, Der Römerbrief (1. und 2. Lieferung), Regensburg 1957

Kutsch, E., Art. berit, Verpflichtung, ThHAT I, 338-352

Lang, F., Gesetz und Bund bei Paulus = Rechtfertigung, 305-320

Levy, J., Wörterbuch über die Talmudim und Midraschim, 4 Bd., Darmstadt 1963 (= Berlin und Wien 1924[2])

Lietzmann, H., An die Galater (HNT 10), Tübingen 1971[4]

-, An die Römer (HNT 8), Tübingen 1971[5]

Limbeck, M., Die Ordnung des Heils, Untersuchungen zum Gesetzesverständnis des Frühjudentums, Düsseldorf 1971

-, Von der Ohnmacht des Rechts, Zur Gesetzeskritik des Neuen Testaments, Düsseldorf 1972

Lipsius, R.A., Briefe an die Galater, Römer, Philipper (HCNT II, 2), Freiburg 1891

Lohse, E., ὁ νόμος τοῦ πνεύματος τῆς ζωῆς, Exegetische Anmerkungen zu Röm 8, 2 = Neues Testament und christliche Existenz, 279-287

-, Grundriß der neutestamentlichen Theologie (ThW 5), Stuttgart 1974

-, Art. Mission II. Jüdische Mission, RGG[3] IV, 971-973

Lütgert, W., Gesetz und Geist, Eine Untersuchung zur Vorgeschichte des Galaterbriefes (BFchTh 6), Gütersloh 1919

Luther, M., Werke, Kritische Gesamtausgabe; 56. Bd., Weimar 1938; 57. Bd., Weimar 1939

Luz, U., Das Geschichtsverständnis des Paulus (BEvTh 49), München 1968

Lyonnet, S., Exegesis Epistulae ad Romanos, Cap. I ad IV, Roma 1963[3]

MacGorman, H.W., Problem Passages in Galatians, SouthWestJTh 15 (1972), 35-51

Maier, J., Die Geschichte der jüdischen Religion, Von der Zeit Alexander des Großen bis zur Aufklärung mit einem Ausblick auf das 19./20. Jahrhundert, Berlin/New York 1972

Marböck, J., Gesetz und Weisheit, Zum Verständnis des Gesetzes bei Jesus Ben Sira, BZ 20 (1976), 1-21

Marxsen, W., Einleitung in das Neue Testament, Eine Einleitung in ihre Probleme, Gütersloh 1963

-, Der ἕτερος νόμος Rm 13, 8, ThZ 11 (1955), 230-237

Maurer, Ch., Die Gesetzeslehre des Paulus nach ihrem Ursprung und ihrer Entfaltung dargelegt, Zürich 1941

Melanchthon, Ph., Werke in Auswahl II. Band, 1. Teil, Loci communes von 1521, Loci praecipui theologici von 1559 (1. Teil), hg. H. Engeland, Gütersloh 1952

Menge, H., Langenscheidts Großwörterbuch Griechisch-Deutsch unter Berücksichtigung der Etymologie, Berlin/München/Zürich 1973[22]

Merk, O., Handeln aus Glauben, Die Motivierungen der paulinischen Ethik (MThSt 5), Marburg 1968

-, Der Beginn der Paränese im Galaterbrief, ZNW 60 (1969), 83-104

Meyer, R., Art. περιτέμνω, ThWNT VI, 72-83

Michel, O., Der Brief an die Römer (Meyer IV), Göttingen 1957[11]

-, Paulus und seine Bibel, Darmstadt 1972 (=Gütersloh 1929)

-, Art. συγκλείω, ThWNT VIII, 744-747

Müller, Ch., Gottes Gerechtigkeit und Gottes Volk, Eine Untersuchung zu Römer 9-11 (FRLANT 86), Göttingen 1964

Munck, J., Paulus und die Heilsgeschichte (Acta Jutlandica XXVI, 1, Teol. S. 6), Kopenhagen 1954

Mußner, F., Der Galaterbrief (HThKNT IX), Freiburg/Basel/Wien 1974

Neues Testament und christliche Existenz, Festschrift H. Braun, hg. H.D. Betz und L. Schottroff, Tübingen 1973

Neusner, J., The Rabbinic Traditions about the Pharisees before 70, 3 Parts, Leiden 1971

Niederwimmer, K., Der Begriff der Freiheit im Neuen Testament, Berlin 1966

Noth, M., "Die mit des Gesetzes Werken umgehen" = Gesammelte Studien (ThB 6), 155-171

Nygren, A., Der Römerbrief, Göttingen 1959[3]

Oepke, A., Der Brief des Paulus an die Galater (ThHNT 9), Berlin 1960²

-, Art. διά , ThWNT II, 64-69

-, Art. μεσίτης , ThWNT IV, 602-629

Paschen, W., Rein und Unrein, Untersuchung zur biblischen Wortge-
schichte (StANT 24), München 1970

Paulsen, H., Überlieferung und Auslegung in Römer 8 (WMANT 43) Neukirchen 1974

Probleme biblischer Theologie, Festschrift G. von Rad, hg. H. W. Wolff,
München 1971

Prümm, K., Die Botschaft des Römerbriefes, Ihr Aufbau und Gegenwarts-
wert, Freiburg 1960

Quell, G./Schrenk, G., Art. δίκη κτλ., ThWNT II, 176-229

von Rad, G., Die Anrechnung des Glaubens zur Gerechtigkeit = Gesammelte Studien zum Alten Testament (ThB 8), München 1961, 130-135

Rechtfertigung, Festschrift E. Käsemann, hg. J. Friedrich u.a., Tübingen/
Göttingen 1976

Ritschl, A., Die Entstehung der altkatholischen Kirche, Eine kirchen-
und dogmengeschichtliche Monographie, Bonn 1850¹, 1857²

-, Die christliche Lehre von der Rechtfertigung und Versöhnung, 2. Bd.,
Bonn 1882², 1889³

Sand, A., Der Begriff "Fleisch" in den paulinischen Hauptbriefen (BU 2),
Regensburg 1967

Schäfer, P., Die Torah der messianischen Zeit, ZNW 65 (1974), 27-42

Schlatter, A., Gottes Gerechtigkeit, Ein Kommentar zum Römerbrief,
Stuttgart 1935

-, Der Evangelist Matthäus, Seine Sprache, sein Ziel, seine Selbständig-
keit, Stuttgart 1973²

Schlier, H., Der Brief an die Galater (Meyer VII), Göttingen 1962¹²

Schmithals, W., Paulus und Jakobus (FRLANT 85), Göttingen 1963

-, Paulus und die Gnostiker, Untersuchungen zu den kleinen Paulusbriefen
(ThF 35), Hamburg-Bergstedt 1965

-, Die Häretiker in Galatien = Paulus und die Gnostiker, 9-46

-, Rezension von J. Eckert, Die urchristliche Verkündigung im Streit zwischen Paulus und seinen Gegnern nach dem Galaterbrief, ThLZ 98 (1973),
747-749

-, Der Römerbrief als historisches Problem, Gütersloh 1975

Schoeps, H.-J., Paulus, Die Theologie des Apostels im Lichte der jüdischen Religionsgeschichte, Darmstadt 1972 (= Tübingen 1959)

Schrage, W., Die konkreten Einzelgebote in der paulinischen Paränese,
Ein Beitrag zur neutestamentlichen Ethik, Gütersloh 1961

Schrenk, s. Quell

Schweitzer, A., Die Mystik des Apostels Paulus, Tübingen 1930

Schweizer, E., Die "Elemente der Welt", Gal 4, 3. 9; Kol 2, 8. 20 = Verborum Veritas, 245-259

Sieffert, F., Bemerkungen zum paulinischen Lehrbegriff, namentlich über
das Verhältnis des Galaterbriefs zum Römerbrief, JDTh 14 (1869), 250-275

-, Der Brief an die Galater (Meyer VII), Göttingen 1886[7] (Ich habe die 7., nicht die 9. Auflage (1899) benutzt. Das dürfte insofern verantwortbar sein, als die 9. Auflage gegenüber der 7. nur minimal verändert ist.

-, Die Entwicklungslinie der paulinischen Gesetzeslehre nach den vier Hauptschriften des Apostels = Theologische Studien, Göttingen 1897, 332-357

Suhl, A., Paulus und seine Briefe, Ein Beitrag zur paulinischen Chronologie, Gütersloh 1975

Strack, H.L./Billerbeck, P., Kommentar zum Neuen Testament aus Talmud und Midrasch, 4 Bände, München 1965[4]

Strecker, G., Das Evangelium Jesu Christi = Jesus Christus in Historie und Geschichte, 503-548

-, Befreiung und Rechtfertigung, Zur Stellung der Rechtfertigungslehre in der Theologie des Paulus = Rechtfertigung, 479-508

Strobel, A., Das Aposteldekret in Galatien: Zur Situation von Gal 1 und 2, NTS 20 (1973/74), 177-190

Stuhlmacher, P., Gerechtigkeit Gottes bei Paulus (FRLANT 87), Göttingen 1966[2]

-, Zur neueren Exegese von Röm 3, 24-26 = Jesus und Paulus, 315-353

Theologische Studien, Festschrift B. Weiß, Göttingen 1897

Ulonska, H., Die Funktion der alttestamentlichen Zitate und Anspielungen in den paulinischen Briefen, Diss. Münster 1963

Verborum Veritas, Festschrift für G. Stählin, Wuppertal 1970

Vielhauer, P., Gesetzesdienst und Stoicheiadienst im Galaterbrief = Rechtfertigung 543-555

Watson, N.M., Review Article, NTS 20 (1973/74), 217-228

Wedderburn, A.J.M., The Theological Structure of Romans v.12, NTS 19 (1972/73), 339-354

Weinfeld, M., Art. b^{e}rit, ThWAT I, 781-808

Weiß, J., Der erste Korintherbrief, Göttingen 1970 (= Meyer V, 1910[9])

Weiß, K., Art. φορτίον, ThWNT IX, 87f.

Wendland, P., Die hellenistisch-römische Kultur in ihren Beziehungen zum Judentum und Christentum (HNT 2), Tübingen 1972[4] (= 1912[2])

Westermann, C., Genesis I (BK I/1), Neukirchen 1974

Wilckens, U., Rechtfertigung als Freiheit, Paulusstudien, Neukirchen 1974

-, Die Rechtfertigung Abrahams nach Röm 4 = Rechtfertigung als Freiheit, 33-49

-, Zu Römer 3, 21-4, 25, Antwort an G. Klein = Rechtfertigung als Freiheit, 50-76

-, Was heißt bei Paulus: "Aus Werken des Gesetzes wird kein Mensch gerecht?" = Rechtfertigung als Freiheit, 77-109

-, Über Abfassungszweck und Aufbau des Römerbriefes = Rechtfertigung als Freiheit, 110-170

-, Art. σοφία, ThWNT VII, 497-529

Windisch, H., Das Problem des paulinischen Imperativs, ZNW 23 (1924), 265-281

Zahn, Th., Der Brief des Paulus an die Römer, Leipzig 1910^2

Zeit und Geschichte, Festschrift R. Bultmann, hg. E. Dinkler, Tübingen 1964

Ziesler, J.A., The Meaning of Righteousness in Paul, A Linguistic and Theological Enquiry (SNTS MS 20), Cambridge 1972

AUTORENREGISTER

Die Seitenangaben im Autorenregister beziehen sich auch auf die zur betreffenden Seite gehörenden Anmerkungen.

Asmussen, H. 52

Bacher, W. 121
Balz, H.R. 115
Bammel, E. 13
Bandstra, A.J. 35
Barret, Ch.K. 35,70,101
Barth, K. 75
Barth, M. 34
Bauer, B. 11
Baur, F.Ch. 55
Becker, J. 79
Behm, J. 45
Berger, K. 79
Betz, H.D. 18,47,60,93
Billerbeck, P. 34,45,93,98
Bisping, A. 83
Bläser, P. 63
Blass, F. 61
Bornkamm, G. 23,83,55,57,62,65f.,122f.
Borse, U. 57
Brandenburger, E. 66,73
Bring, R. 28
Bruce, F.F. 70,126,128
Bultmann, R. 38,45f.,62,65f.,71,74,86,
    92f.,95,97f.,102,104f.,113,115,119f.,
    126,129
Burton, E.de Witt 17-20,27f.,40,82,88

Cambier, J. 95,121
Clemen, C. 11,13
Conzelmann, H. 92,105,125
Cranfield, C.E.B. 28,49,62f.,65,70,94f.,
    97f.,107,111,121f.,126
Cullmann, O. 54

Dahl, N.A. 43
Davies, W.D. 34
Debrunner, A. 61
Deissmann, A. 14,24,57
Delling, G. 35,122
Dibelius, M. 35

Dietzfelbinger, Ch. 13,35,45f.,51
Dilthey, W. 29
Dinkler, E. 54
Dornfried, K.P. 86
Drane, J.W. 28,57
Dülmen, A.van 82,87,94f.

Eckert, J. 17,20f.,23f.,27f.,54
Eichholz, G. 13
Ellis, E.E. 20

Flückiger, F. 49
Foerster, W. 11,17,33
Friedrich, G. 95,119,123
Fridrichsen, A. 62
Fuchs, E. 57

Georgi, D. 57
Gerth, B. 61f.
Gnilka, J. 59
Goppelt, L. 46,107
Greeven, H. 38
Grundmann, W. 124
Güttgemanns, E. 116
Gutbrod, W. 77
Gutjahr, F. 63

Haacker, K. 20f.,122
Haenchen, E. 71
Hahn, F. 17.20,129
Harder, G. 55
Headlam, A.C. 77
Heidegger, M. 68
Hengel, M. 26,34,79
Herold, G. 20,49,61
Hirsch, E. 88
Holsten, C. 17,83,87
Holtz, T. 57
Holtzmann, H.J. 63
Horst, F. 30
Hübner, H. 20,24,38-40,66,73,76f.,79,
    94,109,114,127

Jeremias, G. 40
Jeremias, J. 20, 40
Jervell, J. 55
Jewett, R. 17, 54, 88
Joest, W. 32, 41, 99
Jonas, H. 71
Jülicher, A. 77
Jüngel, E. 66, 73, 129

Kähler, M. 45
Käsemann, E. 45f., 49-52, 62-66, 68, 70-74,
    77f., 81, 93-95, 97f., 101, 104-107, 109-
    114, 119-121, 123f., 126-128
Kasting, H. 24
Kertelge, K. 71, 108, 111f.
Kierkegaard, S. 66
Klein, G. 28f., 34f., 50, 54f., 59, 71, 73, 96,
    98, 103, 105f., 121-123
Knierim, R. 71
Koch, K. 116
Kühner, R. 61f.
Kümmel, W. G. 54, 63, 65, 68-70, 94, 113
Kuhn, H.-W. 21, 24, 28, 40, 90
Kuhn, K. G. 23f.
Kuss, O. 13, 49, 63, 95, 98f., 104
Kutsch, E. 18

Lagrange, M. 68, 71
Lang, F. 18, 45
Levy, J. 121f.
Lietzmann, H. 20, 28, 62, 88, 90, 94f., 122
Limbeck, M. 26, 30, 129
Lipsius, R. A. 20, 27f., 39, 63, 65, 68, 72,
    82f., 87f., 93-95, 98, 111f., 125
Lohse, E. 23, 95, 105, 119, 125f.
Lütgert, W. 117
Luther, M. 27, 82, 106, 111
Luz, U. 13, 17, 28, 41, 51f., 73f., 96
Lyonnet, S. 106

MacGormann, J. W. 14, 28, 35
Maier, J. 20
Marböck, J. 79
Marxsen, W. 55, 57, 59, 61, 77
Maurer, Ch. 38
Melanchthon, Ph. 55
Menge, H. 28, 61f.
Merk, O. 60, 77, 113
Methodius 65
Meyer, R. 23, 49
Michel, O. 20, 49, 61-63, 72f., 75, 77, 80,
    93-96, 101f., 111, 121-124, 126

Mörlin, J. 32
Müller, Ch. 50f., 74, 106
Munck, J. 24, 57
Mussner, F. 17, 20, 22, 27f., 31, 34, 43,
    45, 54, 82f., 85-88, 90

Neusner, J. 34, 79
Niederwimmer, K. 37, 64
Noth, M. 20
Nygren, A. 20, 77, 94

Oepke, A. 17, 20, 27f., 30, 34, 83f., 87f.

Paschen, W. 77, 80
Paulsen, H. 127
Prosper 85
Prümm, K. 68

Rad, G. von 17f.
Rehkopf, A. 61
Ritschl, A. 9f., 13

Sand, A. 92
Sanday, W. 77
Schäfer, P. 34
Schlatter, A. 80, 104, 114
Schleiermacher, F. D. E. 29
Schlier, H. 17, 19f., 27f., 30f., 34f., 38-
    40, 42, 45, 82-90
Schmithals, W. 17, 21f., 24, 26, 55-63
Schoeps, H.-J. 20, 28, 34, 43
Schrage, W. 23, 129
Schrenk, G. 104
Schweitzer, A. 20, 28
Schweizer, E. 35
Sickenberger, J. 111
Sieffert, F. 10-13, 27f., 83f., 87f., 117
Spicq, C. 77
Steck, R. 11
Stegemann, H. 24
Strecker, G. 15, 57
Strobel, A. 54
Stuhlmacher, P. 49, 95, 103, 105, 109f.,
    116
Suhl, A. 13, 22, 55, 57, 60f.

Theodor von Mopsuestia 65
Theodoret 65
Trakl, G. 68

Ulonska, H. 38-40, 77

Vielhauer, Ph. 22, 26, 35f., 54

Watson, N. M. 105
Wedderburn, A. J. M. 66
Weinfeld, M. 18
Weiss, B. 68
Weiss, J. 92, 111, 125
Weiss, K. 87
Wendland, P. 12

Westermann, C. 67
Wilamowitz-Moellendorf, U. von 38
Wilckens, U. 23, 34, 54-57, 59, 63, 96-99,
    102, 119, 122f.
Windisch, H. 113

Zahn, Th. 62f., 72, 77
Ziesler, J. A. 105, 107f., 112f.

STELLENREGISTER

Die Seitenangaben im Stellenregister beziehen sich auch auf die zur betreffenden Seite gehörenden Anmerkungen

Altes Testament

Gen

2	66
2, 16f.	66
2, 17	66, 68
3	33, 65-69
3, 13	65, 67
6, 5	33
6, 18	124
8, 21	33
15	17f.
15, 6	17f., 20, 39, 43-45, 98-100, 123
17	17f., 23, 44f.
17, 1-14	18
17, 9ff.	17
17, 10	18
17, 10ff.	45
17, 11	45
18, 18	18, 39, 43
21, 12	52

Ex

20, 17	64

Lev

11	23
12, 3	23
18, 5	20, 27, 31f., 37, 40f., 43
19, 18	38, 42, 76
26	20

Dt

5, 21	64
13, 6	20
21, 23	21, 40
27	19
27, 26	19-21, 34, 39f.
28	20
33, 2	30

Esth

9, 31	122

Hiob

1	30

Ps

32, 1f.	99
62	102

Jes

2, 2ff.	57
52, 15	62
60, 5	57

Jer

9, 22	92
9, 24f.	49
31, 31-34	128

Ez

11, 19f.	128
36, 25-27	128

Mi

4, 1ff.	57

Hab

2, 4	20, 39, 41, 43

Jüdische Schriften

ApkMos

16	33

Baruch

2, 20	49

4 Makk

2, 6	64

Sap

15, 2	94

Sir

17, 14; 28, 6	79

Sir
24	34

VitaAd
16	33

Mischnah
Ab
1	34
1, 1	33f.
3, 14	34
4, 9	121f.

Bab. Talmud
Men
99b.	121

Nidda
61	34

Schab
31	20, 39, 79

Jerus. Talmud
jMeg
1, 70d	122

Midraschim
GenR
48 (30a)	93

ExR
19 (81c)	93f.

Pesiqta
40	80

Griechische Schriften

Aristoteles Pol
III 13p 1284a	13f.
s. auch Anm.	
135 von S. 106	

Heraklit B 32	61

Polybios 8. 17, 1	61

Neues Testament

Mt
5, 17ff.	127
22, 34-40	78

Mk
7, 15	77, 79f.
8, 35	102

Acta
6ff.	25

Röm
1	59f., 62, 93
1-11	58, 60
1-3	97-99
1, 1-11, 36	59
1, 1	61
1, 5	55, 106, 113
1, 15	61f.
1, 16	61, 106
1, 16f.	106, 112
1, 17	20, 39, 105-107, 128
1, 17f.	107
1, 18	72
1, 18ff.	94, 107
1, 18-3, 28	97
1, 18-3, 20	62f., 70, 103
1, 18-32	62
1, 24. 26. 28	94
1, 32	62
2	62, 94
2-4	93
2, 1	62, 107
2, 1ff.	94, 102
2, 1-3, 20	62
2, 1-3, 18	93
2, 2f.	62
2, 3	62
2, 12	74
2, 14	74, 107
2, 14f.	107
2, 17	55, 93f., 102
2, 17ff.	71, 77, 104, 107
2, 17-29	93, 102
2, 18	62
2, 21ff.	93
2, 23	93
2, 25	48f., 93f.
2, 25ff.	48
2, 25-29	93
2, 26	48f.
2, 27ff.	62f.
2, 29	48f., 51
3	97, 108, 111
3, 1	49
3, 1f.	46

Röm

3,1ff.	48	4,15	45, 72-74
3,2	49	4,16	46
3,3	51,107	4,17	45
3,4	107	4,18	45f.
3,5	107	4,19ff.	45
3,5f.	107	4,23f.	45
3,7	107	4,25	45
3,9	48,63,94,107	5	66
3,9ff.	98f.,101	5,2f.	102
3,20	27,63,69-71,73,94,96,100, 103,107f.,121-123	5,8	113f.
		5,8ff.	128
3,21	95,97,103,107,110,119, 122-124	5,11	93,102
		5,12	31,66f.,94,111,113f.,12?
3,21-26	95,107	5,12ff.	63,66,74,111,114,125
3,21f.26	105	5,12-21	73f.
3,21-4,25	96,102f.,108,119	5,13	73f.
3,22	107	5,15	73
3,23	84,93	5,15f.	73
3,24ff.	107	5,15-17	73
3,24-26	95	5,17	73,110
3,25	80,95,103	5,19	113
3,26	107	5,20	27,72f.,114
3,27	95-98,115,119-121,123, 125	5,20f.	74
		5,21	74,110
3,27f.	96,122	6	110,112f.
3,27ff.	97,99,107f.,123f.	6,2ff.	112
3,27-30	46	6,13	110-112,114,124
3,27-31	118	6,14	110,114
3,27-4,2	94,102	6,16	111f.
3,28	96-98,102,120f.	6,17f.	111
3,29	121	6,18	112
3,29f.	121	6,19	112
3,30	28,62,72	6,19.22	92
3,31	46,97,118,121-124,129	6,20	112,115
4	44-46,97f.,107f.,110f., 121-124	6,22	72,112
		7	9,63,68,70f.,74,113, 125,127
4ff.	98		
4,1	98	7,1	78
4,1ff.	108	7,1-6	115
4,2	98-101,103	7,4	128
4,3	44,98-101,123	7,6	128
4,3ff.	98f.,101	7,7	63-65,67,69,71,115
4,3-8	103	7,7f.	69
4,4f.	101f.	7,7ff.	27,39,63,68,72f.,109
4,4-6	103	7,7.8	67
4,5	98-100	7,7-13	63,65,69f.
4,10f.	45	7,7-25	73
4,11	45	7,8	63-69,71
4,12	46	7,8f.	66
4,13	45f.	7,8ff.	68
4,13ff.	45	7,8-11	65,67-69
		7,8.11	64

Röm	
7,9	67f.
7,9-11	68
7,10	9,12,64f.,93,125
7,11	65,67f.
7,12	37,64,72,97,116,129
7,12f.	69
7,13	64,115,125
7,14	72,125,129
7,14ff.	66,70f.
7,14-24	70
7,14-25	69
7,15	70,126
7,21ff.	126
7,23	126
7,25	126
8	70,114f.,124f.,127,129
8,1-4	128
8,2	95,125f.,129
8,2ff.	126
8,2-4	125
8,3	126
8,4	124,127
8,6	124
8,10f.	125
8,14	126
8,21	115
9-11	50,52,75,108-110
9,1-5	13
9,1-13	51
9,4	34,45,52
9,4f.	50-52,103
9,6	50-52
9,6ff.	51
9,6.7	52
9,7	51f.
9,8	52
9,25f.	52
9,25ff.	51
9,31	70
9,32-10,2	109
9,32	94
10,3	65,68,70,101,105,108f.,124
10,3ff.	106
10,4	58,118,129
10,5	93
11,11ff.	51
11,13	55
11,16-32	13
11,27	45
11,30f.	75
11,32	72,74f.
11,33	74
11,35	30
12	78
12-15	60
12,1	59f.
12,1ff.	78
13	78
13,1-7	59
13,8	77,127
13,8-10	20,39,59f.,76-78,114-116
13,11-14	78
14,1-15,6	58
14	78
14f.	55,57,60f.
14,14	77,79f.
14,14.20	77f.
14,20	80
15,8-13	59
15,13	59
15,15	59f.
15,19.23	62
15,20	55,59f.,62
15,21	62
15,22	62
15,30	60
15,31	57
16	59

1 Kor	
1,18-31	92
1,22	92
1,23	92
1,26-31	92
1,29	91f.
1,29-31	91
1,30	92,106,117
2,2	92
3,10-15	87
3,13ff.	92
3,19	30
4,5	87
7,19	57
8	57
8f.	57
8,1ff.	61
9,19-23	57
9,20	57
10,20	35
11,25	57
12,13	61
15,56	125
16,1	57

2 Kor
3   45
3,6   45,128
3,7f.   45
3,11   45
3,15   45,71
4,13   45
5,10   92
5,16   11
5,17   103
5,19-21   105
5,21   105
10ff.   92f.
10,12ff.   87
11,3   67f.

Gal
1,4   35
1,6   21
1,7   17
1,10   17
1,12-16   21
1,12.15-19 17
1,14   24
2   24,53f.
2,2   48,55-57
2,3   22
2,4   22
2,5   22
2,6-9   54
2,7   23,54,61
2,7f.   54
2,7-9   21
2,8   54
2,9   54
2,11ff.   26,57
2,12   23f.
2,15-21   102
2,16   16,21,24f.,96
2,16ff.   16,24
2,19   90
2,21   116
3   16,31f.,39-41,43-46,50,52,
            74f.,98
3f.   13,17,19
3ff.   54
3,1-12   43
3,2.5.10   96
3,3   17
3,6   17,39,44,116
3,6ff.   35
3,6-18   34

3,7   16,19
3,8   18,31,39,43
3,8f.   45
3,9f.   19
3,10   19f.,34,39f.,42f.,46,76,
            78,84,89,118
3,10f.   40,43
3,10ff.   19
3,10-13   39
3,11   20
3,11f.   40
3,12   20,27,31f.,40,48
3,13   9,21,28,40
3,14   45
3,15ff.   18,45
3,16   46
3,16ff.   45
3,17   18,45
3,19   12,14,27-29,45,71-73
3,19f.   31f.
3,19ff.   27,30,74
3,19-21   30
3,20   28
3,21   9,12,30-32,116
3,22   20,30-32,34,43,74f.
3,22f.   74
3,22ff.   34,96
3,23   34f.
3,25   32,34
3,26   34
3,26-28   18
3,27ff.   57
3,28   46
3,28f.   18
3,29   16,46
4,2   34
4,3   34f.
4,4.5   34
4,5   34,50
4,8   35
4,8f.   37,80
4,8-11   26
4,8-10   12
4,9   35
4,10   26,38
4,21ff.   35,45
4,21-31   35
4,31   60
5f.   17
5,1   35,60,116
5,3   21f.,24,26,38,53,76,84
            93

Gal

5,3f.	46
5,4	25,47,53,56
5,5	117
5,6	42,117
5,11	11,88
5,12	37
5,13	38,60,117
5,13f.	35
5,14	20,26,37f.,42,59f.,76,87, 116f.
5,15	11
5,17	42,82
5,18	82
5,19ff.	42
5,22	42,85
5,22f.	42
5,23	42
5,24	82
5,25	82,85
5,26-6,5	85-87,90
6	84,91
6,1	82,87
6,1-5	87,90
6,1-6	91
6,1ff.	85f.
6,2	82f.,86f.,95,129
6,3	83,85
6,3f.	86

6,4	81-87,91
6,5	86-88,91
6,11ff.	89
6,12	88f.
6,12-14	90f.
6,13	21,26,88-90
6,13f.	91
6,13.14	81
6,14	90f.
6,15	90

Phil

1,19	30
3,7f.	20,39
3,9	105

1 Thess

2,4	61
2,13	62
3,5	62
4,3ff.	92
5,22	30

1 Petr

1,17	84

Apk

2,2	84

PAULUSSTUDIEN

in den „Forschungen zur Religion und Literatur des Alten und Neuen Testaments".
Ab Heft 80 herausgegeben von Ernst Käsemann und Ernst Würthwein.

85 Walter Schmithals · Paulus und Jakobus
1963. 103 Seiten, broschiert

„Die Arbeit untersucht das Verhältnis der von Paulus begründeten hellenistischen Gemeinden zu der judenchristlichen Urgemeinde in Jerusalem. Auf den ersten Blick unmöglich erscheinende Aspekte werden aufgezeigt und folgerichtig begründet. Die Erforschung der frühen Geschichte der Urchristenheit ist durch diese Arbeit neu in Bewegung gekommen."   Kirche in der Zeit

Peter Stuhlmacher · Gottes Gerechtigkeit bei Paulus
2. Auflage 1966. 276 Seiten, Leinen

„Eine wichtige These des Buches ist: Paulus habe über die urchristliche Tradition hinausgehend (Röm 3, 24 f.) ‚selbständig auf die Rechtfertigungsanschauung des apokalyptischen Spätjudentums zurückgegriffen und in der Kontinuität zur Apokalyptik „Gerechtigkeit Gottes" zum Zentralbegriff seiner Theologie erhoben'. Es handelt sich um eine grundlegende und die weitere Forschung bestimmende Paulusmonographie."   Jahrb. f. Liturgik u. Hymnologie

95 Peter Stuhlmacher · Das paulinische Evangelium
Bd. 1: Vorgeschichte. 1968. 315 Seiten, kartoniert und Leinen

„Das ebenso material- wie ergebnisreiche Buch versteht sich als Versuch einer ganzheitlichen (religions- und traditionsgeschichtlichen) Klärung des Evangelienbegriffs in der urchristlich-vorpaulinischen Überlieferung. Die Untersuchung stellt einen wegweisenden Beitrag zur ntl. Forschung und zum Paulusproblem dar."   Wissenschaftlicher Literaturanzeiger

110 Wolfgang Harnisch · Eschatologische Existenz
Ein exegetischer Beitrag zum Sachanliegen von 1. Thess 4, 13–15, 11.
1973. 187 Seiten, broschiert und Leinen

„W. Harnisch umschreibt in seiner Studie die Eigenart der paulinischen Denkbewegung unter dem Aspekt eines apokalyptisch beeinflußten literarischen Zusammenhangs. Er erläutert die Wechselbeziehung zwischen Text und Situation, weist vorgegebene Traditionselemente auf und zeigt das paulinische Interesse an der Überlieferung."   Neuer Bücherdienst

112 Peter von der Osten-Sacken · Römer 8 als Beispiel paulinischer Soteriologie
1975. 339 Seiten, Leinen

„Der Verfasser analysiert das Kapitel Röm 8 in traditionsgeschichtlicher Hinsicht, wobei er sich vom Interesse leiten läßt, die paulinischen Aussagen schärfer ins Licht zu rücken. Er bestimmt die paulinische Soteriologie als Einheit von Christologie, Pneumatologie und Eschatologie, ohne jedoch die Christologie als fundamentale Größe der paulinischen Theologie der Soteriologie unterzuordnen. Das Buch zeigt überaus eindrücklich, wie sehr das Ganze des paulinischen Denkens von der Christologie geprägt ist."   Kirchenblatt f. d. ref. Schweiz

Gerd Lüdemann · Paulus der Heidenapostel
Studien zur Chronologie.
1978. Ca. 250 Seiten, Leinen

Ernst Synofzik · Die Gerichts- und Vergeltungsaussagen bei Paulus
Eine traditionsgeschichtliche Untersuchung
167 Seiten, kartoniert. (Göttinger Theologische Arbeiten, Bd. 8)

VANDENHOECK & RUPRECHT IN GÖTTINGEN UND ZÜRICH